经济学基础

第2版

主　编　黄佳丽　赵　璐

副主编　马艳秋　孙浩廷　杨　强

参　编　刘祎妮　蒋怡康　杨　莹　刘丽萍

机械工业出版社

本书从经济学的基本理论入手，每章都通过案例导入的方式引出章节内容，体现了经济学理论与实践的联系性，让学生从生活中去发现、理解和运用经济学的基本原理与规律。本书分为12章，内容包括导论、供求理论、消费者行为理论、生产理论、成本理论、市场结构理论、要素分配理论、市场失灵与微观经济政策、国民收入核算与决定理论、失业与通货膨胀、经济增长与经济周期理论、宏观经济政策。

为方便教学，本书配备电子课件、习题答案等教学资源。凡选用本书作为教材的教师均可登录机械工业出版社教育服务网 www.cmpedu.com 下载。咨询电话：010-88379375；服务 QQ：945379158。

本书既可作为高等职业教育财经商贸类相关专业的教材，也可以供对经济学感兴趣的个人阅读、参考。

图书在版编目（CIP）数据

经济学基础 / 黄佳丽，赵璐主编. -- 2版.
北京：机械工业出版社，2024. 8. -- ISBN 978-7-111
-76363-5

Ⅰ. F0

中国国家版本馆CIP数据核字第20246K4Y84号

机械工业出版社（北京市百万庄大街 22 号　邮政编码 100037）
策划编辑：乔　晨　　　　责任编辑：乔　晨　张美杰
责任校对：王荣庆　张昕妍　　封面设计：王　旭
责任印制：常天培
固安县铭成印刷有限公司印刷
2024 年 9 月第 2 版第 1 次印刷
184mm×260mm · 12.25 印张 · 283 千字
标准书号：ISBN 978-7-111-76363-5
定价：39.00 元

电话服务　　　　　　　　网络服务
客服电话：010-88361066　　机　工　官　网：www.cmpbook.com
　　　　　010-88379833　　机　工　官　博：weibo.com/cmp1952
　　　　　010-68326294　　金　书　网：www.golden-book.com
封底无防伪标均为盗版　　机工教育服务网：www.cmpedu.com

前　言

PREFACE

我国经济社会的发展要求新时期大学生理解复杂经济活动的能力要不断提高。为适应高职院校职业教育发展的需要，编者针对新时代高职院校学生的特点，融入党的二十大精神，结合生活中常见的经济现象及高职院校学生的就业形势编写了本书。

经济学是一门研究人与决策的学科，例如利用机会成本、均衡和边际等分析工具，研究人们在经济活动中如何做出更优的选择。实际上，不只是参与经济活动过程中的选择，人们生活中的任何选择，都可以运用经济学的原理进行解释及做出适当的优化。自古以来，人类社会一直面临着资源相对于无穷欲望的稀缺约束，每一个人无时无刻不面临着稀缺资源（如时间、收入）的分配选择。怎样的选择才是最优的选择，本书将从经济学的角度进行分析和解释。

本书重在培养高职院校学生的一种经济学思维方式，用通俗的语言和简单的生活实例进行讲解分析，尽可能把复杂的经济学原理简单化，让学生能够体验到学习经济学的乐趣。更重要的是，希望学生能通过学习经济学受到一定启发，当他们面对生活、学习和工作中的选择时，能够增加一个思考的角度，在了解经济社会运行机制的基础上，明确每一个选择所需承担的代价，从而做出最优的决策。

此外，经济学课程作为财经商贸类专业的基础课，重在引导学生，使其对基本的经济活动和经济规律有所认识，从而能够有效过渡到后续专业课程的更深入学习。本书从高职院校重点培养应用型人才的特点出发，注重理论的实践性与内容的可理解性。具体的编写特点有以下几个:

（1）深入浅出。本书在介绍经济学的基本理论时，理论体现权威性，对理论的解释则采用通俗、简洁的语言，结合大家熟悉的经济现象，对经济学规律进行解释。

（2）逻辑性强。本书在介绍经济学的基本内容时，微观经济学以价格理论为中心，宏观经济学以国民收入决定理论为中心，其余部分内容围绕中心内容展开，始终将核心理论贯穿其中，每部分内容都体现相互之间的关联性。

（3）实用性强。本书重点引导学生在理解经济学基本内容的基础上，形成一种经济学的思维方式，学会用经济学原理理解并解释生活中的经济现象，并从经济学的角度帮助学生做出各种选择。

本书分为12章，内容包括导论、供求理论、消费者行为理论、生产理论、成本理论、市场结构理论、要素分配理论、市场失灵与微观经济政策、国民收入核算与决定理论、失业与通货膨胀、经济增长与经济周期理论、宏观经济政策。

本书由云南交通职业技术学院经济管理学院的教师编写，黄佳丽、赵璐任主编，马艳秋、孙浩廷、杨强任副主编，刘祎妮、蒋怡康、杨莹、刘丽萍参加编写，黄佳丽拟定编写大纲。具体编写分工如下：黄佳丽编写第一章、第八章、第九章，赵璐编写第二章、第六章，马艳秋编写第十一章、第十二章，孙浩廷编写第四章、第五章，杨强编写第十章，刘祎妮编写第三章，蒋怡康编写第七章，杨莹、刘丽萍负责制作教材配套资源。

为方便教学，本书配备电子课件等教学资源。凡选用本书作为教材的教师均可登录机械工业出版社教育服务网 www.cmpedu.com 下载。咨询电话：010-88379375；服务 QQ：945379158。

在本书的编写过程中，编者参考了国内外同类教材及专著，在此谨向有关作者表示衷心的感谢。

由于编者水平有限，书中难免存在不足之处，希望广大读者见谅并给予批评指正，以不断完善。

编　者

二维码索引 QR CODE

目录 CONTENTS

第一章

导论

[学习目标]

◎知识目标

- 理解稀缺性的含义及经济学的定义
- 掌握经济学研究的基本内容

◎能力目标

- 能解释经济学的研究对象和解决的基本问题
- 能分析机会成本在生活中的运用

◎素质目标

- 培养经济学素养，具备分析和解决经济问题的能力
- 培养道德素质，理解和尊重经济活动的社会影响

◆ 引导案例 ◆

生活中的经济学

以往，在大多数人的思想意识里面，经济学都是一门神秘而又复杂的学科，看似和我们普通人的生活没有多大的联系。而且在多数人的印象中，只有银行、金融企业以及政府人员才需要懂得经济学。然而随着经济社会的发展，人们越来越认识到经济学对我们经济生活的影响，经济学不再是高高在上与我们不相干的学科，而是普普通通存在于我们的生活中。我们每个人在生活中都面临着资源不够、欲望无穷、相互依赖以及需要协调的约束，那就要求我们分析利用自身所拥有的资源与别人交换合作以获得自身的发展，这就是经济学要研究的人在生活中要如何做出决策的问题。

此外，我们还越来越关注经济社会的发展和政府的相关经济政策会对我们自身产生什么样的影响。例如：当某类生活物品价格上涨了，人们会讨论其价格上涨的原因；人们也会讨论政府新的税收政策对经济收入和生活水平带来什么样的影响。越来越多的经济话题进入我们的生活。从某种意义上来说，我们都对经济学产生了兴趣，因此，多学习和理解一些经济学理论，有助于我们在日常生活中理解经济运行的规律，以及更易于我们做出更优的决策。

引入问题

1. 你是如何理解经济学的？

2. 在经济环境变化日益迅速、机会与风险并存的情况下，我们应该如何做出最有利于自身的选择？

第一节　经济学概述

经济学概述

著名经济学家阿尔弗雷德•马歇尔把经济学定义为：“在日常生活中，研究男人（和女人），关注他们如何获得收入，如何花钱，因此，经济学一方面是研究财富的科学，另一方面，也是更重要的一个方面，是研究男人（和女人）。”实际上，经济学是研究人与决策的科学。

人类社会面临的基本问题是生产和发展的问题，为了生产和发展，我们要不断地用物质产品或服务去满足日益增长的需求，如何更好地做出决策满足更多的需求是我们持续面临的基本问题，做出决策并不是一件容易的事，因为在资源有限的情况下有所得必有所失。

一、欲望和稀缺性

（一）欲望的无穷性

需求来源于人类的欲望。欲望是人们对物质产品和服务的不间断需要，欲望的特点在于其无穷性，即欲望永远都不可能得到完全满足。随着社会经济水平的提高，人们的欲望也在不断增长，当某一个欲望得到满足时，往往又会催生新的欲望，可以说欲望的增长是永无止境的。

（二）资源的稀缺性

相对于欲望而言，满足欲望的资源总是有限的、不足的，这就是经济学上所说的“稀缺性”。这里的“稀缺性”不是指资源总量的多少呈现出来的不足，而是相对于人类无穷的欲望而言，再多的资源都总是不足的。用来满足人类欲望的资源可以分为以下两大类。

1. 自由取用资源

自由取用资源是指人类不需付出任何代价便可以加以自由利用的资源。其特点是取之不尽、用之不竭，如春天和夏天。

2. 经济资源

经济资源又称稀缺资源，是指相对于人们的无限需要而言，数量有限且在使用过程中需要付出代价的各种资源，如土地、劳动、资本、企业家才能等。

（三）选择和机会成本

稀缺性是人类永恒的话题，无论是发达国家还是发展中国家，无论是富人还是穷人，永远都会面临稀缺性的问题，它始终与我们的社会共存亡。

由于稀缺性的存在，人们永远面临着如何用相对稀缺的资源来尽可能满足更多欲望的选择问题。同一种资源有多种用途，可以满足不同的欲望，稀缺性意味着人们必须做出选择，而选择就是决定用什么资源满足什么欲望。

当人们决定了用一种资源满足某一种欲望时，就意味着放弃了这一种资源在其他用途上带来的收益，这便是我们做出选择要承担的代价。其中，人们所放弃的资源在其他用途可能带来的最高收益，是经济学上所说的机会成本。

机会成本与实际成本不同，它只是一种观念上的成本或损失，并不是人们在做出选择时所实际支付的成本；此外，机会成本是所放弃的资源用于其他若干种选择中能够带来的最高收益。

实例 机会成本分析

张某买了两块地，他在其中一块地上开了一家矿场，专门开采矿石；另一块地却一直被闲置没有利用。大家都很不解，买来不开发不是乱砸钱吗？实际上，张某做的是矿石生意，旁边这块空地如果一直没卖出去，始终会吸引一些地产开发商，而如果地产开发商买了这块地，修建了住宅，居民住进去了，肯定会抱怨矿场发出的噪声，这样就会对他的矿场生意造成影响。

他买下这块地，原本只是为了保证矿场的持续稳定生产，因为他相信矿场的回报会比较丰厚。但我们可以推测，如果民用住宅的价格涨到足够高，高到超过矿场的回报，他就会把矿场关掉，拿这块地来修建住宅。

这块地这时候其实有两种排他的用途：要么开矿场，要么修建住宅。最终用于哪一种用途取决于这两种用途的使用者谁出的价更高。当这块地用于矿场，不管用于生产还是没有用于生产，它都放弃了用于修建住宅所能够带来的收入，这就是它用于矿场的机会成本；当这块地用于修建住宅，它便放弃了用于矿场所能够带来的收入，这就是它用于修建住宅的机会成本。

二、稀缺性引发的经济问题

(一)经济学的定义

稀缺性是经济学产生的根源，由于稀缺性的存在，产生了研究资源配置与资源利用两大经济学基本问题。因此，经济学是研究一个经济社会如何通过选择实现资源的有效配置和利用，以达到最优决策的一门学科。

(二)资源的配置问题

资源的配置问题即资源的分配问题，是微观经济学要解决的主要问题。对于人类社会而言，经济社会发展离不开生产活动，因此资源的配置主要解决以下三个最基本的问题。

1. 生产什么

由于资源的稀缺性，当生产某种产品耗费的资源较多时，意味着用于生产另一种产品的资源较少，这时人们就应该进行权衡取舍，决定生产什么产品，使用多少资源生产多少产量，从而能够实现收益最大化，即选择资源的用途。

2. 如何生产

如何生产就是指以何种方式组织生产活动。由于不同的资源之间是可以相互替代的，且不同的组织方式带来的生产效率是不同的，因此，人们必须决定如何组织和配置资源才能使经济效率最高，即选择使用资源的方式。例如，棉纺织品可用机器生产也可手工缝制，但二者的成本和效率是不一样的。

3. 为谁生产

为谁生产即生产出来的产品应该怎样在社会成员中进行分配。生产的目的是用于销售获得收入，销售是通过消费实现的，体现的是产品的分配；而产品的分配是通过收入的分配实现的，不同要素所有者通过提供生产要素获得报酬进行收入分配，如提供劳动力会获得工资收入，工资收入又决定了消费者的购买能力。这样，社会就要决定每一个人在社会最终产品分配中所应该获得的份额。

(三)资源的利用问题

资源的利用问题是宏观经济学要解决的主要问题。资源的利用主要是从社会资源总量的角度考察资源是否实现了充分利用，以及如何实现充分利用，主要包括以下三个方面的内容。

1. 资源为什么没有得到充分利用

这方面内容分析导致资源没有实现充分利用的原因是什么，如何解决没有得到充分利用的问题。例如现实社会中，往往存在大量的失业，宏观经济学主要研究出现失业的原因及对策，这就是所谓的“充分就业”问题。

2. 经济为什么会波动

这方面内容分析经济增长为什么会出现时快时慢的波动，如何实现经济的稳定持续增长。这就是所谓的“经济波动与经济增长”问题。

3. 货币的购买力问题

货币是进行商品交换的媒介，货币购买力的变化直接影响资源的配置和利用结果。货币购买力问题主要涉及物价稳定和通货膨胀问题。

第二节 经济学研究的基本内容

根据研究对象和解决问题的不同，经济学又可以分为微观经济学和宏观经济学。

一、微观经济学

（一）微观经济学的研究对象和解决的基本问题

微观经济学以单个经济主体（即作为消费者的单个家庭，作为生产者的单个厂商或企业，以及单个市场）的经济行为作为研究对象，采用个量分析法研究微观经济中相关经济变量的决定及其变动，以价格均衡理论为核心理论，说明价格机制如何实现资源的优化配置。

在理解微观经济学的定义时要注意以下几点。

1. 微观经济学的研究对象是单个经济主体的经济行为

单个经济主体包括个人、家庭、企业以及单个市场，个人和家庭既是产品市场的需求者，又是要素市场的供给者；企业既是产品市场的供给者，又是要素市场的需求者。微观经济的正常运行正是在产品市场和要素市场的共同作用下循环流动的。

2. 微观经济学解决的基本问题是资源的配置问题

微观经济学从研究单个经济主体如何实现自身利益最大化入手，即作为需求方的消费者如何实现效用最大化，作为供给方的生产者如何实现利润最大化，这些都是微观经济学所要解决的问题。在微观经济运行的严格条件下，当所有的经济主体都实现了自身利益的最大化，整个社会便实现了资源的最优配置。

3. 微观经济学的核心理论是价格均衡理论

在微观经济的运行中，消费者和生产者的行为都受到产品价格的支配。生产什么、如何生产以及为谁生产都是由产品的价格所决定的，价格机制仿佛一只“看不见的手”，引导、调节着各经济主体的行为，从而实现资源的优化配置。因此，微观经济学的核心理论是价格均衡理论，其他内容都是围绕这一理论展开的。

4. 微观经济学的研究方法是个量分析法

个量分析法立足于单个经济主体，主要进行数量分析，研究经济变量的单项数值如何决定，如厂商的产出如何决定。

（二）微观经济学的基本假设

1. 市场出清假设

市场出清是指各市场能够在价格机制的作用下迅速实现均衡状态。在此均衡状态下，资源实现了充分利用，不存在资源的闲置和浪费。因此，微观经济学是在假设市场机制是完善的前提下研究资源的配置问题。

2. 理性人假设

在微观经济学的研究当中，我们都假定不管是消费者还是生产者都是利己的、理性的，他们自觉地从自身利益最大化的原则出发，企图以最小的代价获得最大的收益，然后通过价格机制的调节实现整个社会资源的优化配置。

3. 完全信息假设

完全信息是指参与经济活动的每一个人都能知悉与经济活动相关的所有信息，不管是消费者还是生产者所获得的信息都是对称的、完全的，因此，每一个人总能根据价格信号做出反应，以实现自身利益的最大化。

知识链接 亚当·斯密的人性观点之一

亚当·斯密被称为“经济学之父”，在1776年出版了著名的《国富论》，这是经济学形成的标志。斯密说，个人不需要关心社会福利，也不用知道自己怎么去推动社会的福利，他只需要关心自己，追求自己的福利就可以了。但是个人在追求自己福利的过程中，会有一只看不见的手，让他的努力转变为对公用事业的推动。这只看不见的手会让他的自私自利推动社会福利的改进。在斯密的理论中，我们每天能够吃上晚饭，不是因为面包师、屠夫、酿酒商爱我们或他们仁慈，而是因为他们自私自利，要追求自己的利益。每当我们和他们做生意的时候，我们不说自己需要什么，而是说他们需要什么。

二、宏观经济学

（一）宏观经济学的研究对象和解决的基本问题

宏观经济学是以整个国民经济的活动为研究对象，采用总量分析法研究国民经济中各相关经济变量的决定及其变化，以国民收入决定理论为核心理论，说明资源的利用问题。

在理解宏观经济学的定义时要注意以下几点。

1. 宏观经济学的研究对象是整个经济

宏观经济学考察的是社会的经济总量指标，包括国民生产总值、国民收入、总需求、总供给、货币供给量、通货膨胀率和失业率等指标。

2. 宏观经济学解决的基本问题是资源的利用问题

宏观经济学从研究整体经济的运行入手，研究现有的资源在配置上没有得到充分利用的原因，找到实现资源充分利用的途径以及实现经济持续稳定增长的解决方案等。

3. 宏观经济学的核心理论是国民收入决定理论

在宏观经济的运行中，反映国民经济运行的基本指标是国民收入，因此宏观经济学以国民收入的决定为核心理论来研究社会资源的利用问题，分析整体经济的运行情况。

4. 宏观经济学的研究方法是总量分析法

总量分析法立足于整体经济，主要分析能反映整体经济运行情况的总量指标，从而研究整体经济的运行情况、制定相应的经济政策。

（二）宏观经济学的基本假设

1. 市场机制是不完善的

宏观经济学的分析是在微观市场失灵的假设条件下进行的，仅靠市场无法既实现资源的优化配置，又实现充分就业与经济增长等。

2. 政府有能力调节经济

在宏观经济学的分析当中，我们都是假定政府有能力调节经济，可以根据经济形势制定相应的经济政策，刺激或抑制经济的发展。

三、微观经济学和宏观经济学的关系

（一）微观经济学和宏观经济学的联系

1. 微观经济学是宏观经济学的基础

从整体经济结构的构成来看，整体由个体构成。整体经济由单个经济主体组成，单个经济主体的分析也可以推广到整体经济，因此微观经济学是宏观经济学的基础。

2. 微观经济学和宏观经济学是相互补充的

微观经济学是在资源总量既定的前提下研究各种资源的优化配置，而宏观经济学是在资源配置方式既定的前提下研究这些资源总量的决定问题。即微观经济学和宏观经济学的研究是在假定对方不变的前提下进行的，二者并不是相互排斥，而是相互补充的。

（二）微观经济学和宏观经济学的区别

1. 研究对象不同

微观经济学的研究对象是单个经济主体，宏观经济学的研究对象是整体经济。

2. 解决问题不同

微观经济学解决的基本问题是资源的配置问题，宏观经济学解决的基本问题是资源的利用问题。

3. 研究方法不同

微观经济学采用的是个量分析法，宏观经济学采用的是总量分析法。

4. 基本假设不同

微观经济学的基本假设是市场出清假设、理性人假设和完全信息假设，宏观经济学的基本假设是市场机制是不完善的、政府有能力调节经济。

5. 核心理论不同

微观经济学的核心理论是价格均衡理论，宏观经济学的核心理论是国民收入决定理论。

第三节 经济学的分析方法

一、实证分析与规范分析

（一）实证分析

实证分析是指排除任何价值判断，首先明确规定所研究的变量的含义，然后在一定假设条件下提出假说并依此预测未来，最后用经验和事实来验证预测的分析方法。

实证分析的特点为：①它对有关问题的逻辑推导，旨在理解经济过程“实际是什么”或“将会是什么”，而不涉及对结果好坏以及公平与否的判断；②它所研究的内容具有客观性，其研究结论的正确与否可以通过经验事实来进行检验。

（二）规范分析

规范分析是指以一定的价值判断为基础，提出一些分析经济现象的标准，作为确立经济理论的前提和制定经济政策的依据，研究如何才能符合这些标准的分析方法。

规范分析的特点为：①它要回答“应该是什么”的问题；②它所研究的内容没有客观标准，所得出的结论无法通过经验事实进行检验，而是以对现实的价值判断为前提。

案例分析 实证分析还是规范分析

据商务部市场运行监测系统显示，上周（2023年12月11日至17日）全国食用农产品市场价格比前一周（环比，下同）上涨1.0%，生产资料市场价格上涨0.1%。

食用农产品市场：粮油批发价格略有波动，其中大米、面粉、豆油分别下降0.2%、0.2%和0.1%，菜籽油上涨0.1%，花生油与前一周持平。30种蔬菜平均批发价格每公斤5.02元，上涨5.7%，其中西红柿、茄子、黄瓜分别上涨12.3%、12.0%和10.6%。6种水果平均批发价格小幅上涨，其中葡萄、柑橘、梨分别上涨1.9%、0.7%和0.4%。肉类批发价格稳中略涨，其中牛肉、羊肉均与前一周持平，猪肉每公斤20.02元，上涨0.2%。禽产品批发价格总体下降，其中鸡蛋、白条鸡分别下降1.7%和0.1%。水产品批发价格小幅上涨，其中带鱼、鲢鱼、草鱼分别上涨0.6%、0.4%和0.2%。

二、均衡分析

经济学的均衡是指经济行为的主体意识到如果再改变其行为已不能增加其自身利益，从而不再改变其行为而保持一种相对稳定的状态。均衡分析分为局部均衡分析与一般均衡分析。局部均衡分析考察在其他条件不变时单个市场均衡的建立与变动，一般均衡分析考察各个市场之间均衡的建立与变动，它是在各个市场的相互关系中来考察一个市场的均衡问题的。

与均衡分析对应的是非均衡分析。均衡分析的特点是偏重于数量分析，非均衡分析的特点则是主张以历史的、制度的、社会的因素来分析经济现象，认为其变化的原因是多方面的、复杂的，不能单纯地用有关变量之间的均衡与不均衡来加以解释。微观经济学与宏观经济学中运用的主要分析方法是均衡分析。

三、边际分析

边际是指增量带来的增量，边际分析方法就是研究经济运行中的微增量，用以分析各经济变量之间的相互关系及变化过程的一种方法。

边际分析的特点为：①边际分析是数量分析。通过研究数量的变动及其相互关系、微增量的变化及变量之间的关系，可使经济理论精细地分析各种经济变量之间的关系及其变化过程。②边际分析是最优分析。实质上是研究变量在边际点上的极值，研究因变量在某一点递增、递减变动的规律。③边际分析是现状分析。边际值是直接根据两个微增量的比求解的，是新增自变量所导致的因变量的变动量。用边际分析更有利于考察现状中新出现的情况所产生的作用和所带来的后果。

本章小结

经济学是研究人如何做出决策的科学，即如何通过选择实现稀缺资源的有效配置与利用。本章主要从资源的稀缺性与人类欲望的无穷性切入，介绍了什么是经济学及经济学存在的基本前提；接着介绍了机会成本在经济学中的应用，以及经济学研究的基本内容，即微观经济学和宏观经济学及二者的研究对象、解决的基本问题以及基本假设条件；最后介绍了经济学的分析方法，包括实证分析与规范分析、均衡分析和边际分析。

练 习 题

一、名词解释

稀缺性　机会成本　微观经济学　宏观经济学　实证分析　规范分析

二、单项选择题

1. 资源的稀缺性是指（　　）。
   A. 世界上的资源最终会由于人们生产更多的物品而消耗光
   B. 相对于人们的欲望而言，资源总是不足的
   C. 生产某种物品所需要的资源绝对数量很少
   D. 商品相对于人们的购买力不足
2. 微观经济学要解决的问题是（　　）。
   A. 资源配置　　B. 资源利用
   C. 单个经济单位如何实现最大化　　D. 国民收入决定
3. 在经济活动中，由（　　）来回答生产什么、如何生产和为谁生产的经济学基本问题。
   A. 销售者
   B. 购买者
   C. 企业和政府之间自由的相互作用
   D. 企业和家庭之间自由的相互作用

4. 经济学家的理性选择是基于人们（　　）。

A. 使用经济学模型做出选择　　B. 为追求私利而做出选择和决定

C. 做出选择前先尽可能收集信息　　D. 都有相同的偏好

5. 时间（　　）。

A. 不是稀缺资源，因为永远有明天

B. 与资源分配决策无关

C. 对生产者是稀缺资源，但对消费者不是

D. 对任何人都是稀缺资源

6. 经济学研究的基本问题是（　　）。

A. 证明只有市场系统可以配置资源　　B. 选择最公平的收入分配方法

C. 证明只有计划经济可以配置资源　　D. 因为资源稀缺而必须做出的选择

7. 当资源不足以满足所有人的需要时（　　）。

A. 政府必须决定谁的要求不能被满足　　B. 必须做出选择

C. 必须有一套市场系统起作用　　D. 价格必定上升

8. 选择具有重要性，基本上是因为（　　）。

A. 人们是自私的，他们的行为是为了个人利益

B. 选择导致稀缺

C. 用于满足所有人的资源是有限的

D. 政府对市场经济的影响有限

9. 宏观经济学的基本假设是（　　）。

A. 完全信息　　B. 完全理性　　C. 市场失灵　　D. 市场出清

10. 宏观经济学的核心理论是（　　）。

A. 失业与通货膨胀理论　　B. 价格理论

C. 国民收入决定理论　　D. 经济周期与经济增长理论

三、多项选择题

1. 经济学研究的基本问题包括（　　）。

A. 资源的稀缺性问题　　B. 资源的配置问题

C. 资源的利用问题　　D. 资源的使用必须支付代价的问题

2. 资源配置问题主要包括（　　）。

A. 为什么资源得不到充分利用　　B. 生产什么

C. 如何生产　　D. 为谁生产

3. 以下属于实证分析的有（　　）。

A. 太阳晒着真舒服，让人心情舒畅

B. 今天天气晴朗，阳光充足

C. 受天气影响，蔬菜减产，价格上涨

D. 蔬菜价格上涨幅度太大，影响居民正常生活，国家应该抑制价格上涨

4. 微观经济学（　　）。

A. 以个体为研究对象　　B. 以经济总体中的行业为研究对象

C. 解决资源配置问题　　D. 解决资源利用问题

5. 微观经济学的基本假设包括（　　）。
A. 理性人假设　　B. 完全信息假设
C. 每个消费者的收入不变　　D. 市场出清假设

四、简答题

1. 什么是机会成本？
2. 微观经济学和宏观经济学的区别和联系是什么？
3. 简述实证分析和规范分析的特点。

五、案例分析题

某企业正面临转型的重要时期，目前有三个选择：①改进现有产品与服务，需投入100万元，预计未来一年内可实现盈利500万元；②重新研发新产品，需投入300万元，预计未来一年内可实现盈利800万元；③进行企业内部管理优化，无须投入，预计未来一年内可实现盈利200万元。

请分析企业几种选择的机会成本。

第二章
供求理论

[学习目标]

◎知识目标

- 理解需求和供给的概念及影响因素
- 理解弹性的含义及分类
- 掌握均衡价格的形成及变动
- 掌握价格弹性理论

◎能力目标

- 能解释商品需求和供给的关系
- 能分析均衡价格理论在经济中的应用

◎素质目标

- 加深对供给机制和市场均衡的理解，增强决策能力
- 能够运用价格理论分析经济现象，培养逻辑推理能力

◆ 引导案例 ◆

猪肉价格的变动

猪肉一直都是老百姓餐桌上常见的肉类，是日常生活的主要副食品。据农业农村部信息中心和山东卓创资讯股份有限公司联合监测，2023 年第 50 周（即 2023 年 12 月 11 日—12 月 15 日，以下简称本周），16 省（直辖市）瘦肉型白条猪肉出厂价格总指数的周平均值为每公斤 18.93 元，环比上涨 3.1%，同比下跌 26.5%，较上周收窄 10.1 个百分点。

本周国内瘦肉型白条猪肉出厂价格（以下简称“猪肉价格”）环比上涨。随气温下降，南方腌腊生产进入旺季，猪肉需求好转，加之生猪出栏节奏放缓，北方部分地区受雨雪天气影响，屠宰企业生猪收购难度增加，支撑猪肉价格上涨。

引入问题

1．你如何理解需求和供给？

2．价格是如何决定的？

第一节　需求与供给

无论是以物易物的商品交易，还是以钱换钱的货币交易，或是以货币作媒介的一般流通模式，都必须有价格，价格是商品价值的货币表现，没有价格就不存在市场交易，也就没有市场经济。价格是市场经济的核心范畴。由于市场经济条件下供求关系是价格决定的主要因素，因此价格分析要从需求与供给开始。

需求与供给的基本模型是微观经济学中广为应用的工具，它帮助我们理解价格变动的原因和方式，以及政府干预某个市场所可能产生的结果。需求供给模型包含两个重要概念：需求曲线和供给曲线。准确理解这些曲线的含义非常重要。

一、需求

（一）概念

需求是指在一定时期内，在不同价格水平下消费者愿意并且能够购买的某种商品或劳务的数量。

通常，我们在讲需求的时候，强调它必须具有三个基本要素：消费者、购买力和购买欲望。需求不同于人们的需要，它不仅要以人们客观存在的购买欲望为基础，而且受到人们支付能力的约束。如果没有购买欲望，即使具有很大的支付能力，也无法形成需求；如果仅仅只有对某种物品的欲望而缺乏货币的支付能力，也不能认为构成了需求。

（二）需求曲线

需求曲线表示的是，在每一给定的价格水平上，消费者所愿意且能够购买的某种商品的数量。图 2-1 中的 D 曲线就是一条需求曲线，其中，纵轴表示的是该商品的价格 P，横轴表示的是供给量 Q。

因而，需求量与价格之间的关系可以用数学式表达如下：

$$Q=f(P)$$

或者也可用图形表示，如图 2-1 所示。需求曲线是一条向右下方倾斜的曲线。假定人们的偏好、收入和对未来的预期等影响因素都不变，某种商品价格越低，则消费者越会愿意购买更多的商品。如表 2-1 所示，猪肉需求量随价格的变化而变化。

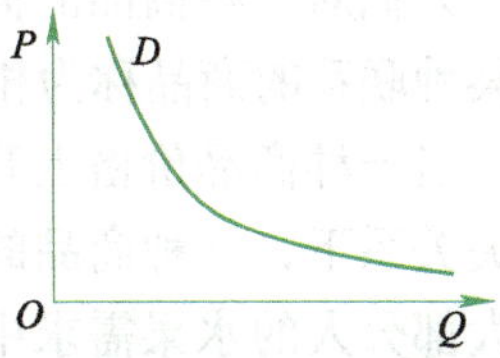

图2-1 需求曲线

表2-1 猪肉的需求表

价格/(元/千克)	需求量				
	个人需求量/千克				市场需求量/吨
	甲	乙	丙	…	
26	2	1	4	…	2
25	3	2	5	…	3
24	4	3	6	…	4
23	5	4	7	…	5
22	6	5	8	…	6
21	7	6	9	…	7

注意需求曲线的例外情况。

（1）某些商品的价格越高，需求就越大；价格越低，需求越小。例如炫耀性商品。炫耀性商品的消费是用来显示自己社会身份与地位的消费，如贵重首饰、名表、名车、豪宅等商品。若这些商品价格低，则不足以显示拥有者的社会地位与身份，因此这些商品价格越高越有人买，价格下降时需求量反而减少。

这里也有一个特例：吉芬商品。经济学家吉芬发现，在 1845 年爱尔兰大灾荒时马铃薯的价格上升，需求量反而增加。这是因为在大灾荒的特殊时期，人们的收入在减少，消费不起肉类或面粉，只有用低档的马铃薯来维持生存需要。因此，虽然马铃薯价格上升，但需求在增加。这种物价上升需求增加的现象被称为“吉芬之谜”，具有这种特点的商品被称为吉芬商品。

（2）某些商品小幅度升降价，需求按正常情况变动；大幅度升降价，人们就会采取观望的态度，需求将出现不规则的变化。例如，在投机性市场（如证券和期货市场），人们有一种“买涨不买落”的心理，这与人们对未来价格的预期及投机需要有关。

（三）影响需求变化的因素

从以上叙述可以得出，其他条件不变，某种商品价格下降，消费者将会购买更多的商品，需求量增加；反之，这种商品的需求量将减少。因此，需求随价格上涨而减少，随价格下跌而增加，需求与价格负相关。商品本身的价格对该商品的需求量影响是非常大的。

当然，需求还依赖于除价格以外的其他因素。

1. 消费者的收入

在价格水平不变的情况下，消费者的收入增加了，就意味着可用于消费的支出能力提高了，很多消费者确实会在大部分商品上增加支出。例如，收入增加，人们出行愿意选择更舒适但价格更高的航空交通。

2. 相关商品的价格

人们对一种商品的需求，受到与该商品有某种联系的其他商品价格的影响。一般把存在某种联系的商品称为相关商品，相关商品有替代相关和互补相关两种类型。

当一种商品价格上升会增加另一种商品的需求时，这两种商品被称为替代品。在替代相关关系下，一种商品的价格变动，会引起其替代品的需求同方向变动。例如苹果和梨，在大部分人的水果需求中，它们是可以相互替代的，如果苹果的价格上涨，那么梨的需求量会增加。同样，牛肉和鸡肉也是替代品。

当一种商品价格上升会减少另一种商品的需求时，这两种商品就被称为互补品。在互补相关关系下，一种商品的价格变动，会引起另一种作为互补品的需求反方向变动。例如计算机和软件，如果计算机的价格上升，消费者不仅减少对计算机的需求，同时也会减少对软件的需求。同样，汽油与汽车也是互补品。

3. 消费者的偏好

显而易见，需求量是消费者希望购买的商品数量，它必然受到消费者偏好的制约。当消费者对某种商品的偏好增强时，就会增加对该商品的购买。简单来说，如果你喜欢吃苹果，那你就会多买苹果，苹果的需求就会增加。商业广告的一个主要目的就是增强消费者的偏好。

4. 消费者的预期

消费者对自己将来收入的预期和对商品将来价格、供给的预期都会对需求产生影响。例如：如果你预想到你的工资会增加，你就会想贷款买一套房子；如果你预想到二手房的价格会上涨，你就不会急着把你的房子卖出去。同样，证券市场也是如此。

（四）需求量的变化与需求的变化

在图 2-1 的需求曲线 D 上，除价格以外的其他所有变量都是固定的，而当价格不变其他变量当中的一个或几个变量变动时，需求曲线就会发生移动。下面具体来看需求曲线是如何移动的。

当商品本身的价格不变时，由消费者的收入、偏好等非价格因素引起的需求量的变化，称为需求的变动。需求的变动在图形上表现为整条需求曲线在坐标图上向右或向左平行移动。向左移动表示非价格因素引起的需求减少，向右移动表示非价格因素引起的需求增加。

如果市场价格固定在 P_1，收入增加使得需求量会从 Q_1 增加到 Q_2。而在任何价格水平处，消费者都面临收入增加，结果就是整条需求曲线 D 向右移动到 D'；也可以从另一个角度来分析，把需求曲线看成是为了消费某一个固定的商品量，消费者所愿意支付的价格，那么，随着消费者收入水平上升，愿意为这个商品支付更高的价格 P_2，需求曲线 D 整体向右移动到 D'，如图 2-2 所示。

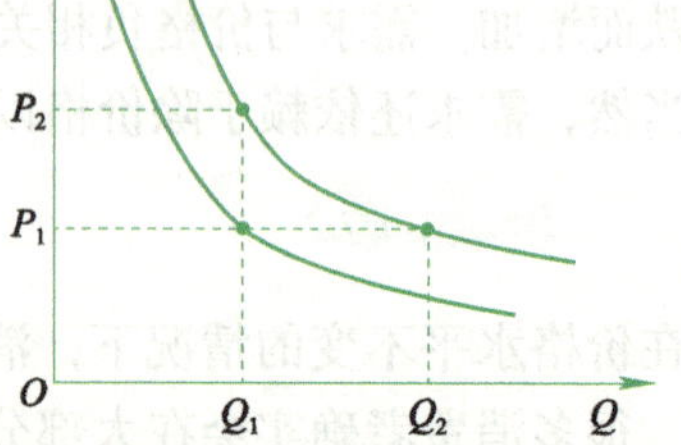

图2-2 需求量的变化与需求的变化

非价格因素不变，由商品本身的价格变动引起需求量的变化，称为需求量的变动。需求量的变动在图形上表现为在一条既定的需求曲线上点的位置移动。价格上升，需求量沿着需求曲线 D 向左斜上方移动；价格下降，需求量沿着需求曲线 D 向右斜下方移动。

二、供给

（一）概念

供给是指在一定时期内，在不同价格水平下，生产者愿意并且能够提供的某种商品或劳务的数量。

决定供给的两个基本要素，一是供给欲望，二是供给能力。若生产者对某种商品只有供给的愿望，没有供给的能力，则不能形成有效供给。

例如，某钢铁生产厂年钢材产量为200万吨，随着国家基础建设的发展，钢材价格上升，厂商想提供更多的钢材以赚取更多的利润，但在供给能力的限制下，它只能实现200万吨的钢材有效供给。

（二）供给曲线

供给曲线表示的是，在其他影响某商品供给的因素不变的情况下，对应于每一给定的价格，生产者所愿意且能够生产的该商品的数量。图2-3中的S曲线就是一条供给曲线，其中，纵轴表示的是该商品的价格P，这一价格是在一个既定供应量下厂商所得到的价格；横轴表示的是供给量Q。

因而，供给曲线表示供给量与价格之间的某种关系，可以用数学式表达如下：

$$Q=f(P)$$

或者也可用图形表示，如图2-3所示。供给曲线是一条向右上方倾斜的曲线，这是因为某种商品价格越高，有能力生产或有意愿生产和出售该商品的厂商通常就会越多。如表2-2所示，牛肉的供给量随价格的变化而变化。

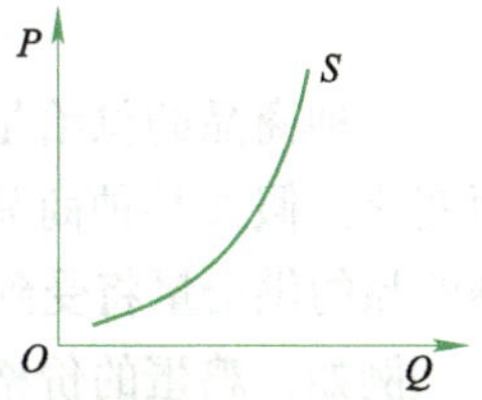

图2-3 供给曲线

表2-2 牛肉的供给表

价格/（元/千克）	供给量				
	个别供给量/千克				市场供给量/吨
	甲	乙	丙	…	
26	8	7	11	…	12
25	7	6	10	…	10
24	6	5	9	…	8
23	5	4	8	…	6
22	4	3	7	…	4
21	3	2	6	…	2

请注意下面的例外情况。

（1）有的商品供给曲线先是递增，然后会变成一条垂直线，或是一条向后弯曲的线。例如劳动者的工资。当劳动力的价格（工资）增加时，劳动力的供给开始时会随着工资的增加而增加，但工资增加到一定程度以后，劳动力的供给量反而减少。

（2）有些商品供给会出现不规则变化。例如：古画、古玩等，由于受到各种环境和条件的限制，其供给量是固定不变的；而土地、证券等的供给曲线可能呈现不规则变化；某些厂商在大规模生产时平均成本锐减，这时商品价格虽有所下降，但厂商仍愿意提供更多的商品，此类商品往往是那些可适用于机械化大批量生产的高技术产品，如小汽车和电视机的生产等。

（三）影响供给变化的因素

从以上叙述可以得出，在其他条件不变，特别是生产要素的成本和其他商品的价格不变的情况下，某种商品价格的上升将使单位商品的利润增大。这不但促使原厂商扩大生产，而且还将吸引别的厂商转而生产这种商品，结果这种商品的供给量将增加。反之，这种商品的供给量将减少。因此，供给随价格上涨而增加，随价格下跌而减少，供给与价格正相关。

当然，供给还依赖于除价格以外的其他因素。

1. 生产费用（成本）

在商品价格不变的条件下，如果生产成本上升了，那么生产这种商品的利润就会减少，因而这种商品的供给量也会减少。反之，则会引起这种商品供给量的增加。

例如，鸡蛋的市场价格一定，那么生产鸡蛋的饲料、人工费等生产费用增加，则必然会减少利润，从而降低供给鸡蛋的积极性，减少鸡蛋的供给量。

2. 相关商品的价格

一种商品的供给量不仅随着自身价格的变化而变化，而且还随着其他商品价格的变化而变化。假如某种商品的价格不变而其他商品的价格变化了，结果社会资源重新配置，这种商品的供给量将受到影响。

例如，鸡蛋的价格不变，猪肉的价格上涨，那么生产者就会把养鸡场改为养猪场，少养鸡多养猪，从而减少鸡蛋的供给量。

3. 生产者预期

如果生产者对未来的预期看好，就会增加供给量；而如果生产者对未来的预期是悲观的，就会减少供给量。

例如，作为养鸡专业户，当预期未来鸡蛋的价格会上涨，必定会多养鸡，增加鸡蛋的供给量。

4. 技术水平

生产技术水平的提高一方面降低了原有商品的生产成本，在其他条件不变的情况下，导致这些商品供给量增加；另一方面，它带来了新商品，引起新商品供给量的增加和被它们替代的旧商品的供给量减少。

（四）供给量的变化和供给的变化

在图 2-3 的供给曲线 S 上，所有的其他变量都是固定的，当一个或几个变量变动时，供给曲线就会发生移动。下面具体来看供给曲线是如何移动的。

当商品本身的价格不变时，由于生产技术、生产者预期等非价格因素变动引起的供给量的变化，称为供给的变动。供给的变动在图形上表现为整条供给曲线在坐标图上向右或向左平行移动。向左移动表示供给减少，向右移动表示供给增加。

假定产量固定在 Q_1，厂商生产该产量并接受其市场价格 P_1。当生产成本下降时，厂商会接受更低的市场价格 P_2。这在任何一个给定商品量的情况下都是类似的，所以可以看到供给曲线 S 向右移动到 S'。也可以从另外一个角度来分析，更低的原材料成本使得生产变得更有利润，这导致现有的厂商会扩大产量，同时新的厂商会进入这个市场，假定市场价格稳定在 P_1，那么产量将从 Q_1 增加到 Q_2。当生产成本下降时，不管在哪一个价格点，产出都会增加，供给曲线 S 整体向右移动到 S'，如图 2-4 所示。

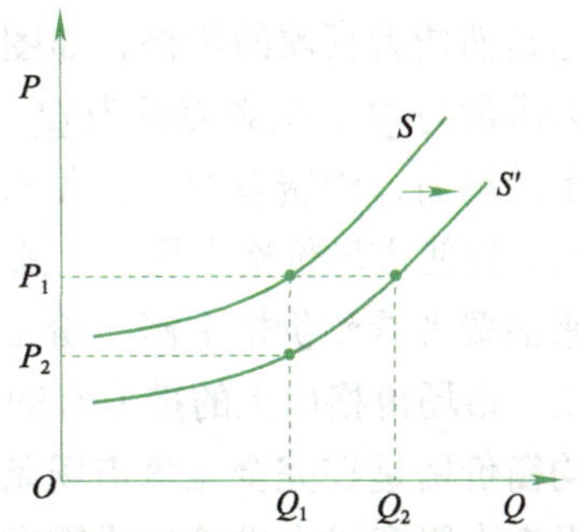

图2-4 供给量的变化和供给的变化

非价格因素不变，由商品本身价格变动引起的供给量的变化，称为供给量的变动。供给量的变动在图形上表现为在一条既定的供给曲线上点的位置移动。价格上升，供给量沿着供给曲线 S 向右斜上方移动；价格下降，供给量沿着供给曲线 S 向左斜下方移动。

第二节 均 衡 价 格

下面把供给曲线和需求曲线放在一起来分析问题。如图 2-5 所示，其中横轴表示供给和需求的总量 Q，纵轴表示在一个既定供应量的情况下卖方所能得到的价格 P，同时也是在既定需求量下买方愿意支付的价格 P。

一、均衡价格的含义

一种商品的价格既决定了消费者的需求量，也决定了生产者的供给量，在各种不同的价格当中，总会出现一个价格使市场的需求量恰好等于市场的供给量，实现市场均衡，此时的价格称为均衡价格，此时的需求量（或供给量）称为均衡数量。

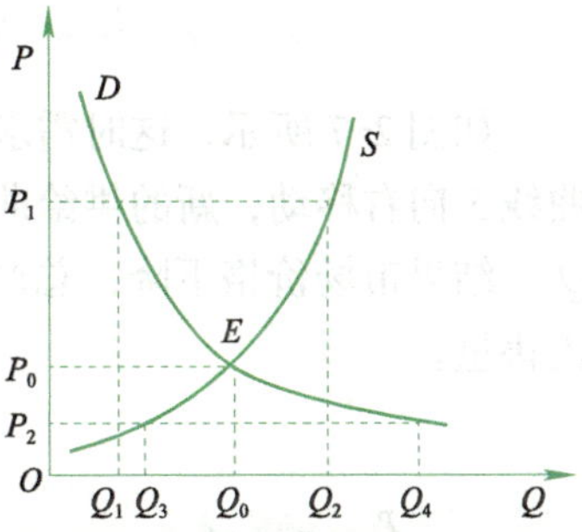

图2-5 供给和需求曲线

在图 2-5 中，供给曲线与需求曲线交点处的价格和数量即均衡或市场出清的价格和数量。在这个价格 P_0 处，供给量与需求量 Q_0 恰好相等。在这一点上，既不存在超额需求，也不存在超额供给，因此也就不存在使价格进一步变化的压力。

二、均衡价格的形成过程

（一）假定市场价格高于均衡价格

这是生产者喜欢的价格。如图 2-5 所示，在这一价格下，生产者的供给量将为 Q_2，而消费者的需求量仅为 Q_1，两者差额为 Q_2-Q_1，形成生产过剩，这时候，市场就会自动形成一个价格向下的压力，生产者竞相降价销售，市场价格不断下降，生产者开始减少市场供给。由于市场价格下降，消费者不断增加购买。这个增减运动的过程一直到消费者愿意并能购买的商品数量和生产者愿意并能够提供的商品数量相等为止，市场上价格向下的压力自动消失，这时的市场价格就是均衡价格。

（二）假定市场价格低于均衡价格

这是消费者喜欢的价格。如图 2-5 所示，在这一价格下，生产者的供给量为 Q_3，消费者的需求量为 Q_4，两者差额为 Q_4-Q_3，形成市场短缺，这时候，市场又会自动形成一个价格向上的推力，消费者的部分需求得不到满足。消费者为了能买到想要的商品，就不惜提价抢购，促使市场价格上扬，上涨的商品价格使生产者看到了商机，增加对市场的供给量，反过来消费者看到价格上涨，纷纷减少需求，这种价格与供求的变动将一直调整到短缺消除为止，市场价格向上的推力自动消失，这时的市场价格正是均衡价格。

均衡价格是在完全竞争市场条件下，通过市场供求的自发调节而形成的。在这个价格上，没有人愿意扩大供给量或需求量，也没有人愿意减少供给量或需求量，市场处于均衡状态。均衡是市场经济下的一种动态的平衡。必须明确以下两点：①供求并不总是处于均衡状态；②即使处于均衡状态也不是永久的，当供给和需求条件发生变化时，均衡状态是会改变的，会出现新的均衡。

三、市场均衡的变动

（一）供给不变，需求变动

如图 2-6 所示，可以看到供给曲线 S 不动，收入增长导致需求曲线 D 向右移动，新的需求曲线 D' 和供给曲线 S 相交形成了新的均衡价格 P_1 和均衡数量 Q_1。这时消费者需支付一个更高的价格 P_1，而企业则生产了一个更高的产量 Q_1，这些都是消费者收入增加的结果。

（二）需求不变，供给变动

如图 2-7 所示，这时需求曲线 D 不动，原材料价格下降或者技术进步等原因导致供给曲线 S 向右移动，新的供给曲线 S' 和需求曲线 D 相交形成了新的均衡价格 P_1 和均衡数量 Q_1。结果市场价格下降，总产量上升。现实也如此：更低的成本导致更低的价格和更高的销售量。

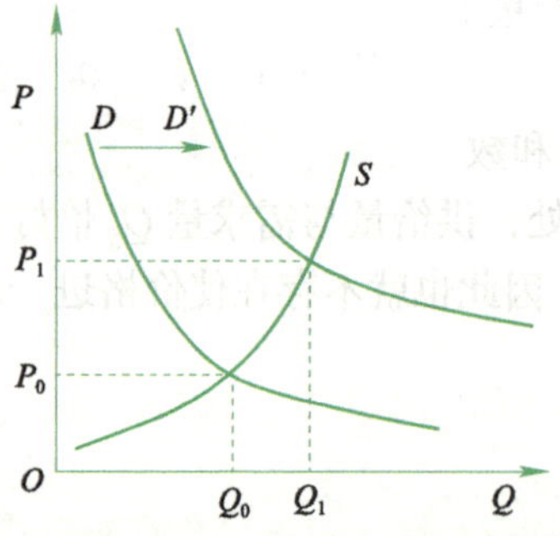

图2-6 需求变动后的新均衡

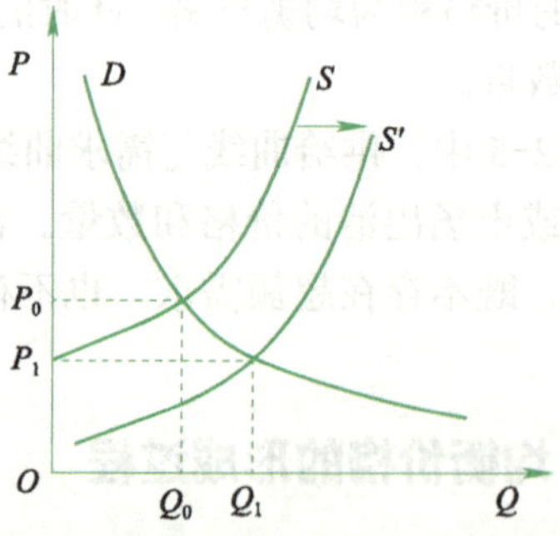

图2-7 供给变动后的新均衡

（三）供给和需求同时变动

在大部分市场中，供给曲线 S 和需求曲线 D 都会随着时间的变化而变动。可以利用供给曲线和需求曲线来描述这些变动的结果。如图 2-8a 所示，供给曲线和需求曲线同时向右移动，导致价格略微上涨和数量大幅增加；而图 2-8b 中，供给曲线和需求曲线同时向右移动，却导致价格略微下降和数量大幅增加。因此用供给曲线和需求曲线来分析时，价格和数量的变化取决于供给曲线和需求曲线的移动幅度以及曲线的形状。要预测这类变化的大小和方向，必须能够定量分析供给和需求对价格和其他变量的依赖程度。

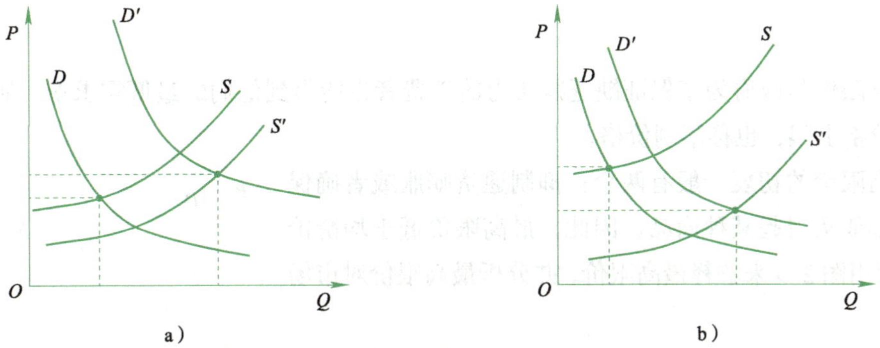

图2-8 供给和需求变动后的新均衡

四、供求定理

从以上关于需求与供给变动对均衡的影响分析可以得出供求定理的基本内容，即在其他条件不变的情况下，需求变动引起均衡价格和均衡数量同方向变动，供给变动将引起均衡价格反方向变动和均衡数量同方向变动。

（一）四种变动情况归纳

（1）供给不变，需求的增加引起均衡价格上升，需求的减少引起均衡价格下降。

（2）供给不变，需求的增加引起均衡数量增加，需求的减少引起均衡数量减少。

（3）需求不变，供给的增加引起均衡价格下降，供给的减少引起均衡价格上升。

（4）需求不变，供给的增加引起均衡数量增加，供给的减少引起均衡数量减少。

供求定理具有广泛的应用价值，供求分析是进行市场分析的重要工具。因为，均衡价格和均衡数量尽管不是市场的常态，却是进行市场分析和预测的依据。即如果市场实际价格高于均衡价格，则可以预测市场价格将要下降；相反，则可以预测市场价格将上升。而均衡价格又取决于供给曲线和需求曲线的位置，当某一因素使得供给曲线或需求曲线位置发生移动，均衡价格就改变了。据此，便可以分析和预测市场价格变动的基本趋势。

（二）利用供求定理进行市场分析的步骤

（1）确定某因素（事件）是影响需求还是影响供给。

（2）如果影响需求，是使需求增加还是使需求减少；同样，如果影响供给，是使供给增加还是使供给减少。

（3）移动需求曲线或移动供给曲线。如果某因素变动使得需求或供给增加，则需求曲线或供给曲线向右移动；反之，则向左移动。

（4）通过均衡点前后变动，分析和预测市场变化的趋势和方向。

五、政府价格管制的作用

在竞争性市场中均衡价格是在市场需求和供给的共同作用下自发形成的。但是有时，由市场决定的价格可能不符合一部分人甚至是大多数人的利益，这时，就需要政府代表社会利益对市场价格进行干预，这叫作价格管制。政府价格管制通常采用两种方式：最高限价和最低限价。

（一）最高限价

最高限价是政府为了保证缺乏购买力的消费者也能得到他们的最低需求量，制定出某种商品价格上限，也称限制价格。

最高限价的初衷一般有两个：抑制通货膨胀或者确保每个人都能买得起某种商品。因此，最高限价低于均衡价格。下面用图2-9来解释最高限价，并分析最高限价对市场的影响。

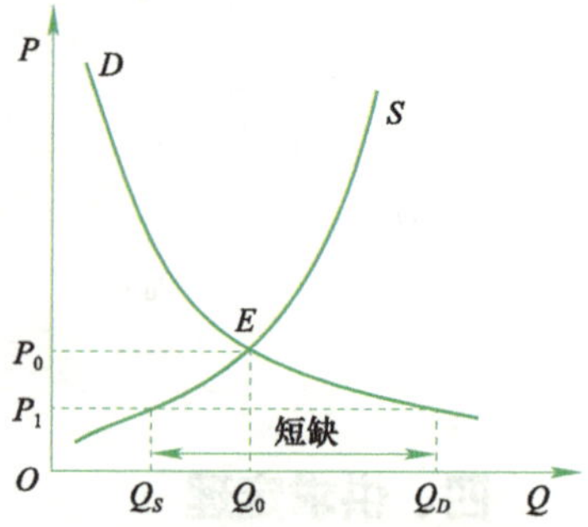

图2-9 最高限价

在图2-9中，P_0和Q_0分别表示供求规律下的均衡价格和均衡数量，在这一价格水平下，部分人口将买不起该商品，因而政府对这部分商品实行限价，限制价格为P_1，$P_1<P_0$，此时商品实际供给量为Q_S，需求量为Q_D，产品供不应求，出现短缺，导致政府必须采取配给制或者凭票供应该商品，来取代市场机制分配商品，但却可能使得真正急需该商品者得不到想要的商品。限制价格还经常带来排队抢购和黑市交易现象，生产者也可能粗制滥造，降低产品质量，形成变相涨价。长期来看，由于价格被人为压低，挫伤了生产者的积极性，这就使得供需矛盾更加尖锐，政府如果采取更严厉的措施，将导致更严重的短缺。

（二）最低限价

与最高限价相反，最低限价就是政府规定某种商品的价格下限，也称支持价格。

最低限价是政府为了维护某些生产者的利益而规定的最低售价。因此，最低限价要高于市场的均衡价格。这里用图2-10来解释最低限价，并分析最低限价对市场的影响。

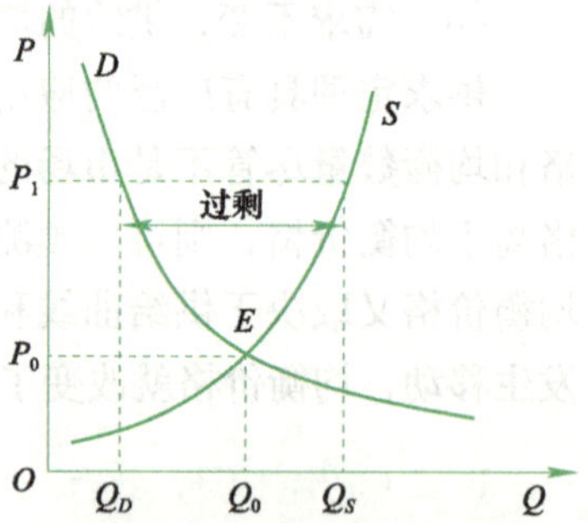

图2-10 最低限价

在图2-10中，P_0和Q_0分别表示供求规律下的均衡价格和均衡数量。现在，政府规定该商品的价格不能低于P_1，P_1就是最低限价。在价格P_1上，厂商受较高价格的诱导有强烈的增产动机，但是因为价格太高，消费者的需求量却在下降，导致消费者有意购买的数量Q_D远远低于厂商愿意生产的数量Q_S，市场出现过剩。

保持最低限价一个常用的办法是政府收购过剩产品，为市场创造需求，使均衡价格正好等于政府制定的最低限价。政府大多采用这种手段来保护农民的利益。但是，政府也会因此背上巨大的财政负担。

经济学实验：价格的形成

最高限价旨在帮助消费者，使其能以较低价格购买到商品。最低限价旨在帮助生产者，以扶持某一个产业。一旦价格管制被取消，短缺和过剩就会消失，市场会在新的价格上实现均衡。

第三节 需求和供给的弹性

我们已经看到，商品的需求不仅仅取决于其价格，还取决于消费者的收入和其他商品的价格，同样，商品的供给不仅取决于价格，还取决于那些影响生产成本的变量。如果普洱茶价格上升，需求量就会下降，而供给量就会上升。现在我们更想知道，供给或需求将会上升或下降多少？普洱茶的需求相对其价格有多大的敏感性？如果价格上升10%，那需求的变化会有多大？而如果收入上升5%，那需求又会怎么变？我们可以借助弹性来解决诸如此类的问题。

一、弹性的定义

弹性是指两个有函数关系的变量之间，其因变量对自变量变化的反应灵敏度，或者是因变量变动幅度（变动的百分比）对自变量变动幅度的比例关系。一般表达式为

$$弹性系数=\frac{因变量的变动比例}{自变量的变动比例}$$

弹性总是以相对数或百分比形式来表示。弹性分为需求弹性与供给弹性。在学习弹性概念时，需注意以下几点。

（1）弹性是相对数之间的相互关系。它表示自变量每变动1个百分点，因变量要变动几个百分点。

（2）弹性是因变量与自变量之间的依存关系。任何存在函数关系的经济变量之间都可以建立二者之间的弹性关系或进行弹性分析。

（3）若自变量的变化量趋于无穷小，则弹性公式会有弧弹性与点弹性的变化。

（4）弹性问题是供求原理的深化。

（5）弹性分析是一种实证分析方法。

二、需求弹性

需求弹性就是用来测量一种商品需求量对于某些变量变化而做出的反应或敏感程度。需求弹性又分为需求价格弹性、需求收入弹性与需求交叉弹性，本书重点介绍需求价格弹性。

（一）需求价格弹性

1. 需求价格弹性的定义

需求价格弹性表示在一定时期内一种商品的需求量变动对于该商品的价格变动的反应程度，即价格变动的百分比所引起的需求量变动的百分比。一般用需求价格弹性的弹性系数来表示弹性的大小。

如果用 E_d 表示需求价格弹性系数，Q 表示商品的需求量，P 表示该商品的价格，$\Delta Q/Q$ 表示需求量变动的百分比，$\Delta P/P$ 表示价格变动的百分比，则需求价格弹性的弹性系数的计算公式为

$$E_d=\frac{\Delta Q/Q}{\Delta P/P}=\frac{\Delta Q}{\Delta P}\frac{P}{Q}$$

一般而言，由于需求量与价格呈反方向变动，因此 E_d 为负值。但在实际运用中，为了计算和分析方便，一般取其绝对值。根据这个习惯，需求价格弹性绝对值越大，则说明需求量对价格越敏感。

2. 需求价格弹性的类型

不同商品的需求价格弹性是不同的，一般用弹性系数来划分它的类型，根据这一划分，需求价格弹性分为五类。

（1）$E_d=0$，需求完全无弹性。这类商品无论价格怎样变动，需求量都不会有任何变化，如图2-11所示。

（2）$E_d=\infty$，需求完全弹性。需求量的变动对于价格变动的反应非常敏感，如果价格稍有下降，需求量便为无穷大，而如果价格稍有上升，需求量就会减少到零，如图2-12所示。

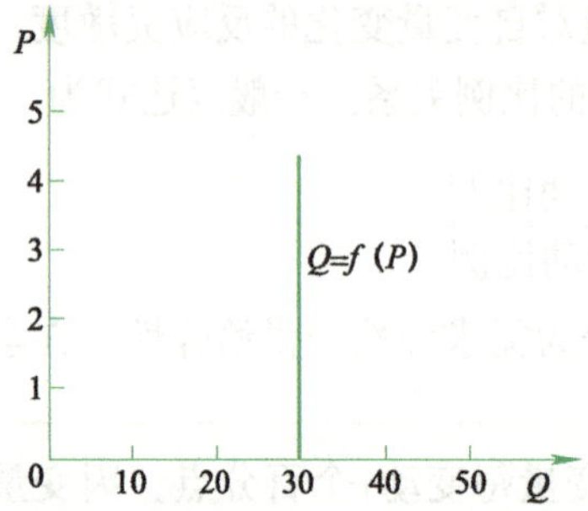

图2-11 需求完全无弹性

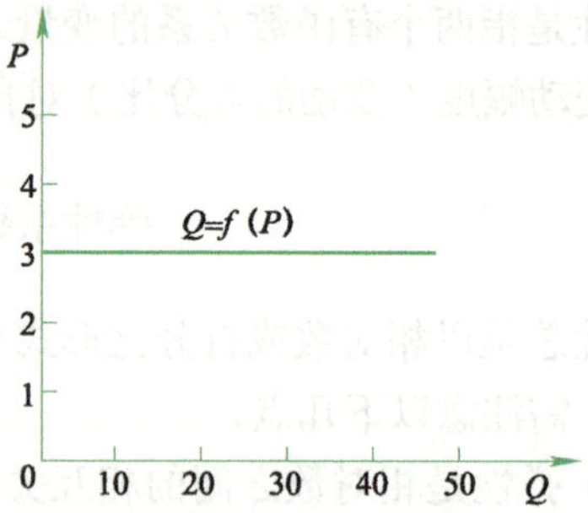

图2-12 需求完全弹性

（3）$E_d=1$，需求单位弹性。需求量变动的百分点恰好等于价格变动的百分点，即价格上涨1个百分点，需求就会下降1个百分点，如图2-13所示。

（4）$E_d<1$，需求缺乏弹性。如果价格变动1个百分点引起需求的变动不足1个百分点，则这种商品就是缺乏弹性的商品，如图2-14所示。例如，大米、食用油等。

（5）$E_d>1$，需求富有弹性。如果价格变动1个百分点引起需求的变动超过1个百分点，则这种商品就是富有弹性的商品，如图2-15所示。例如，新鲜水果、国外旅行等。

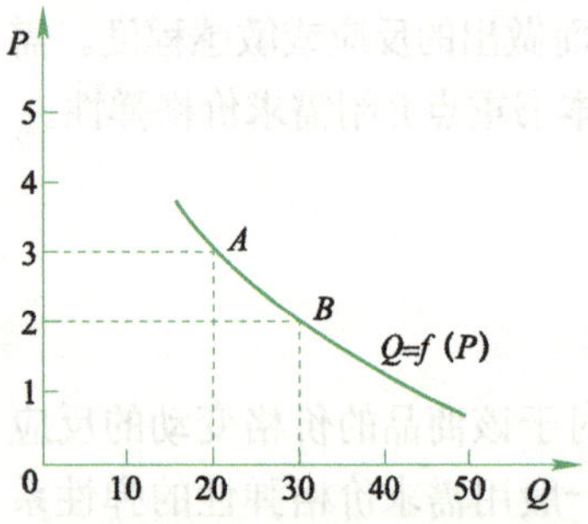

图2-13 需求单位弹性

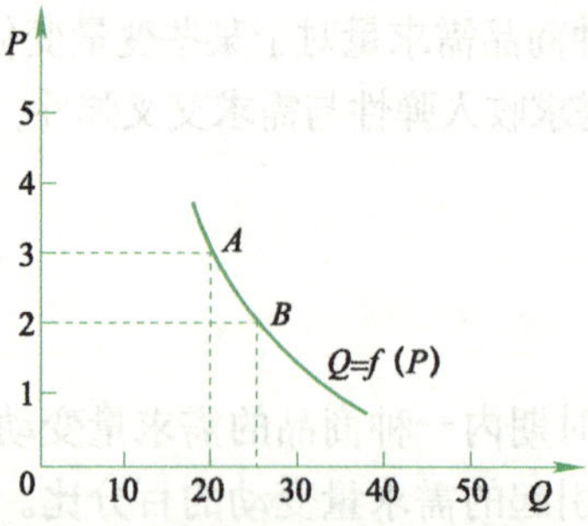

图2-14 需求缺乏弹性

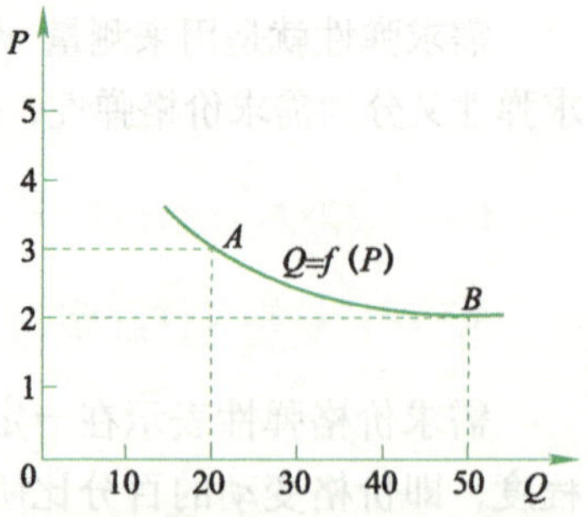

图2-15 需求富有弹性

3. 影响需求价格弹性的因素

（1）消费者对商品的需求程度。一般来说，消费者对生活必需品的需求强度大而且比较稳定，受价格变化的影响小，这类商品属于缺乏弹性的商品，如粮食、衣服。而非必需品受价格变化的影响大，属于富有弹性的商品，如国外旅行、娱乐活动。

（2）商品的可替代性。如果一种商品有许多替代品，那么这种商品的弹性就较大。例如，飞机票涨价了，人们外出就会选择改乘火车等。

（3）商品本身用途的广泛性。一种商品的用途越广泛，其需求弹性就越大；相反，用途越狭窄，需求弹性可能就越小。例如羊毛，可以做绒线、毛料、羊毛衫、地毯等，一旦羊毛的价格上涨，那么毛纺厂、羊毛衫厂、地毯厂等工厂就会同时减少进货，从而使羊毛的需求量大大减少。因此，羊毛的需求弹性就很大。

（4）商品在家庭总支出中所占的比重。一般来说，在家庭总支出中所占比重大的商品需求弹性大，比重小的商品需求弹性小。例如冰箱和盐，前者需求弹性大，后者需求弹性小。

（二）其他需求弹性

1. 需求收入弹性

需求收入弹性是指一种商品的需求量对消费者收入变动的反应程度，是需求量变动的百分比与收入变动的百分比之比。通常用 E_m 表示需求收入弹性系数，M 为收入，ΔM 为收入变动量，Q 为需求量，ΔQ 为需求变动量。

$$E_m=\frac{\Delta Q/Q}{\Delta M/M}=\frac{\Delta Q}{\Delta M}\frac{M}{Q}$$

一般而言，由于需求量与收入呈同方向变动，因此 E_m 为正值。

2. 需求交叉弹性

需求交叉弹性是指一种商品的需求量对另一种商品的价格变动的反应程度，其弹性系数是一种商品需求量变动的百分比与另一种商品价格变动的百分比之比。通常用 E_c 表示需求交叉弹性系数，x、y 分别表示两种商品。

$$E_c=\frac{\Delta Q_x/Q_x}{\Delta P_y/P_y}=\frac{\Delta Q_x}{\Delta P_y}\frac{P_y}{Q_x}$$

E_c 的值可以是正值，也可以是负值。正值说明两种商品是替代品，负值说明两种商品是互补品。

三、供给弹性

（一）供给价格弹性的定义

供给价格弹性是指一种商品的供给量对其价格变动的反应程度，简称供给弹性。

供给弹性通常也是用供给弹性系数来反映其大小的。供给弹性系数是供给量变动的百分比与价格变动的百分比之比，用 E_s 表示。

$$E_s=\frac{\Delta Q/Q}{\Delta P/P}=\frac{\Delta Q}{\Delta P}\frac{P}{Q}$$

因为商品供给量与价格一般呈同方向变动，所以供给弹性系数一般为正值。

（二）供给价格弹性的类型

根据弹性系数的不同，供给价格弹性分为五种类型。

（1）$E_s=0$，供给完全无弹性。表示价格无论怎样变化，其供给曲线是一条与纵轴平行的直线，如图2-16所示。极其稀缺、珍贵的艺术品等属于这一类型。

（2）$E_s=\infty$，供给弹性无穷大，或称完全弹性。表示在既定的价格水平上，供给量是无限的，其供给曲线是与横轴平行的一条直线，如图2-17所示。一般只有在商品严重过剩时，才可能出现类似情况。

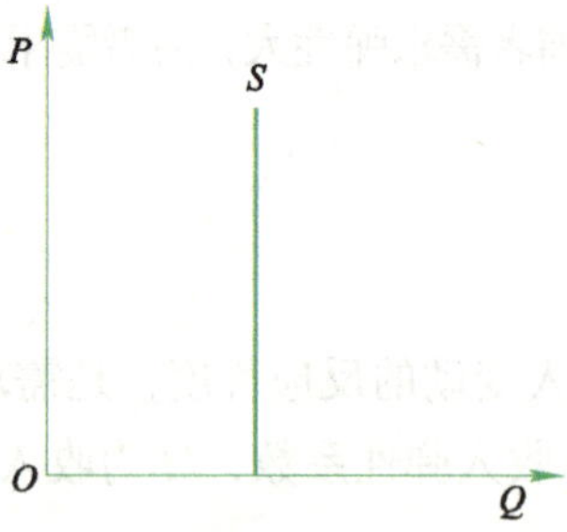

图2-16 供给完全无弹性

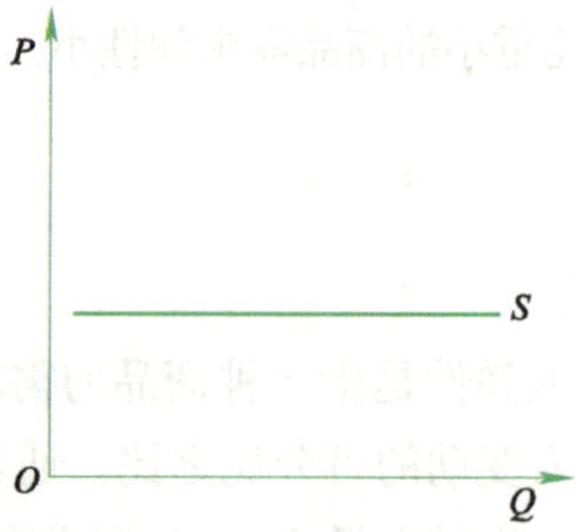

图2-17 供给完全弹性

（3）$E_s=1$，供给单位弹性。表示供给量与价格按同一比率发生变动，如图2-18所示。其供给曲线与横轴呈45°角。

（4）$E_s<1$，供给缺乏弹性。表示供给量变动的比率小于价格变动的比率，其供给曲线的形状比较陡峭，如图2-19所示。

（5）$E_s>1$，供给富有弹性。表示供给量变动的比率大于价格变动的比率，其供给曲线的形状比较平缓，如图2-20所示。

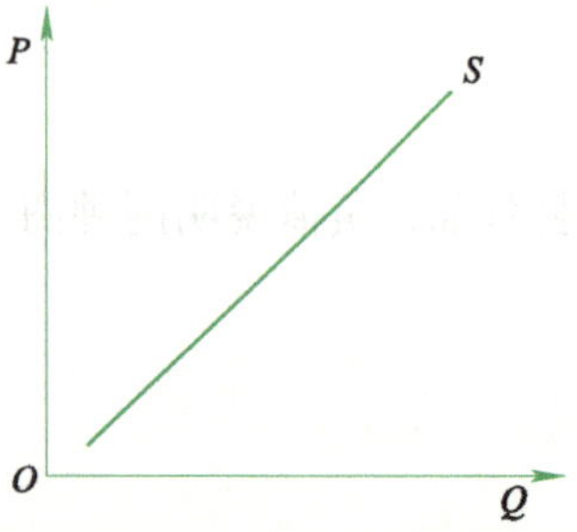

图2-18 供给单位弹性

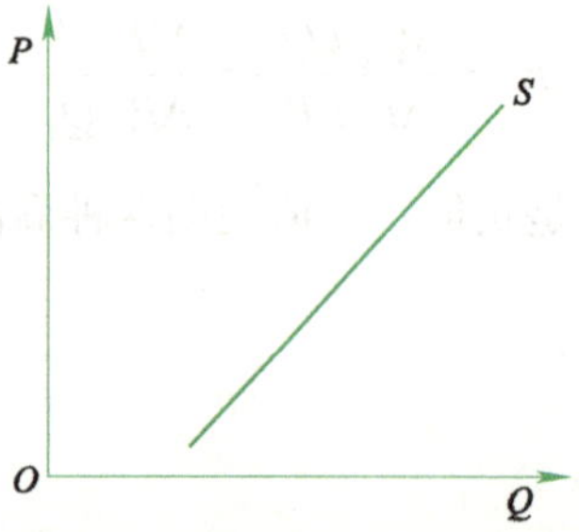

图2-19 供给缺乏弹性

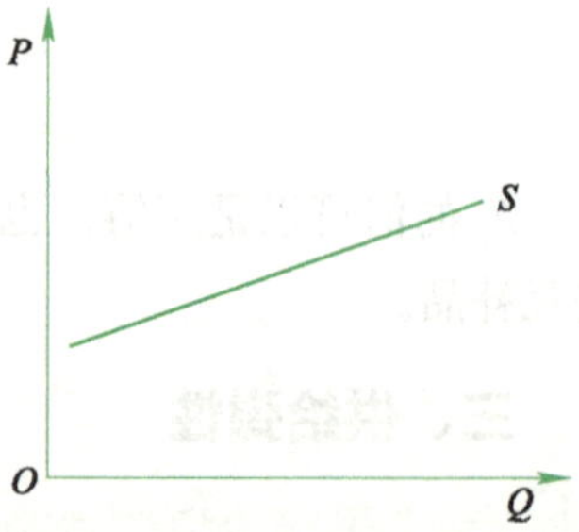

图2-20 供给富有弹性

（三）影响供给价格弹性的因素

（1）生产时间的长短。时间长弹性小，时间短弹性大。

（2）生产的难易程度。生产容易弹性大，生产困难弹性小。

（3）生产规模大小。规模大弹性小，规模小弹性大。

（4）生产所采用的技术。资本密集型产品供给弹性小，劳动密集型产品弹性大。

（5）重工业产品供给弹性小，轻工业产品供给弹性大，农产品缺乏弹性。

本章小结

微观经济学最基本的理论是供求理论。供求理论也称价格均衡理论，它揭示了微观经济的运行机制，是微观经济学的理论基础。任何商品的市场价格都是由需求和供给共同决定的。

本章首先介绍了需求和供给的概念、曲线和影响因素。在此基础上，提出了均衡价格，并给出了政府价格管制的作用。然后介绍了需求和供给的弹性。弹性理论阐述存在函数关系的经济变量之间，因变量对自变量变化的反应程度，主要有需求价格弹性和供给价格弹性等。

练习题

一、名词解释

需求　供给　最高限价　最低限价　均衡价格　需求弹性　供给弹性

二、单项选择题

1. 一般情况下，需求曲线是一条（　　）。
   A. 向左倾斜的曲线　B. 向左下方倾斜的曲线
   C. 向右下方倾斜的曲线　D. 向右倾斜的曲线
2. 一般情况下，供给曲线是一条（　　）。
   A. 向左上方倾斜的曲线　B. 向左倾斜的曲线
   C. 向右倾斜的曲线　D. 向右上方倾斜的曲线
3. 按市场经济规律，当市场价格高于均衡价格时，由于生产过剩，需求不足，市场价格会（　　）。
   A. 向上移动　B. 向下移动　C. 保持不变　D. 方向不定
4. 按市场经济规律，当市场价格低于均衡价格时，由于市场短缺，供给不足，市场价格会（　　）。
   A. 向上移动　B. 向下移动　C. 保持不变　D. 方向不定
5. （　　）是需求的表现形式。
   A. 需求表　B. 需求曲线　C. 需求函数　D. 以上都是
6. 某商品的原材料价格上涨，则该商品（　　）。
   A. 供给曲线右移　B. 供给曲线左移　C. 需求曲线左移　D. 需求曲线右移
7. 下列描述体现需求定理的是（　　）。
   A. 计算机价格下降导致需求量增加
   B. 药品的价格上涨会使药品质量提高

C. 丝绸的价格提高，衣服的价格提高
D. 黄瓜的价格下降，西红柿的销售量增加

8. “薄利多销”针对的是（　　）的商品。
A. 单位弹性　B. 无穷弹性　C. 富有弹性　D. 缺乏弹性

9. 在同一条曲线上，价格与需求量的组合从 A 点移动到 B 点是（　　）。
A. 需求的变动　B. 需求量的变动
C. 供给的变动　D. 供给量的变动

10. 以下商品需求弹性最大的是（　　）。
A. 面粉　B. 大白菜　C. 高档化妆品　D. 报纸杂志

三、多项选择题

1. 影响需求变化的主要因素有（　　）。
A. 商品本身的价格　B. 消费者的收入
C. 相关商品的价格　D. 消费者的偏好
E. 消费者的预期　F. 生产者的预期
G. 广告　H. 生产费用
I. 技术水平

2. 影响供给变化的主要因素有（　　）。
A. 商品本身价格　B. 消费者收入
C. 相关商品价格　D. 消费者偏好
E. 消费者预期　F. 生产者预期
G. 生产费用　H. 技术水平

3. 需求价格弹性的类型有（　　）。
A. 富有弹性　B. 缺乏弹性　C. 单位弹性　D. 完全弹性
E. 完全无弹性

4. 供给不变时，需求变动引起（　　）。
A. 均衡价格同方向变动　B. 均衡价格反方向变动
C. 均衡数量同方向变动　D. 供给同方向变动
E. 均衡数量反方向变动

5. 需求不变时，供给变动引起（　　）。
A. 均衡价格同方向变动　B. 均衡价格反方向变动
C. 均衡数量同方向变动　D. 需求同方向变动
E. 均衡数量反方向变动

四、简答题

1. 下列事件会对产品 X 的需求产生什么影响?

（1）产品X变得更时尚。

（2）产品X的替代品Y的价格上升。

（3）预计居民收入将上升。

（4）预计人口将有一个较大的增长。

2. 下列事件会对产品 X 的供给产生什么影响？

（1）生产产品X的技术有重大革新。

（2）生产产品X的企业数目减少了。

（3）生产产品X的工人工资和原材料价格上涨了。

（4）生产产品X的厂商预期该商品的价格会下降。

五、案例分析题

1. 受猪瘟的影响，某市养猪场生猪大量死亡，这将如何影响该市的猪肉市场？假如市民对猪肉的需求量大量增加，这将如何影响该市的猪肉市场？如果这两种情况同时发生呢？试画出需求曲线和供给曲线进行说明。

2. 请分析“谷贱伤农”。

第三章 消费者行为理论

[学习目标]

◎知识目标

- 理解效用的含义
- 理解边际效用递减规律
- 理解边际替代率递减规律
- 掌握基数效用理论和序数效用理论下消费者均衡的分析方法

◎能力目标

- 能分析边际效用递减规律在经济生活中的应用
- 能分析边际替代率递减规律在经济生活中的应用
- 能分析消费者均衡的实现

◎素质目标

- 培养理性消费观念，提高消费决策能力
- 了解消费行为的经济学原理和社会影响，提高消费素养

◆ 引导案例 ◆

纠结的吴小姐

吴小姐在上个月的销售比赛中表现优异，获得 15 万元的奖金，可她却为此犯了愁，因为她不知道要怎么花这 15 万元钱：①为了方便自己日后在销售工作中能更好地“跑市场”，吴小姐想用这 15 万元买一辆车代步；②可销售工作的特殊性使得自己已经两年没有回家了，吴小姐也想用这 15 万元带着父母去国外旅游；③大学毕业后，吴小姐一直在租房子居住，她是多么希望通过自己的努力买上一套小房子，使自己的生活更加惬意啊！据说这个周末大学城附近的楼盘做活动，15 万元就能首付一套房子。吴小姐这几天都睡不好，她不知道自己究竟应该买车、买房还是去旅游。

引入问题

如果你是吴小姐，你会怎么用这 15 万元？

第一节 效用概述

一、欲望、偏好与效用

（一）欲望

消费者行为理论

欲望是人们对于物质产品和服务不间断的需要。欲望是一种心理状态，是不足之感和求足之愿的结合。人们对物质产品和服务总是存在一种缺乏与不满足的感觉，并产生想要获得这些物质产品与服务的愿望，由此产生购买动机与购买行为，因此欲望是消费者行为的起点。

欲望具有以下两个特点。

（1）欲望的无限性。欲望的无限性是指人的欲望是无穷无尽的，一般来说，人的某种欲望被满足后又会产生新的欲望。当人们居无定所的时候，拥有一间茅草房成为其欲望；拥有茅草房后，又会觉得茅草房不能遮风避雨，于是产生想要拥有一间砖瓦房的欲望；有了砖瓦房后又会觉得自己应该住在社区的楼房里；住进楼房后又想要住进别墅里……这就是欲望的无限性。

（2）欲望的层次性。美国社会心理学家、人格理论家和比较心理学家亚伯拉罕·马斯洛（1908—1970）指出，人的欲望（需要）由低级到高级可以分为五个层次：生理需要、安全需要、社交需要、尊重需要和自我实现需要，当低一级的欲望被满足后，就会出现高一级的欲望。

欲望曾被视作人性中较为丑陋的一面，但不可否认的是，欲望是社会发展进步的动力，正是人们对于欲望的追求，产生了时尚的衣服、美味的食物、舒适的住房、便利的交通；正是人们对于欲望的追求，推动了科学技术的发展；正是人们对于欲望的追求，创造了更加美好的世界。因此，从经济学的角度出发，我们要正确地看待欲望。

（二）偏好

偏好是消费者对于某种商品或者商品组合的喜爱程度，是消费者根据自己的主观心理评价对商品和商品组合所进行的排序，反映了消费者的兴趣与爱好。

理性消费者的偏好满足三个假设。

1. 完备性假设

完备性假设是指消费者能够按照其偏好对所有可供选择的商品组合进行排序。在这一假设下，消费者对于两种商品组合 A 和 B，总能做出其对 A 的偏好优于 B，或者对 B 的偏好优于 A，或者对 A 的偏好与对 B 的偏好一样的判断。

2. 传递性假设

传递性假设是指对于商品组合 A、B、C 而言，如果消费者认为其对商品组合 A 的偏好优于商品组合 B，对商品组合 B 的偏好优于商品组合 C，那么该消费者对商品组合 A 的偏好一定优于商品组合 C。传递性假设保证了消费者偏好的一致性，是消费者理性行为的体现。

3. 非饱和性假设

非饱和性假设，即多比少好假设，是指如果两种商品组合间的差异仅在于其中一种商品数量的不同，那么消费者一定会偏好于含有这种商品数量更多的商品组合。也就是说，消费者对于商品的消费不会到达饱和点，或者说对于任何一种商品，消费者总是觉得数量越多越好。

（三）效用

效用是指消费者在消费某种商品时感受到的满足程度，是消费者对于某种商品满足其需求能力的主观心理评价。

效用具有三个特点。

1. 效用的主观性

效用的主观性是指效用是人们对于某种商品满足其需求能力的主观心理评价，没有统一的评价标准，因此不同的消费者对同一商品的效用评价可能不同。例如，对于爱吃榴梿的消费者，吃榴梿能给其带来正效用；对于不能接受榴梿味道的消费者，吃榴梿带给他的是负效用。

2. 效用的非伦理性

效用的非伦理性是指经济学不利用伦理价值对消费者的偏好和效用进行评价。例如，对于吸烟的消费者来说，吸烟能暂时缓解其压力，为其带来正效用，但在公共场所吸烟会使周围的人被迫吸入二手烟，危害周围人的身体健康，经济学不会因为吸烟者不考虑社会公众的利益而否认吸烟者的正效用。

3. 效用的差异性

效用的差异性是指效用会因时而异、因地而异。所谓因时而异，是指同一件商品由于消费时间的差异，带给消费者的效用可能会产生差异。例如短袖，夏天穿短袖使人觉得凉爽，给消费者带来正效用；冬天穿短袖使人觉得冷，甚至会使人生病，给消费者带来负效用。所谓因地而异，是指同一件商品，由于使用地点的差异，会带给消费者不同的效用。例如雪橇，在雪地里使用雪橇加速了消费者的滑行速度，使消费者享受刺激，带给消费者正效用；但若是在山地里使用雪橇，就会因为路面的不平整导致消费者摔跤，带给消费者负效用。

二、基数效用和序数效用

消费者行为分析的核心问题是消费者在收入既定的前提下，如何通过商品的购买和使用获得最大的效用。如何确定消费者获得的效用是最大的？效用如何度量？据此，西方经济学家先后提出了基数效用和序数效用两种概念，并在此基础上形成了两种分析消费者行为的理论：基数效用理论和序数效用理论。

（一）基数效用理论

19世纪末20世纪初，英国著名经济学家阿尔弗雷德·马歇尔（1842—1924）提出的基数效用理论被西方经济学界广泛使用。基数效用理论认为，效用就像桌子的长度、椅子的重量、冰箱的体积一样，是可以通过数字来度量并加总求和的。效用的大小可以用基数（1，2，3，…）来表示，计量效用大小的单位为“效用单位”。例如，对某个消费者来说，吃一个汉堡包的效用是20效用单位，喝一杯可乐的效用为10效用单位，那么吃一个汉堡包和喝一杯可乐的总效用就是30效用单位，也可以说，吃一个汉堡包的效用是喝一杯可乐的效用的两倍。根据基数效用理论，就可以利用效用数值来研究消费者效用最大化的问题。

（二）序数效用理论

20世纪30年代至今，诺贝尔经济学奖获得者约翰·希克斯（1904—1989）提出的序数效用理论成为研究消费者行为最主要的方法。序数效用理论认为，效用的大小是没有办法用数值来衡量的，效用之间的比较只能通过序数（第一、第二、第三……）来进行，即通过对商品和商品组合的排序来确定消费者更偏好于哪种商品或商品组合，通过对更偏好的商品或商品组合的消费，消费者能得到更大的满足，获得更高的效用。例如，消费者不知道吃一个汉堡包、喝一杯可乐能给他带来多少效用，但消费者知道，相比于喝一杯可乐，他更偏好于吃一个汉堡包，因此吃一个汉堡包的效用排第一，喝一杯可乐的效用排第二。对消费者行为分析而言，序数效用理论的假定比基数效用理论的假定受到的限制更少，也减少了一些被认为是值得怀疑的心理假设。

第二节 边际效用分析与消费者均衡

边际效用分析方法是以基数效用理论（即效用值是可以衡量并加总求和的）为前提进行分析的方法。

一、总效用与边际效用

（一）总效用

总效用（Total Utility，TU）是指消费者在一定时间内从一定数量的某种商品的消费中所获得的效用量的总和。例如，一定时间内，消费者吃了3个馒头，吃第1个馒头带给他的效用是U_1效用单位，吃第2个馒头带给他的效用是U_2效用单位，吃第3个馒头带给他

的效用是 U_3 效用单位，则总效用 $TU=U_1+U_2+U_3$。假设 Q 为消费者对某种商品的消费数量，则总效用函数为

$$TU=f(Q)$$

（二）边际效用

边际是经济学中的重要术语。边际量是指当两个变量之间存在函数关系时，其中一个变量的值发生微小的变化所导致的另一变量的数值的变化。

边际效用（Marginal Utility，MU）是指消费者在一定时间内增加一单位商品的消费所带来的效用量的增量。例如，消费者吃了 3 个馒头，每个馒头带给他的满足程度（即效用）都是不同的，他消费的最后 1 单位馒头（第 3 个馒头），带给他的效用就是第 3 个馒头的边际效用。从边际效用与总效用间的关系来看，边际效用是指消费者对某一商品每增加（或减少）一单位的消费量所带来的总效用的增加（或减少）量。如果用 ΔQ 表示消费数量的变化量，$\Delta TU(Q)$ 表示总效用的变化量，那么边际效用函数为

$$MU=\frac{\Delta TU(Q)}{\Delta Q}$$

假如商品是可以无限细分的，当商品消费量的增加量趋于无穷小的时候，则有

$$MU=\lim_{\Delta Q\to 0}\frac{\Delta TU(Q)}{\Delta Q}=\frac{dTU(Q)}{dQ}$$

（三）总效用和边际效用的关系

表 3-1 为某消费者消费馒头时的总效用与边际效用。

表3-1　某消费者消费馒头时的总效用与边际效用

消费量（Q）	总效用（TU）	边际效用（MU）
1	10	10
2	18	8
3	24	6
4	28	4
5	30	2
6	30	0
7	28	–2

根据表 3-1 绘制该消费者的总效用图与边际效用图，如图 3-1 所示。

由图 3-1 可以看出，总效用曲线 TU 以递减的速率先上升后下降，边际效用曲线向右下方倾斜。边际效用为正值时，总效用曲线呈上升趋势；边际效用为 0 时，总效用曲线达到最高点；边际效用为负值时，总效用曲线呈下降趋势。从数学意义上讲，如果效用曲线是连续的，那么每一消费量上的边际效用值是总效用曲线上相应点的斜率。

二、边际效用递减规律

由图 3-1 可以看出，虽然总效用曲线是先上升后下降的，边际效用曲线却是一条逐渐下降往右下方倾斜的曲线，随着消费者对商品的消费量的增加，边际效用出现了下降的趋势。由表 3-1 可以看出，边际效用从消费第 1 个馒头时的 10 效用单位，下降到消费第 2 个

馒头时的 8 效用单位，再下降到消费第 3 个馒头时的 6 效用单位……到消费第 7 个馒头时的 –2 效用单位，边际效用逐渐下降并出现了负值，说明该消费者对馒头的消费满足边际效用递减规律。

所谓边际效用递减规律，是指在一定时间内，在对其他商品的消费数量保持不变的前提下，随着消费者对某种商品的消费数量的增加，消费者从该商品连续增加的每一单位商品数量中所得到的效用的增加量（即边际效用）是递减的。

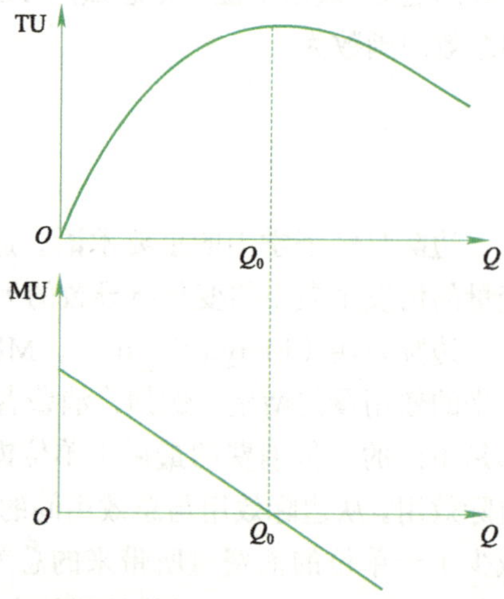

图3–1 总效用图与边际效用图

边际效用递减规律形成的原因主要有两个。

（1）由人的生理或心理原因造成的。从生理上说，人的身体对于任何商品的需要都是有度的。例如，胃的容量有限，当消费者肚子饿的时候吃的第一个馒头最能缓解其由饥饿造成的不适感，这个馒头带给他很大的效用，但随着馒头消费量的增加，饥饿感逐渐减弱，多增加的每一单位馒头带给他的效用是逐渐减少的，直至其因为吃了太多馒头而胃痛、恶心、难过时，边际效用出现负值。从心理上看，当人们缺乏某种东西的时候，求足之愿会使其对该商品产生强烈的欲望，此时，购买第一单位的该商品由于满足了消费者强烈的欲望而具有很高的效用，但随着消费者对该商品拥有数量的增加，消费者对该商品的欲望逐渐减弱，连续消费的每一单位该商品带给消费者的效用逐渐减少。

（2）由商品用途的多样性造成的。当一种商品具有多种用途时，消费者总是将第一单位的商品用在其最重要的用途上，将第二单位的该商品用在次重要的用途中，将第三单位的该商品用在第三重要的用途上……因此，商品的效用随商品用途重要性的逐渐减弱而递减。例如：在极度干旱的气候条件下，第一单位的水可以用来维持人们的生命，效用很大，但随着水的消费数量的增加，消费者会用水来做饭、洗脸、洗澡、洗衣服等，因此水的效用开始递减。

案例分析

吃三个面包的感觉

罗斯福连任三届美国总统后，有记者问他有何感想，罗斯福总统一言不发，拿出一块面包让记者吃，记者不知道总统的用意，又不便问，只好吃了。接着总统拿出第二块面包递给记者，记者虽然很疑惑，但还是吃了。紧接着，总统拿出第三块，为了不吃撑，记者婉拒了。这时罗斯福总统微微一笑，说："现在你知道我连任三届总统的滋味了吧。"

面对罗斯福总统拿出的第三块面包，记者为什么不继续吃而要婉拒，是因为第一块面包带给他的效用是最大的，第二块面包带给他的效用次之，如果再吃第三块面包，肚子就会有饱胀感，就会产生负效用。这就是边际效用递减规律。

边际效用递减规律的存在使我们从经济学的角度重新定义了"适可而止、过犹不及"，即人们吃东西的时候应该适可而止，过量食用后再美味的东西都只会带来负效用；人参再补，每天的食用量也要控制，不然身体负担就会加重，产生负效用。

（资料来源：李志强、陈小刚，经济学基础，北京出版社，2014）

三、消费者均衡

（一）消费者均衡的概念

边际效用递减规律的存在，使得消费者对商品的消费并不是我们所认为的“越多越好”，而应该“适可而止”，同时，经济市场上任何商品的取得都要付出代价，因此，消费者对商品的购买还应该“量力而行”，如何将有限的收入分配到市场上各种各样的商品购买与消费中，使得消费者的总效用最大，是消费者均衡试图解决的问题。

所谓消费者均衡，是指在消费者的收入和商品价格既定的前提下，消费者通过对不同的商品的量的组合的购买与消费来使自己获得的总效用最大。实现消费者均衡时，消费者对各种商品的需求达到相对静止的状态，此时，消费者既不想增加任何商品的消费量，也不想减少任何商品的消费量。

消费者均衡通常需要满足以下三个假设条件。

（1）消费者的偏好是既定的，即消费者对于各种商品的效用和边际效用的评价是已知的和既定的，不会发生变化。

（2）商品的价格是既定的，即消费者决定要购买的各种商品的价格是已知的和既定的，以便于消费者做出选择。

（3）消费者的收入是既定的，即消费者的货币收入是已知的和既定的，消费者将其全部收入用于购买相关商品，以获得更大的效用。

（二）消费者均衡的条件

消费者均衡的条件是，在消费者收入既定的前提下，消费者购买各种商品所获得的边际收益与其为购买该商品所支付的价格间的比例相等。此时，消费者使用每一单位货币购买相应商品所带来的边际效用都是相等的，消费者不会想要增加任何商品的购买量，也不会想要减少任何商品的购买量。

消费者均衡可以这样理解：由于消费者的收入是既定的，如果消费者对某种商品的购买量增加，那么他对于另一种商品的购买量势必会减少。根据边际效用递减规律，当消费者增加对于某种商品的购买量时，该商品的边际效用会逐渐减少；当消费者减少对于某种商品的购买量时，该商品的边际效用会增加。于是，消费者会增加对边际效用较大的商品的购买，以增加其购买的各种商品的总效用，直至花在不同商品上的最后一单位货币所带来的边际效用相等，消费者均衡得以实现。

假设消费者用既定的收入 I 购买 n 种商品，P_1，P_2，…，P_n 分别表示 n 种商品的价格，X_1，X_2，…，X_n 分别表示 n 种商品的购买量，MU_1，MU_2，…，MU_n 分别表示 n 种商品的边际效用，λ 为不变的货币边际效用，则消费者均衡的条件为

$$\begin{cases} P_1X_1 + P_2X_2 + \cdots + P_nX_n = I \\ \dfrac{\mathrm{MU}_1}{P_1} = \dfrac{\mathrm{MU}_2}{P_2} = \cdots = \dfrac{\mathrm{MU}_n}{P_n} = \lambda \end{cases}$$

即消费者应该使自己花在每种商品上的最后一单位货币所带来的边际效用相等，此时，消费者获得的总效用最大。

例3-1 假设土豆的价格 P_1=1元，红薯的价格 P_2=1元，小王每天的收入 I=6元，土豆和红薯的数量及边际效用见表3-2，求：小王应购买多少个土豆、多少个红薯，才能使其获得的总效用最大？

表3-2 土豆和红薯的数量及边际效用

数量	1	2	3	4	5	6	7	8
土豆的边际效用 MU_1	18	15	8	6	5	4	2	0
红薯的边际效用 MU_2	14	12	8	7	6	5	4	2

解：

第1元，小王应用其购买第1个土豆，获得的效用为18效用单位。

第2元，小王应用其购买第2个土豆，获得的效用为15效用单位。

第3元，小王应用其购买第1个红薯，获得的效用为14效用单位。

第4元，小王应用其购买第2个红薯，获得的效用为12效用单位。

第5元，小王应用其购买第3个土豆（或第3个红薯），获得的效用为8效用单位。

第6元，小王应用其购买第3个红薯（或第3个土豆），获得的效用为8效用单位。

也就是说，小王购买3个土豆和3个红薯时获得的总效用最大，TU=18+15+14+12+8+8=75效用单位，此时

$$\frac{MU_1}{P_1}=\frac{MU_2}{P_2}=\frac{8}{1}=8$$

四、消费者剩余

消费者剩余是消费者购买一定数量的商品时，愿意支付的最高价格与实际支付的价格之间的差额。

消费者购买单一商品的均衡条件是该商品的边际效用与价格的比例等于货币的边际效用。因此，消费者愿意为购买某一商品所支付的价格取决于该商品的边际效用。由于边际效用递减规律的存在，随着该商品边际效用的降低，消费者愿意为多购买一单位的该商品而支付的价格也逐渐降低。也就是说，随着需求量的增加，消费者愿意支付的价格逐渐下降，这就是单个消费者的需求曲线向右下方倾斜的原因。

在实际的购买行为中，消费者实际支付的价格并不会随着购买量的不同而产生差异，无论消费者的购买量如何，均按照实际价格支付，因此，在消费者愿意支付的价格与实际支付的价格间就产生了一定的差额，这个差额就是消费者剩余。如图3-2所示，阴影部分的面积即消费者愿意支付的最高价格与实际支付的价格之间的差额，这就是消费者剩余。

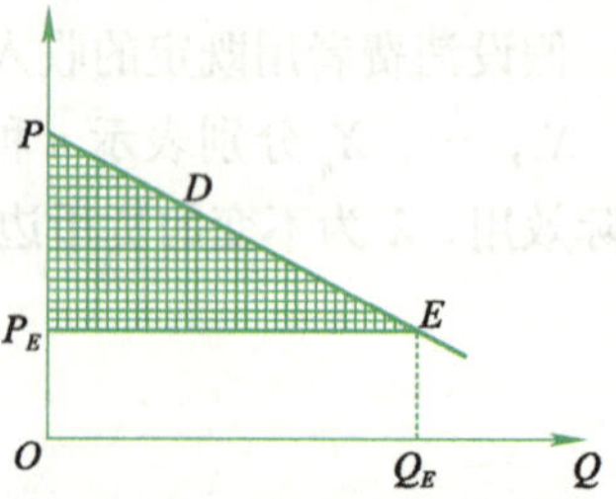

图3-2 消费者剩余

值得一提的是，消费者剩余是主观的。不同的消费者对同一种商品的消费者剩余是不同的；消费者剩余并不是实际收入的增加，只是一种心

理上的主观感觉，并不是消费者真正获得的收益，而是通过消费者愿意支付的最高价格和其实际支付的价格间的差额使消费者的心理得到满足，即我们通常所认为的“占便宜”，如果存在消费者剩余，就会从心理上感觉自己“赚到了”，有些消费者为了“赚更多”还会增加消费量或将消费行为提前。例如，商场的折扣活动，商家通过折扣的方式销售，消费者就会产生抢购行为，因为定价和折扣价格间的差额越大，消费者剩余越大，消费者心理上的收益就越大。

第三节　无差异曲线分析与消费者均衡

无差异曲线分析法以序数效用理论为前提，是在确定效用是一种主观心理评价，没有办法用具体的数值对其进行衡量和加总的前提下，只能对商品或商品组合进行偏好排序时所采用的消费者行为分析方法。

一、无差异曲线

（一）无差异曲线的含义

无差异曲线是用来表示两种商品的不同数量组合给消费者带来同样的效用的一条线。在这条线上，虽然每一点所对应的两种商品的数量是不同的，但其带给消费者的效用水平和满足程度是一样的。

假设 U 表示某一特定的效用水平，X_1、X_2 分别表示商品 1 的数量和商品 2 的数量，则与无差异曲线对应的效用函数可以表示为

$$U=f(X_1,X_2)$$

需要注意的是，效用函数中的 U 是一个常数，这个常数表示特定的效用水平，但不关注其数值大小。X_1、X_2 间任何满足效用函数关系的商品数量组合带给消费者的效用都是相等的。

例如，表 3-3 表示某消费者的无差异组合，表中的四个点 A(1、10)、B(2、7)、C(3、5)、D(4、4)代表的是土豆和红薯间不同数量的组合，它们带给该消费者的效用是相等的，即在满足消费者的偏好方面，这四个点所代表的效用是无差异的。以商品 1 的数量 X_1 作为横轴，商品 2 的数量 X_2 作为纵轴，表 3-3 中的各点反映到坐标轴中，如图 3-3 所示，连接 A、B、C、D 四点所形成的曲线即为无差异曲线。

表3-3　某消费者的无差异组合

商品组合	土豆（X_1）	红薯（X_2）
A	1	10
B	2	7
C	3	5
D	4	4

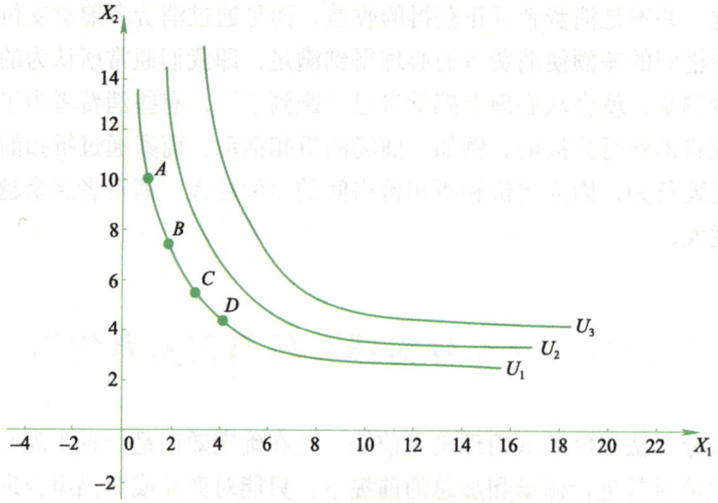

图3-3 无差异曲线

（二）无差异曲线的特点

无差异曲线具有以下特点。

1. 无差异曲线图是由一组无差异曲线组成的

无差异曲线图是由一组无差异曲线组成的，可以把这样的一组无差异曲线叫作无差异曲线群。无差异曲线图中同一条无差异曲线上的点效用相等，不同的无差异曲线上的点效用不同。一般来说，根据偏好的非饱和性假设，远离坐标原点的无差异曲线代表了更多的商品量的组合，效用水平更大。因此，离坐标原点越远，无差异曲线代表的效用水平越高；离坐标原点越近，无差异曲线代表的效用水平越低。

2. 同一无差异曲线图上的任何两条无差异曲线永不相交

同一无差异曲线图上的任何两条无差异曲线永不相交，这是由偏好的传递性假设决定的。如果同一组无差异曲线上出现了无差异曲线相交的情况，设交点为 A，在相交的第一条无差异曲线上任取一点 B，在相交的第二条无差异曲线上任取一点 C，由于同一条无差异曲线上的点的效用水平都是相等的，由此可知，消费者对第一条无差异曲线上的 A 和 B 的偏好相同；对第二条无差异曲线上的 A 和 C 的偏好相同，因此消费者对 B 和 C 的偏好相同，此时第一条无差异曲线和第二条无差异曲线代表了相同的效用水平，与第一个特点相矛盾。

3. 无差异曲线往右下方倾斜、斜率为负

无差异曲线往右下方倾斜，斜率为负，是因为在消费者收入既定的前提下，为获得不变的效用，增加一种商品的消费势必会减少对另一种商品的消费。

4. 无差异曲线凸向原点

无差异曲线凸向原点，这是由商品的边际替代率递减规律决定的。

二、边际替代率分析

（一）边际替代率的含义

商品的边际替代率（Marginal Rate of Substitution，MRS）是指在维持满足程度或效用水平不变的前提下，消费者增加其中一种商品的消费量所放弃的另一种商品的消费量。边际替代率表明为维持效用水平不变，两种商品之间可以按照一定的比率进行替代。

用 MRS_{xy} 表示商品 x 对商品 y 的边际替代率，X、Y 分别为对商品 x 和 y 的消费量，则边际替代率公式为

$$MRS_{xy}=-\frac{\Delta Y}{\Delta X}$$

为维持效用水平不变，当消费者对商品 x 的消费量增加，他对商品 y 的消费量就必须减少，且增加商品 x 的消费带来的效用的增加量要等于减少商品 y 的消费带来的效用的减少量，即 $\Delta X\cdot MU_x=\Delta Y\cdot MU_y$，因此边际替代率公式可以表示为

$$MRS_{xy}=-\frac{\Delta Y}{\Delta X}=-\frac{MU_x}{MU_y}$$

若商品数量可以无限细分，当商品 x 的变动量趋于无穷小的时候，边际替代率还可表示为

$$MRS_{xy}=-\frac{dY}{dX}$$

需要补充的是，边际替代率公式中加了一个负号，是为了将边际替代率的计算结果转变为正值，以便更好地观察与比较两种商品间的替代关系。

（二）边际替代率递减规律

边际替代率递减规律是指在维持效用水平不变的前提下，随着一种商品消费数量的连续增加，消费者为得到每一单位的这种商品所需要放弃的另一种商品的消费数量是递减的。

在表 3-3 中，当消费者有 1 个土豆时，为增加 1 个土豆的消费量，愿意放弃 3 个红薯的消费量；当有 2 个土豆时，为增加 1 个土豆的消费量，愿意放弃 2 个红薯的消费量；当已经有 3 个土豆时，为增加 1 个土豆的消费量，愿意放弃 1 个红薯的消费量。这就是边际替代率递减规律，随着土豆消费量的连续增加，消费者为增加 1 个土豆的消费量所愿意放弃的红薯的消费量是递减的。

边际替代率递减的原因在于，当消费者对某种商品的拥有量较少时，他对这种商品的偏好程度会较高；当他对某种商品的拥有量较多时，他对这种商品的偏好程度就会降低。因此当消费者对某种商品的拥有量处在连续增加的状态时，他对这种商品的偏好程度就会越来越低，想要更多地获得这种商品的欲望也越来越低，他为了得到这种商品而愿意放弃的其他商品的数量就越来越少。

三、预算线分析

（一）预算线的含义

预算线又称作消费可能性曲线、预算约束线，表示在消费者的收入和商品价格既定的

条件下，消费者的全部收入所能购买到的两种商品的不同组合。

现实生活中，由于消费者的收入是既定的，消费者对商品的购买无法做到“随心所欲”，而要受到消费者收入水平的客观制约，因此消费者在购买商品时要选择其“买得起”的。若消费者将其所有收入都用来购买价格既定的两种商品，那这两种商品间数量的不同组合所对应的点的集合就是该消费者的预算线。

用 P_1、P_2 表示两种商品的价格，X_1、X_2 表示消费者对于两种商品的购买量，I 表示消费者的收入，预算线方程式可以表示为

$$P_1X_1+P_2X_2=I \text{ 或 } X_2=-\frac{P_1}{P_2}X_1+\frac{I}{P_2}$$

如图 3-4 所示，如果消费者将其全部收入用于购买商品 X_1，购买量为 I/P_1，是预算线在横轴上的截距；若将其全部收入用于购买商品 X_2，购买量为 I/P_2，是预算线在纵轴上的截距。连接两点，可得斜率为 $-P_1/P_2$ 的预算线。位于预算线上的点都表示全部收入用于购买两种商品的最大数量组合；而位于预算线右边的点，如 a 点，表示在既定收入约束下无法购买的商品组合；而位于预算线左边的点，如 b 点，表示商品组合所需费用低于既定收入预算。

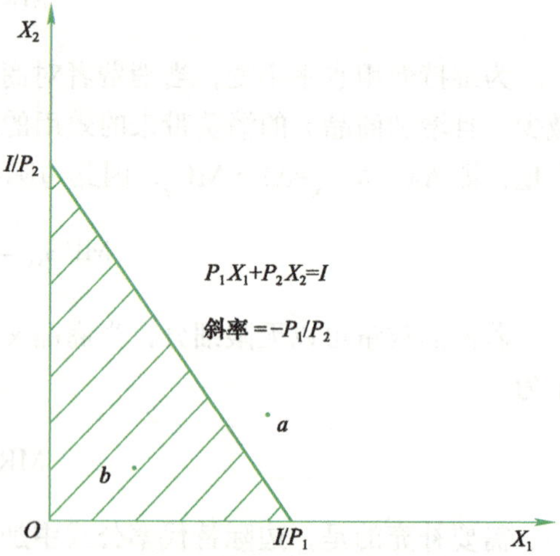

图3-4 预算线

（二）预算线的变动

预算线是消费者收入和商品价格既定时的消费可能性曲线，若消费者收入或商品价格发生变动，则预算线也会随之而变。

1. 消费者收入发生变动

如图 3-5 所示，商品价格不变时，消费者的收入增加，他能够购买的两种商品的数量同比例增加，预算线往右上方平移；商品价格不变时，消费者的收入减少，他能够购买的两种商品的数量同比例减少，预算线往左下方平移。

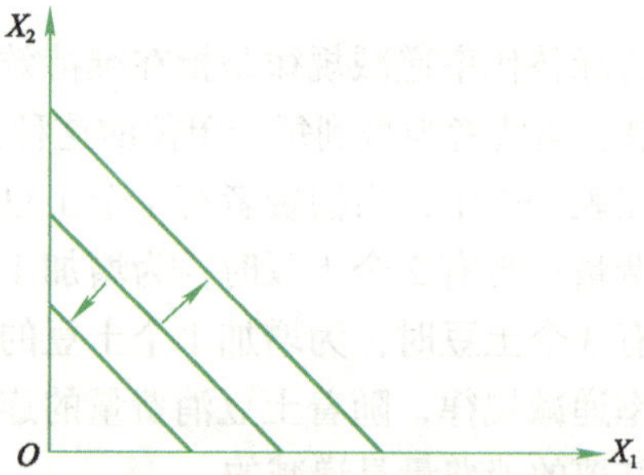

图3-5 预算线的移动

2. 商品价格发生变动

收入不变时，若两种商品的价格发生同方向同比例的变动，会导致预算线在坐标轴上的截距发生变化：价格下降，预算线往右上方平移；价格上升，预算线往左下方平移。

若其中一种商品的价格发生变动而另一种商品价格保持不变，则预算线与代表该商品数量的坐标轴的截距及预算线斜率都将发生变化。

如图 3-6 所示，若商品 1 的价格下降，预算线由 AB 变成 AC；若商品 1 的价格上升，

预算线由 AB 变成 AD，即预算线以 A 点为中心发生相应的旋转。

再如图 3-7 所示，若商品 2 的价格下降，预算线由 BA 变成 BC；若商品 2 的价格上升，预算线由 BA 变成 BD，即预算线以 B 点为中心发生相应的旋转。

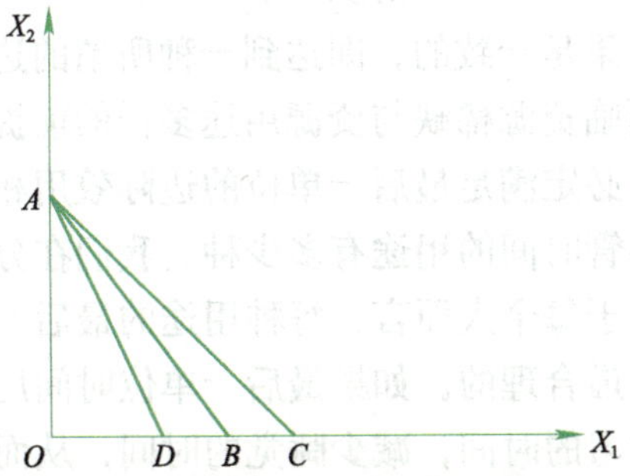

图3-6 预算线的转动（一）

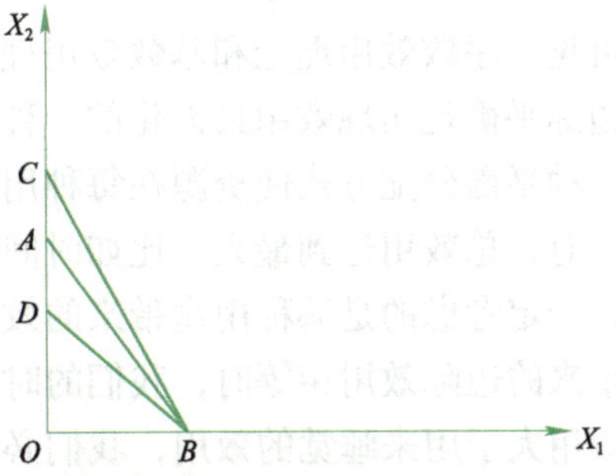

图3-7 预算线的转动（二）

四、消费者均衡分析

序数效用理论用无差异曲线来表示消费者的效用水平，用预算线表示消费者的收入水平，由于同一坐标轴中无差异曲线有无数条，即消费者的效用水平有差异，而预算线只有一条，因此消费者要在其收入约束下去购买能使其效用得到最大满足的商品组合，该商品组合中各种商品数量对应的点一定是预算线与某条无差异曲线的切点，在该点，消费者的收入用完了，效用水平也没有办法再提高了，消费者实现了其消费均衡。

因此，消费者均衡的条件为：消费者购买两种商品的数量为消费者的预算线与某条无差异曲线的切点所对应的商品数量。

如图 3-8 所示，E 点为某消费者的预算线与其某条无差异曲线间的切点，该点即为该消费者的均衡点，其所对应的商品 1 和商品 2 的数量即为消费者均衡时对商品 1 和商品 2 的购买量。从图 3-8 中还可以看出，无差异曲线 U_3 虽然代表了更高的效用水平，但它与既定的预算线既无交点也无切点，该无差异曲线上的商品组合是消费者目前的收入无法购买的；无差异曲线 U_1 虽然与预算线相交于 C、D 两点，表明消费者可以用其收入购买 C、D 两点所对应的商品数量组合，但由于 C、D 两点所在的无差异曲线 U_1 所代表的效用水平低于 E 点所在的 U_2 所代表的效用水平，理性的消费者显然不会用其收入购买一个效用水平更低的商品组合。消费者会发现，预算线上，C 点右边和 D 点左边的任何一点都位于效用水平更高的无差异曲线上，因此，理性的消费者会在预算线 C、D 点间去寻找一个效用水平最高的点，该点能使消费者在其既定的收入水平上实现效用最大化。

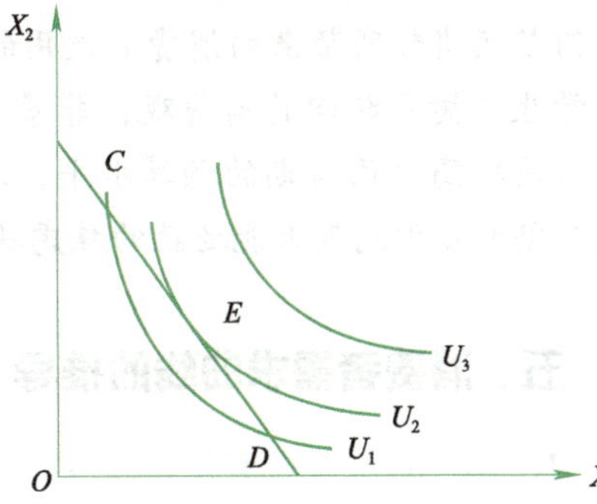

图3-8 消费者均衡

消费者均衡时，预算线与无差异曲线相切，预算线的斜率的绝对值与无差异曲线的斜率的绝对值相等。预算线的斜率的绝对值为两种商品的价格之比，无差异曲线的斜率的绝对值为边际替代率。因此消费者效用最大化的均衡条件为

$$MRS_{12}=-\frac{P_1}{P_2}$$

由于$MRS_{12}=-\frac{MU_1}{MU_2}$，因此，消费者均衡条件可以表示为$\frac{MU_1}{MU_2}=\frac{P_1}{P_2}$或$\frac{MU_1}{P_1}=\frac{MU_2}{P_2}$。

可见，序数效用理论和基数效用理论的分析结果是一致的，即达到一种所谓的边际平衡。边际平衡是实现效用最大化的一种手段，在面临资源稀缺与资源用途多样的前提下，通过一种平衡分配方式使资源在每种用途的使用量必定满足最后一单位的边际效用相等这个条件时，总效用达到最大。比如时间的分配，不管时间的用途有多少种，我们在分配的时候，一定考虑的是哪种用途带来的效用更大，对于每个人而言，每种用途的最后一单位时间带来的边际效用相等时，我们的时间安排便是最合理的。如果最后一单位时间用来学习的效用大于用来睡觉的效用，我们必定会增加学习的时间，减少睡觉的时间，从而增加总效用，只有用于学习的最后一单位时间带来的边际效用与用于睡觉的最后一单位时间带来的边际效用相等时，我们才不会继续调整学习与睡觉的时间，因为此时已经达到了效用最大化。

案例分析 借款消费能增加消费者效用吗

随着我国经济的快速发展与人们生活水平的提高，信贷方式日新月异，信用卡、网络贷款、花呗等个人信贷方式的出现使得大家可以在收入水平外透支一部分资金来使自己的预算线往右上方移动，以增加人们当期对于各种商品的购买量，提高了消费者当期的效用水平。但“有借有还，再借不难”，所有的超额消费都需要消费者在下期向借款机构归还，下期消费者由于需要归还借款，其实际收入减少，预算线往左下方移动，此时消费者能够购买到的各种商品的数量会减少，消费者效用水平降低。因此，任何超额消费所带来的消费者效用的提高都是以牺牲消费者未来的效用水平为代价的。大学生应树立科学的消费观，非紧急情况下不使用信用卡、网络贷款、花呗等个人信贷工具提高自己当期的预算水平，以防后期因为无法还款等原因使自己的信用评级降低或整天处于到期未能还款的焦虑状态，给自己带来负效用。

五、消费者需求曲线的推导

1. 单个消费者需求曲线的推导

单个消费者的需求曲线可由价格－消费曲线（PCC）推导，价格－消费曲线是在消费者的偏好不变、收入不变、其中一种商品的价格不变的前提下，由另一种商品的价格变动导致的消费者均衡的变动，该消费者均衡变动的轨迹即为价格－消费曲线。

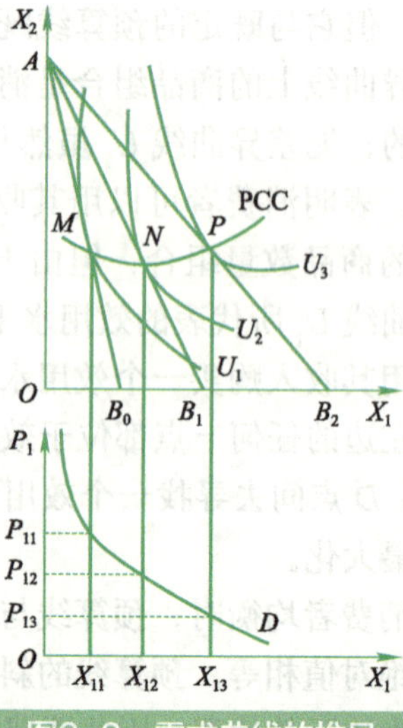

图3-9 需求曲线的推导

如图 3-9 所示，当消费者的偏好不变、收入不变、商品 2 的价格不变时，若商品 1 的价格为P_{12}，则消费者均衡点为N，此时消费者对商品 1 的消费量为X_{12}；若商品 1 的价格下降为P_{13}，则消费者均衡点为P，此时消费者对商品 1 的消费量为X_{13}；若商品 1 的价格上

涨为 P_{11}，则消费者均衡点为 M，此时消费者对商品 1 的消费量为 X_{11}；连接 M、N、P 所形成的曲线为 PCC。PCC 上的每一个消费者均衡点，都存在商品 1 的价格和其需求量（消费量）间的一一对应关系，当价格为 P_{11} 时，需求量为 X_{11}；价格为 P_{12} 时，需求量为 X_{12}；价格为 P_{13} 时，需求量为 X_{13}。将相应的点绘制在价格 - 需求量坐标平面内，就得到单个消费者的需求曲线 D。

2. 市场需求曲线的推导

商品的需求曲线是指在一定的时期内，在各种不同的价格水平下，市场中所有消费者对该商品的需求量。

因此，市场需求曲线可由每一价格水平下，市场中所有消费者对该商品的需求量的加总得出。

本 章 小 结

消费者均衡问题是消费者行为研究的核心问题。本章主要从消费者购买行为的起点——欲望切入，介绍了消费者购买行为的目的——获得效用。通过对基数效用理论和序数效用理论两种假设不同的效用理论的介绍，得知基数效用理论中效用的表示方法、边际效用递减规律和消费者均衡的条件，以及序数效用理论中无差异曲线、边际替代率递减规律、预算线以及消费者均衡的条件。通过对比分析可以发现，尽管使用的工具和分析方法不同，基数效用理论下消费者均衡的条件和序数效用理论下消费者均衡的条件却是相同的。最后，为了提高知识的应用性，分析了消费者剩余，推导了消费者需求曲线。

练　习　题

一、名词解释

欲望　效用　基数效用理论　序数效用理论　边际效用递减规律
边际替代率递减规律　预算线　消费者均衡

二、单项选择题

1. 如果消费者对某一商品的消费给其带来了不好的感受，说明该商品给他带来了（　　）。

   A. 负效用　　B. 正效用　　C. 零效用　　D. 不确定

2. 如果消费者从 A 商品的消费中获得的愉悦感高于商品 B，说明（　　）。

   A. A 商品更好看　　B. A 商品更便宜
   C. A 商品更耐用　　D. A 商品带给他的效用更高

3. 总效用减少时，边际效用为（　　）。

   A. 正值　　B. 负值　　C. 零　　D. 无法判断

4. 消费者吃一个橘子获得的效用为5效用单位，则他连续吃10个橘子获得的总效用为50效用单位，这种说法是（ ）。

A. 正确的　B. 错误的

C. 可能正确也可能错误　D. 以上说法都不对

5. 消费者均衡时，他用于购买A产品所花的最后一单位货币带来的边际效用应该（ ）其用于购买B产品所花的最后一单位货币带来的边际效用。

A. 大于　B. 小于　C. 等于　D. 无法判断

6. 在无差异曲线图中，离原点较远的无差异曲线代表的效用水平（ ）。

A. 较大　B. 较小　C. 没有变化　D. 无法判断

7. 无差异曲线总是凸向坐标原点，这是由（ ）导致的。

A. 边际收益递减规律　B. 边际效益递减规律

C. 边际成本递减规律　D. 边际替代率递减规律

8. 商品价格不变时，消费者的收入增加会使其预算线（ ）。

A. 向右上方移动　B. 向左下方移动　C. 向右旋转　D. 向左旋转

9. 同一条无差异曲线上不同的点表示（ ）。

A. 效用水平相同，消费者消费的两种商品数量组合不同

B. 效用水平不同，消费者消费的两种商品数量组合不同

C. 效用水平相同，消费者消费的两种商品数量组合相同

D. 效用水平不同，消费者消费的两种商品数量组合相同

10. 根据无差异曲线分析法，消费者实现均衡的点为（ ）。

A. 离原点最远的无差异曲线上的任一点

B. 离原点最近的无差异曲线上的任一点

C. 预算线与无差异曲线的交点

D. 预算线与无差异曲线的切点

三、多项选择题

1. 偏好应满足的假设有（ ）。

A. 完备性假设　B. 无差异性假设　C. 传递性假设　D. 非饱和性假设

2. 效用具有的特点为（ ）。

A. 主观性　B. 非伦理性　C. 差异性　D. 随意性

3. 下列属于序数效用理论中对效用的衡量方法的有（ ）。

A. 小王认为喝一杯水的效用为3效用单位

B. 小明口渴时更想喝茶而不是白开水

C. 小张认为吃汉堡包的效用排第一，吃包子的效用排第二

D. 小罗认为买一辆自行车的效用为100效用单位

4. 预算线发生平移是因为（ ）。

A. 商品价格不变，消费者的收入增加了

B. 商品价格不变，消费者的收入减少了

C. 消费者的收入不变，各种商品的价格同比例增加了

D. 消费者的收入不变，各种商品的价格同比例减少了

5. 无差异曲线的特点为（　　　）。

A. 凸向坐标原点　　B. 向右下方倾斜且斜率为负

C. 存在于整个坐标平面中　　D. 任意两条无差异曲线永不相交

四、简答题

1. 举例说明什么是边际效益递减规律。
2. 基数效用理论和序数效用理论的区别是什么？它们各采用什么分析方法？
3. 试用无差异曲线和预算线说明消费者均衡的条件。
4. 什么是消费者剩余？它对企业的生产经营活动有什么参考价值？
5. 举例说明边际效用和总效用间的关系。

五、案例分析题

买的东西到底值不值

在电子商务高速发展的今天，在网上“淘宝”成了大家购物的新选择。一方面，淘宝压缩了厂商的渠道费用，使得网络上的商品能够以更优惠、更便宜的方式进入消费者的视野；另一方面，在城市范围越来越广的当下，网络购物能够给消费者的购买行为带来便利，使得大家足不出户就能购买到自己想要的商品。

2023 年 10 月 31 日 20:00 至 11 月 11 日（京东起始时间为 10 月 23 日 20:00），综合电商平台、直播电商平台累计销售额为 11 386 亿元，同比增长 2.08%。其中，小王的贡献为 14 999 元，其购买的耳机价格为 1 999 元，扫地机器人 5 000 元，化妆品 5 000 元，衣服 3 000 元。抢购时，小王认为自己捡了大便宜，在各种活动下，自己买到了好多特别便宜的商品。可收到货物时，小王却有点后悔了，虽然自己确实缺一副耳机和一个扫地机器人，但满抽屉的化妆品与整个衣柜的衣服让她觉得自己好像不需要这些化妆品和衣服，她花费 8 000 元购买的化妆品与衣服使她陷入了深深的自责中：自己什么时候才能培养出理性的消费行为啊！

请分析小王“双 11”购买了这么多东西到底值不值。

第四章 生产理论

【学习目标】

◎知识目标

- 理解短期生产函数与长期生产函数
- 掌握实现最优要素组合的条件

◎能力目标

- 能利用生产理论相关内容解释现实经济中企业生产的最优要素组合

◎素质目标

- 掌握生产理论的基本概念和方法，培养创新思维和解决问题的能力
- 理解生产过程中的管理问题，培养团队合作精神和沟通能力

◆ 引导案例 ◆

洛克菲勒的商业帝国

1872年，约翰·洛克菲勒吞并了美国俄亥俄州的20多家炼油厂，控制了俄亥俄州90%的石油业务，还掌控了该州的主要输油管道以及宾夕法尼亚州的全部油车。同时，他又接管了新泽西州铁路公司的终点设施。

1880年，约翰·洛克菲勒的标准石油公司的炼油产量占全美的95%，他还控制了美国的一些主要铁路干线。

19世纪80年代，洛克菲勒向西欧和亚洲扩大海外市场，美国的工艺已使标准石油公司的产品优于欧洲公司的产品，因而该公司赢得了欧洲大部分地区的煤油市场。在亚洲，标准石油公司开创了一个全新的市场，公司分送掉几百万盏廉价的油灯，以使人们购买和使用该公司的煤油。就这样，该公司一步一步地把石油市场从欧洲扩展到亚洲，进而扩展到全世界。

1884年，洛克菲勒把公司总部由克利夫兰迁到纽约。1888年，公司设立了第一个海外分支机构——英美石油公司，这家公司很快垄断了英国的石油生意。1890年，公司又在不来梅成立了德美石油公司，负责德国的市场。洛克菲勒在鹿特丹还建立了一个石油输送站，签订了一份向法国供应全部所需原油的合同，买下了荷兰、意大利石油公司的部分股份；同年，公司已经控制了全美88%的炼油产量。1904年，标准石油公司更是占据了91%的炼油产量和85%的销售量。此后，洛克菲勒财团和花旗银行、大通-曼哈顿银行等四家美国银行以及三家保险公司组成美国七大金融核心机构，这七大机构控制美国银行资产的12%和保险业资产的26%。洛克菲勒财团向美国各个领域蔓延，甚至能影响和左右美国的政治。1910年，洛克菲勒的个人财富已达10亿美元。

引入问题

从洛克菲勒的商业轨迹推断厂商应如何控制自己的生产规模。

经济学的理论实际上都是关于选择与决策的分析。参与经济活动的主体始终追求着通过选择实现自身利益的最大化。作为消费者，自身利益的最大化是通过消费所感受到的满足感来体现的；作为生产者，自身利益的最大化是通过生产所获得的利润来体现的。本章将分析生产者的行为，介绍如何通过生产过程中的选择实现自身利益最大化。

第一节　生产者的组织形式和企业理论

一、生产者及其组织形式

生产理论

生产者即企业或厂商，是能够做出生产决策的单个经济主体。企业的具体组织形式，主要包括个体企业、合伙制企业、公司制企业。

（一）个体企业

个体企业是由业主个人出资兴办，由业主自己直接经营的企业。业主个人享有企业的全部经营所得，同时对企业的债务负有完全责任。个体企业一般规模较小，内部管理机构简单。在市场经济体制下，这种企业形式数量庞大，占到企业总数的大多数，而且是最早的企业形式，但由于规模较小，发展能力有限，在整个经济中不占有支配地位。个体企业通常存在于零售商业、自由职业、个体农业等领域，由零售商店、注册医师、注册律师、注册会计师、家庭农场等组成。

（二）合伙制企业

合伙制企业是指由两人或两人以上按照协议投资，共同经营、共负盈亏的企业。合伙制企业财产由全体合伙人共有，共同经营，合伙人对企业债务承担连带无限清偿责任。其优点有：①可以从众多的合伙人处筹集资本，一定程度突破企业资金受单个人所拥有的量的限制，并使得企业从外部获得贷款的信用增强，扩大了资金的来源。②风险分散在众多所有者身上，合伙人共同承担偿还责任，使合伙制企业的抗风险能力较个体企业大大提高。企业可以向风险较大的行业领域拓展，拓宽企业发展空间。③合伙人对企业盈亏负有完全责任，这意味着所有合伙人都以自己的全部家当为企业担保，因而有助于提高企业信誉。④经营者即出资者人数的增加，突破了单个人在知识、阅历、经验等方面的限制。众多经营者在共同利益驱动下，集思广益，各显所长，从不同的方面进行企业的经营管理，必然有助于企业经营管理水平的提高。

但是由于合伙制企业是根据合伙人间的契约建立的，每当一位原有的合伙人离开或者接纳一位新的合伙人，都必须重新确立一种新的合伙关系，从而造成法律上的复杂性；而且所有合伙人都有权代表企业从事经营活动，重大决策都需得到所有合伙人同意，因而很容易造成决策上的延误与差错，所有合伙人对于企业债务都负有连带无限清偿责任，这就使那些并不能控制企业的合伙人面临很大风险。

（三）公司制企业

公司制企业是指按照法律规定，由法定人数以上的投资者（或股东）出资建立、自主经营、自负盈亏、具有法人资格的经济组织。我国目前的公司制企业有有限责任公司和股份有限公司两种形式。当企业采用公司制的组织形式时，所有权主体和经营权主体发生分离，所有者只参与和做出有关所有者权益或资本权益变动的理财决策，而日常的生产经营活动和理财活动由经营者进行决策。

二、企业的本质和目标

1937 年，美国经济学家罗纳德·科斯（R.H.Coase）发表开创性论著《企业的性质》，创造性地利用交易成本分析了企业与市场的关系，阐述了企业存在的原因。在信息不完备的条件下，受主客观因素的影响，欲使交易符合双方当事人的利益，交易合同就变得十分复杂，为追求一个完备合约，势必增加相应的费用。于是，由于市场合同的高费用而使一些交易采用企业内部交易方式。市场和企业是资源配置的两种可互相替代的手段。它们之间的不同表现在：在市场上，资源的配置由价格机制调节；在企业内，资源的配置则通过企业管理当局的管理协调完成。从资源配置的效率出发，为了节约交易成本，有些交易通过市场完成，有些交易在企业内完成，选择在哪里完成，依赖于市场定价的成本与企业的组织成本之间的平衡关系。

综上，企业的显著标志在于：它是价格机制的替代物，是一种替代市场进行资源配置的组织。微观经济学中，一般总是假定企业的目标是追求利润最大化。这一基本假定是基于经济学中的理性人假设。理性人假设认为，一个经济主体，无论是个人还是企业，其行为的目的都是使自身利益获得最大化，一个不以利益最大化为目的的个人或企业，终将在激烈的市场竞争环境中被淘汰。因此，实现利润最大化是一个企业竞争生存的基本准则。

实例

小米的扩张之路

要论当今众多互联网企业中谁的产品种类最多，小米必定榜上有名。从最初的手机、笔记本电脑，到现在的电视机、平衡车、热水壶甚至智能门锁，小米一次又一次地刷新消费者的认知。为什么小米要在手机这块主营业务之外，不遗余力地开发这么多种类的产品？主要的原因之一当然是小米作为一家高科技企业，在人工智能领域已经有了初步探索，认为未来将是人工智能飞速发展的时代，智能家居家电也将逐步融入消费者的日常生活当中。除此之外，智能家居家电也的确能为小米带来巨大的收益，卖平衡车、电视机、热水壶总比只卖手机要强得多。

由此可见，不管是高科技行业还是传统行业，追求利润的最大化永远是企业永恒不变的目标。企业在追求利润最大化目标的过程中，不断自我进化，从而也推动整个社会不断前进。

第二节　生产与生产函数

一、生产与生产要素

生产者或企业要实现利润最大化，必须通过生产活动将产品提供给社会使用。因此，生产就是将投入转变成产出的过程。

生产要素是经济学中的一个基本范畴，包括人的要素、物的要素及其结合因素。生产要素是指进行社会生产经营活动时所需要的各种社会资源，是维系国民经济运行及市场主体生产经营过程中所必须具备的基本因素。

生产要素包括劳动、土地、资本、企业家才能四种，随着科技的发展和知识产权制度的建立，技术、信息也作为相对独立的要素投入生产。这些生产要素进行市场交换，形成各种各样的生产要素价格及其体系。劳动是指人类在生产过程中提供的体力和智力的总和；土地包括土地本身及地上的森林、河流和地下的矿藏等一切自然资源；资本是指生产过程中投入的物品和货币资金等，如厂房、机器设备、动力燃料和流动资金等；企业家才能是指建立、组织和经营企业所表现出来的各种才能。生产者通过把这些生产要素组合在一起生产出有形和无形的产品。

二、生产函数的含义

生产函数是指在既定技术水平条件下，一段时期内投入各种生产要素的组合与所能产出的最大产量之间的对应关系。假设在生产某种产品的过程中，需要投入 n 种生产要素，依次为 X_1，X_2，X_3，…，X_n，由此可得生产函数表达式为

$$Q=f(X_1, X_2, X_3, \cdots, X_n)$$

该生产函数表示在既定的生产技术水平下，一段时期内投入的生产要素组合（X_1，X_2，X_3，…，X_n）最终能生产出的最大产量为 Q。

上述函数表达式是生产函数的一般表达式，由于生产要素众多可能导致分析复杂化，为了简化分析，现假设生产中只使用劳动与资本两种生产要素，以 L 代表劳动投入数量、K 代表资本投入数量，则生产函数简化为

$$Q=f(L, K)$$

通过对生产函数的分析，我们可以得到企业最优的投入产出比，即投入最佳的生产要素组合，以获取最大的产出，使企业能以最低的成本取得最大的利润。

三、生产函数的类型

生产函数一般可分为短期生产函数和长期生产函数两种形式，其分类依据在于所投入的生产要素的数量是否可以全部进行调整。

（一）短期生产函数

短期生产函数是指在某一个时间周期内，只有一种生产要素（如劳动力、原材料等）的投入数量是可变的，其他生产要素（如厂房、机器设备等）的投入数量是固定不变的，主要研究产出量与投入的可变要素之间数量关系的函数，通过分析确定短期生产的合理投入区域。

（二）长期生产函数

长期生产函数是指在某一个时间周期内，所有生产要素的投入数量都可能发生变化，不存在固定不变的生产要素投入数量，主要研究产出量与所有投入要素之间数量关系的函数，通过分析确定多种要素之间的最优化组合，并对生产规模的大小进行经济性决策。

知识链接 柯布-道格拉斯生产函数

柯布－道格拉斯生产函数最初是美国数学家柯布（C.W.Cobb）和经济学家保罗·道格拉斯（Paul Douglas）共同探讨投入和产出的关系时创造的生产函数，以两个人的名字命名，是在生产函数的一般形式上做出的改进，引入了技术资源这一因素，用来预测国家和地区的工业系统或大企业的生产和分析发展生产的途径。柯布－道格拉斯生产函数是经济学中使用最广泛的一种生产函数形式，它在数理经济学与经济计量学的研究与应用中都具有重要的地位。其一般形式为

$$Q=AL^{\alpha}K^{1-\alpha}$$

在该函数中，Q 为产量，L、K 分别为劳动和资本投入量，A 与 α 为两个参数。该函数表明产量主要由劳动与资本这两种生产要素所决定。

第三节 短期生产函数

在短期内，生产者不能调整全部生产要素的数量，至少保持一种要素的数量是固定不变的。假设只变动一种投入要素的数量，保持其他要素的投入量不变，那么研究这种最优的要素投入组合，就属于短期中的技术效率要研究的问题。在短期内，生产要素投入分为不变投入和可变投入。

一、短期生产函数的含义

由生产函数 $Q=f(L, K)$ 可知，假设资本为不变投入，即资本的投入量是固定的，用 $\bar{K}$ 表示；劳动为可变投入，即劳动的投入量是不固定的，用 L 表示，则短期生产函数的公式为

$$Q=f(L, \bar{K})$$

该公式表示：当资本投入量固定时，所带来的最大产量的变化由劳动投入量变化决定。

二、总产量、平均产量和边际产量

由短期生产函数 $Q=f(L, \bar{K})$，可以推导出劳动的总产量 TP_L、劳动的平均产量 AP_L 和劳动的边际产量 MP_L。

劳动的总产量（Total Product，TP_L）是指投入一定量的可变要素劳动所得到的最大产量。

$$TP_L=f(L, \bar{K})$$

劳动的平均产量（Average Product，AP_L）是指平均投入一单位的劳动要素所能得到的产量。

$$AP_L=\frac{TP_L}{L}$$

劳动的边际产量（Marginal Product，MP_L）是指每增加一单位劳动要素的投入量所带来的总产量的增量。

$$MP_L=\frac{\Delta TP_L}{\Delta L}=\frac{\Delta Q}{\Delta L}$$

或

$$MP_L=\lim\frac{\Delta TP_L}{\Delta L}=\frac{dTP_L}{dL}=\frac{dQ}{dL}$$

三、边际收益递减规律

由表4-1可以清楚地看到，对只有一种可变要素的生产函数来说，边际产量表现出先增加后减少的特点，这一特征被称为边际收益递减规律，有时也被称为边际产量递减规律或边际报酬递减规律。

表4-1 总产量、平均产量和边际产量

劳动投入量 L	劳动的总产量 TP_L	劳动的平均产量 AP_L	劳动的边际产量 MP_L
0	0	—	—
1	10	10	10
2	30	15	20
3	60	20	30
4	80	20	20
5	95	19	15
6	108	18	13
7	112	16	4
8	112	14	0
9	108	12	−4
10	100	10	−8

边际收益递减规律是指在短期生产中，在其他条件不变的前提下，随着某种可变生产要素投入量的持续增加，总产量最开始以递增的速度增加，然后以递减的速度增加，到一定临界点后，总产量会随着可变要素投入量的继续增加而开始减少。边际收益递减规律是以技术水平和其他生产要素的投入数量保持不变为条件进行讨论的一种规律。

出现边际收益递减规律的原因是：随着可变要素投入量的增加，可变要素投入量与固定要素投入量之间的比例在发生变化。在可变要素投入量增加的最初阶段，相对于固定要素来说，可变要素投入过少，因此，随着可变要素投入量的增加，其边际产量递增，当可变要素与固定要素的配合比例恰当时，边际产量达到最大。如果再继续增加可变要素投入量，由于其他要素的数量是固定的，可变要素就相对过多，于是边际产量就必然开始递减。

在生产中，边际收益递减的例子很多。例如，在农田里撒化肥可以增加农作物的产量，当向一亩[⊖]农田里撒第一个100千克化肥的时候，增加的产量最多，撒第二个100千克化肥的时候，增加的产量就没有第一个100千克化肥增加的产量多，撒第三个100千克化肥的时候增加的产量就更少，也就是说，随着所撒化肥的增加，增产效应越来越低。

四、总产量、平均产量和边际产量之间的关系

根据表4-1，现做图4-1来展示总产量、平均产量和边际产量之间的关系。

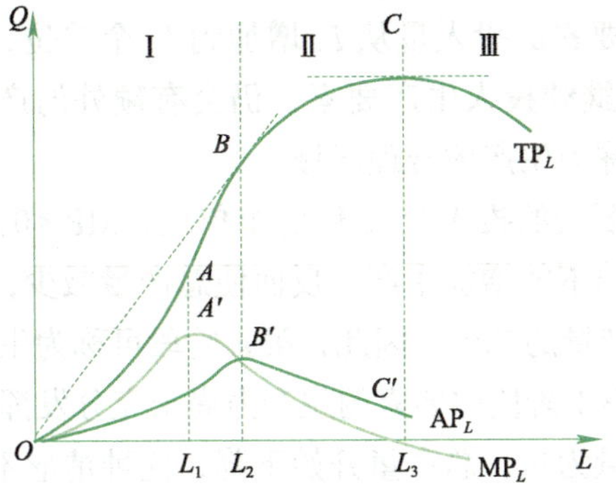

图4-1 总产量、平均产量和边际产量之间的关系

⊖ 1亩=666.67平方米。

1. 总产量与边际产量的关系

当边际产量增加时，因为边际产量可以看作是与总产量曲线相切切线的斜率，所以总产量快速增加；当边际产量下降时，总产量增速放缓；当边际产量下降为 0 时，总产量停止增长，且达到最大值；当边际产量继续下降变为负数时，意味着与总产量曲线相切的切线斜率为负，总产量随之开始下降。这种关系可以简单地描述为：$MP_L>0$，TP_L 递增；$MP_L<0$，TP_L 递减；$MP_L=0$，TP_L 达到最大值。

2. 总产量与平均产量之间的关系

根据平均产量的定义公式可以推知，平均产量等于坐标原点与总产量曲线上任意一点连线的斜率，所以如图 4-1 所示，从坐标原点出发向总产量曲线引连线，当连线与总产量曲线相切于 B 点时，连线的斜率达到最大值，即平均产量达到最大值，过 B 点向横轴做垂线刚好与平均产量曲线交于最高点 B'。

3. 边际产量和平均产量之间的关系

从图 4-1 中可以看到，MP_L 曲线和 AP_L 曲线之间存在着这样的关系：MP_L 曲线通过 AP_L 曲线的最高点 B'。在 B' 以前，MP_L 曲线高于 AP_L 曲线，AP_L 曲线上升；在 B' 以后，AP_L 曲线高于 MP_L 曲线，AP_L 曲线下降。以上这种关系可以简单表述为：$MP_L>AP_L$ 时，AP_L 递增；$MP_L<AP_L$ 时，AP_L 递减；当 $MP_L=AP_L$ 时，AP_L 达到最大值。

五、短期生产的三个阶段

根据短期生产的总产量曲线、平均产量曲线和边际产量曲线三者之间的关系，可将短期生产划分为三个阶段，如图 4-1 所示。

在第Ⅰ阶段中，可变要素的投入量从 0 增加到 L_2 个单位。在这个阶段各种产量曲线的变化特征为：劳动的平均产量始终是上升的，并且达到最大值；劳动的边际产量达到最大值后开始递减，但其始终大于劳动的平均产量；劳动的总产量始终是增加的。因此，此阶段称为平均产量递增阶段。这说明在该阶段，固定要素投入相对过多，增加可变要素的投入有利于两者搭配比例更加合理化。因此，第Ⅰ阶段可称为生产力尚未充分发挥的阶段，在该阶段理性厂商对可变要素的投入不会停止。

在第Ⅱ阶段中，可变要素的投入量从 L_2 增加到 L_3 个单位，AP_L 虽开始下降，但仍相当高；同时 $MP_L>0$，这时继续投入生产要素，仍会有额外的产出。因此，第Ⅱ阶段可称为生产的经济阶段，亦可称为生产的合理区域。

在第Ⅲ阶段中，可变要素的投入量大于 L_3 个单位，$MP_L<0$，TP_L 开始下降，这表示可变生产要素投入过多，不但不能增加生产，反而使总产量减少，使生产者蒙受双重损失，一是资源的浪费，二是总产量的减少。因此，第Ⅲ阶段可称为生产的不经济阶段。

综合以上所述可知，第Ⅰ阶段中要素的生产力尚未充分发挥，不是最有利的生产阶段。第Ⅲ阶段中要素的边际产量为负，总产量开始下降，此种情形不但无利，而且有害，因此也不是有利的生产阶段。第Ⅱ阶段则无上述两阶段的缺点，故为生产的经济阶段。至于厂商在实际生产中会选取第Ⅱ阶段中的哪一点来安排生产，要看生产要素的价格，如果相对于资本的价格而言，劳动的价格较高，则劳动的投入量靠近点 L_2 对于生产者较有利；若相对于资本的价格而言，劳动的价格较低，则劳动的投入量靠近点 L_3 对于生产者较有利。无论如何，都不能将生产维持在第Ⅰ阶段或推进到第Ⅲ阶段。

第四节　长期生产函数

一、长期生产函数的含义

在长期内，所有生产要素的投入量都是可变的，多种可变生产要素的长期生产函数可以写为

$$Q=f(X_1, X_2, \cdots, X_n)$$

式中，Q 代表的是产量；X_n 代表第 n 种可变生产要素的投入数量。

该生产函数表示，长期内，在技术水平不变的情况下，由 n 种可变生产要素投入量的一定组合所能生产的最大产量。

为便于分析，假定某种产品的生产只需投入两种可变生产要素（劳动、资本）。其生产函数为

$$Q=f(L, K)$$

式中，L 代表可变要素劳动的投入量；K 代表可变要素资本的投入量；Q 代表产量。

二、等产量曲线

生产理论中的等产量曲线和效用理论中的无差异曲线相似。等产量曲线是在技术水平不变的条件下，生产出同一产量的两种生产要素投入量的所有不同组合点的轨迹，如图 4-2 所示。

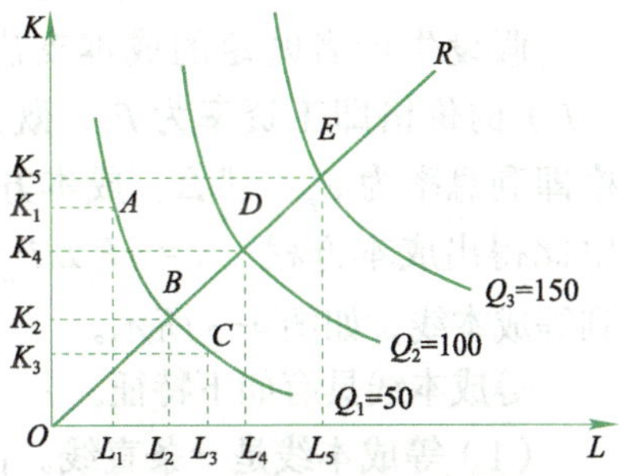

图4-2　等产量曲线

在图 4-2 中，横轴代表劳动 L 投入量，纵轴代表资本 K 投入量，Q 代表等产量曲线，对比无差异曲线，可以得出等产量曲线的特征如下。

（1）等产量曲线是一条向右下方倾斜的线，其斜率为负值。这就表明，在生产者所拥有的要素数量与要素价格既定的条件下，为了达到相同的产量，在增加一种生产要素的投入量时，必须减少另一种生产要素的投入量。两种生产要素的投入量同时增加，是资源既定时无法实现的；两种生产要素的投入量同时减少，不能保持相等的产量水平。

（2）在同一平面图上，可以有无数条等产量曲线。同一条等产量曲线代表相同的产量，不同的等产量曲线代表不同的产量水平，离原点越远的等产量曲线所代表的产量水平越高，离原点越近的等产量曲线所代表的产量水平越低。

（3）在同一平面图上，任意两条等产量曲线不能相交，因为如果相交，在交点上两条等产量曲线代表了相同的产量水平，与第二个特征相矛盾。

（4）等产量曲线是一条凸向原点的线。这是由边际技术替代率递减所决定的。

三、边际技术替代率

边际技术替代率（Marginal Rate of Technical Substitution，MRTS）是指在产量保持不变的前提条件下，一种生产要素投入量与另一种生产要素投入量之间的替代关系。通常，由于生产过程中投入的生产要素是不完全替代的，随着一种生产要素数量的增加，该要素对另外一种要素的边际技术替代率是递减的。

以 ΔK 代表资本投入的减少量，以 ΔL 代表劳动投入的增加量，MRTS_{LK} 代表劳动对资本的边际技术替代率，则有

$$\mathrm{MRTS}_{LK}=-\frac{\Delta K}{\Delta L}$$

当 ΔL 趋于 0 时，边际技术替代率的定义公式为

$$\mathrm{MRTS}_{LK}=-\frac{\mathrm{d}K}{\mathrm{d}L}$$

显然，等产量曲线上某一点的边际技术替代率就是等产量曲线在该点的斜率的绝对值。

四、等成本线

等产量曲线上任何一点都代表生产一定产量的两种要素的组合，厂商生产过程中选择哪一种要素组合才是最好的呢？它取决于生产这些产量的总成本。因此要讨论要素的最优组合，需要引入等成本线这一概念。

等成本线是在既定的成本和既定的要素价格条件下，生产者可以购买的两种要素的各种不同的最大数量组合点的轨迹。

假设生产者既定的成本支出为 C，既定的劳动（L）的价格即工资率为 P_L，既定的资本（K）的价格即利息率为 P_K，那么，成本方程为 $C=P_LL+P_KK$。由此得出成本方程：$K=-P_LL/P_K+C/P_K$，这就可以得到等成本线，如图 4-3 所示。

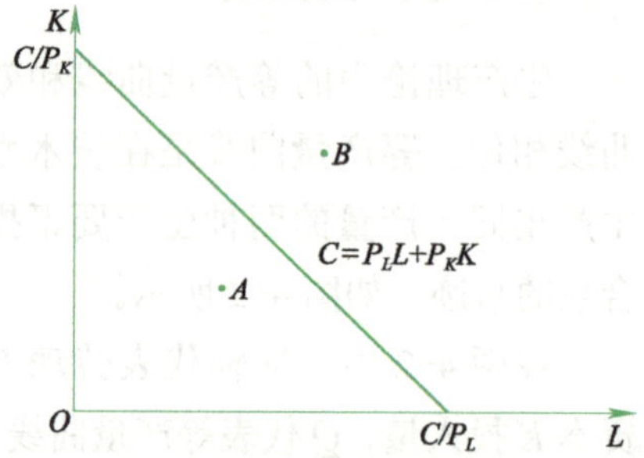

图4-3 等成本线

等成本线具有如下特征。

（1）等成本线是一条直线。由成本方程可得，横轴截距表示全部成本可以购买的劳动数量，纵轴截距表示全部成本可以购买的资本数量，直线上任意一点表示全部成本可以购买的资本与劳动的数量组合。

（2）通过横截距与纵截距可以推导出等成本线的斜率为$-P_L/P_K$，即为两种生产要素的价格之比的负值。

五、最优的生产要素组合

在长期，任何一个理性的生产者为了实现利润最大化，都会选择最优的生产要素组合。

1. 关于既定成本条件下的产量最大化

假定在一定的技术水平条件下，生产者利用劳动和资本两种可变生产要素生产某一产品，且劳动的价格 P_L 和资本的价格 P_K 都是已知的，生产者用于购买这两种生产要素的全部成本 C 是既定的，那么生产者如何以既定的成本和价格获得最大的产量呢？

把生产者的等产量曲线和等成本线画在同一个平面坐标系中，如图 4-4 所示，有一条等成本线 AB 和三条等产量曲线 Q_0、Q_1 和 Q_2，等成本线 AB 的位置和斜率取决于既定的成本 C 和既定的要素价格比例 $-P_L/P_K$。由图 4-4 可见，唯一的等成本线 AB 与其中一条等产量曲线 Q_0 相切于 E 点，该点就是生产的均衡点，即生产者应该按照 E 点的生产要素组合进行生产，这样才能获得最大的产量。

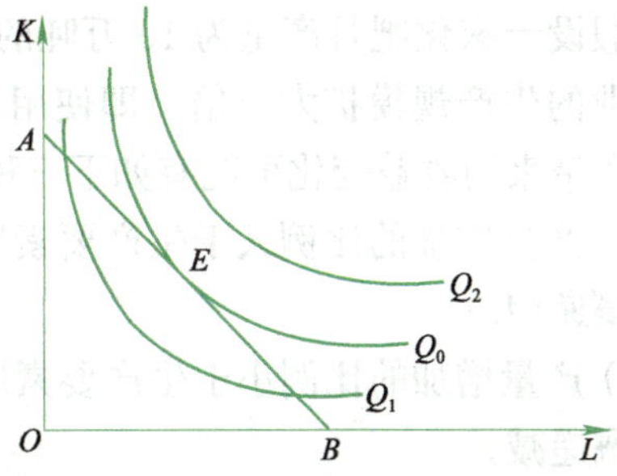

图4-4 既定成本条件下产量最大的要素组合

图 4-4 中，等产量曲线 Q_2 所代表的产量虽然大于 Q_0，但所需要的成本也远远高于现有的成本支出，因此难以购买到其所需要的生产要素数量，无法实现其产量；等产量曲线 Q_1 虽然与等成本线 AB 有交点，但其产量小于 Q_0，因此也不是最优选择。

在等成本线与等产量曲线的切点处，等产量曲线上 E 点的斜率正好等于等成本线的斜率，即

$$|\mathrm{MRTS}_{LK}|=\frac{\Delta K}{\Delta L}=\frac{\mathrm{MP}_L}{\mathrm{MP}_K}=\frac{P_L}{P_K}$$

进一步可以推导出

$$\frac{\mathrm{MP}_L}{P_L}=\frac{\mathrm{MP}_K}{P_K}$$

也就是说，生产者可以通过对两种要素投入量的不断调整，使得最后一单位的成本支出无论用来购买哪一种生产要素所获得的边际产量都相等，从而实现既定成本下的最大产量。

2. 关于既定产量条件下的成本最小化

由于产量既定，因此某一产量下的等产量曲线就是已知的，假设生产要素的价格也是已知的，那么等成本线的斜率也可以知道，即两种要素价格之比 $-P_L/P_K$。如图 4-5 所示，由于产量既定，则在众多的等成本线中必有一条与等产量曲线相切。

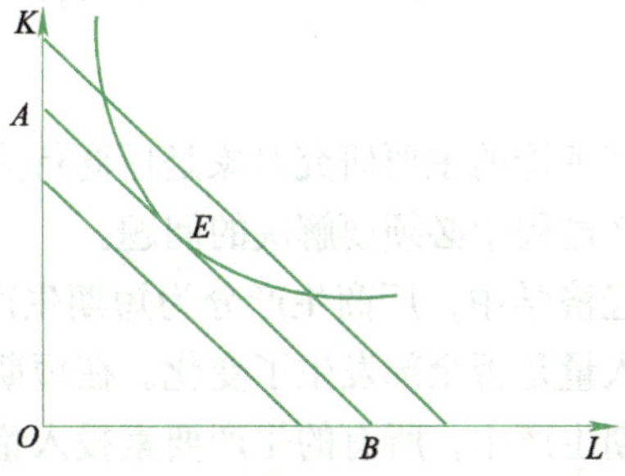

图4-5 既定产量条件下成本最小的要素组合

在图 4-5 中，等成本线 AB 与等产量曲线相切于 E 点，等产量曲线上除 E 点以外的其他点所需的成本都大于 AB，而小于 AB 的等成本线又无法达到既定的产量，因此只有在等产量曲线与等成本线相切时的要素组合才是最优的。

六、规模报酬

规模报酬（Returns to Scale）是指在其他条件不变的情况下，企业内部各种生产要素按相同比例变化时所带来的产量变化。规模报酬分析的是企业的生产规模变化与所引起的产量变化之间的关系。企业只有在长期内才能变动全部生产要素，进而变动生产规模，因此企业的规模报酬分析属于长期生产理论问题。

企业的规模报酬变化可以分规模报酬递增、规模报酬递减和规模报酬不变三种情况。例如，假设一家化肥月产量为10万吨的工厂所使用的资本为10单位，劳动为5单位。现在将企业的生产规模扩大一倍，即使用20单位的资本，10单位的劳动，由于生产规模的变化，所带来的收益变化可能有如下三种情形。

（1）产量增加的比例大于生产要素增加的比例，即产量为20万吨以上，这种情形叫作规模报酬递增。

（2）产量增加的比例小于生产要素增加的比例，即产量为20万吨以下，这种情形称为规模报酬递减。

（3）产量增加的比例等于生产要素增加的比例，即产量为20万吨，这种情形称为规模报酬不变。

规模报酬存在着递增、递减和不变三个阶段。导致规模报酬变化的原因是规模经济或规模不经济，规模经济又称“规模利益”（Scale Merit），是指在一定的产量范围内，随着产量的增加，平均成本不断降低的事实。规模经济是由于在一定的产量范围内，可以认为固定成本变化不大，那么新增的产品就可以分担更多的固定成本，从而使平均成本下降。规模不经济情况则完全相反。

课堂讨论

高质量发展的措施

党的二十大报告指出：“高质量发展是全面建设社会主义现代化国家的首要任务。”请学生们讨论我国在推动高质量发展过程中采取了哪些措施？

本章小结

生产理论的主要研究对象是厂商行为。作为厂商，如何用最小的投入获取最大的收益，是在生产过程中必须要解决的问题。

在经济学中，厂商生产分为短期生产和长期生产，其区分依据是看生产过程中生产要素的投入量是否全部发生了变化。在短期生产中，厂商至少保持一种要素投入量固定不变，而在长期生产中，所有的生产要素投入量均可能发生改变。

在短期生产中，从短期生产函数可以推导出边际收益递减规律。而在长期生产中，由等产量曲线与等成本线可以推导出生产者均衡的条件，即当等产量曲线与等成本线相切时，切点代表生产者实现了均衡，这时厂商将以最小的生产要素投入，获取最大收益。

练习题

一、名词解释

生产函数　边际收益递减规律　总产量　边际产量　等产量曲线　等成本线

二、单项选择题

1. 企业的目标是（　　）。

A. 生产　　B. 创造　　C. 制定标准　　D. 盈利

2. 当平均产量 AP 为正且递减时，MP 可以是（　　）。

A. 递减且为正　　B. 递减且为负

C. 为 0　　D. 上述任何一种情况

3. 假设 2 人一天可以生产 60 单位产品，3 人一天可以生产 100 单位产品，那么（　　）。

A. 平均可变成本是上升的　　B. 平均成本是上升的

C. 劳动的边际产量大于平均产量　　D. 劳动的边际产量小于平均产量

4. 当 MP 为负时，我们是处于（　　）。

A. 对 L 的第三阶段　　B. 对 L 的第二阶段

C. 对 L 的第一阶段　　D. 都不正确

5. 边际技术替代率（　　）。

A. 等于两种要素的边际产量之比

B. 等于增加一单位一种要素所减少另一种要素的数量

C. 是等产量曲线的斜率的绝对值

D. 以上都对

6. 等产量曲线是指在这条曲线上的各点（　　）。

A. 为生产同等产量投入要素的各种组合比例是不能变化的

B. 为生产同等产量投入要素的价格是不变的

C. 不管投入各种要素量如何，产量总是相等的

D. 投入要素的各种组合所能生产的产量是相等的

7. 当某厂商以最小成本生产出既定产量时，那他（　　）。

A. 总收益为零　　B. 一定是盈利的

C. 一定是亏损的　　D. 无法确定是否盈利

8. 如果等成本线与等产量曲线没有交点，那么要生产等产量曲线所表示的产量，应该（　　）。

A. 减少投入　　B. 保持原投入不变

C. 增加投入　　D. 上述三者都不正确

9. 如果规模报酬不变，单位时间里增加了 30% 的劳动和资本的使用量，则产出将（　　）。

A. 增加 30%　　B. 减少 30%　　C. 增加大于 30%　　D. 增加小于 30%

10. 经济学中短期与长期的划分取决于（　　）。

A. 时间长短　　B. 可否调整产量

C. 可否调整产品价格　　D. 可否调整全部要素的数量

三、多项选择题

1. 下列说法中错误的有（　　）。
   A. 总产量减少，边际产量大于0
   B. 边际产量减少，总产量也减少
   C. 边际产量曲线一定在平均产量曲线的最高点处与之相交
   D. 上述三者都不正确。
2. 下列说法正确的有（　　）。
   A. 等成本线是一条向右下方倾斜、斜率为负的直线
   B. 等成本线是一条向右上方倾斜、斜率为正的直线
   C. 等成本线是一定量成本在既定要素价格下能够购买的两种要素的最大数量
   D. 上述都不正确
3. 生产要素最优组合的条件包括（　　）。
   A. 要素的边际技术替代率等于要素的相对价格
   B. 等产量曲线与等成本线相切
   C. 两种要素的边际产量大于其价格之比
   D. 以上都对
4. 等成本线向外平移表明（　　）。
   A. 产量增加　　B. 生产要素价格增加
   C. 成本增加　　D. 生产要素价格减少
5. 关于均衡以下说法正确的有（　　）。
   A. 消费者均衡是实现了效用最大化　　B. 生产者均衡是实现了利润最大化
   C. 生产者均衡是实现了最优要素组合　　D. 以上都对

四、简答题

边际产量递减的原因是什么?

五、案例分析题

假设有一亩地，农民在上面插满了禾苗。刚开始给禾苗施肥，禾苗长得比较慢；随着禾苗的生长，农民继续给禾苗施肥，禾苗长得比较快；当禾苗长到一定程度，再给禾苗施肥，禾苗不会继续生长，反而可能会死掉。

请使用生产相关理论分析禾苗死掉的原因。

第五章 成本理论

[学习目标]

◎知识目标

- 理解短期成本与长期成本的含义
- 掌握短期成本函数之间的关系

◎能力目标

- 能分析成本理论在现实中的运用

◎素质目标

- 深化对成本的理解，理解它们在经济决策中的作用
- 提升分析能力，更好地理解成本变动对企业经营的影响

◆ 引导案例 ◆

福特T型车

美国的福特公司创建于1903年。成立以后，福特公司生产了小型车、大型车等多种车辆，但销售情况并不理想。为了加快公司的发展，公司创办人亨利·福特对市场进行了深入的研究，研究的结果是，福特公司推出了后来举世闻名的T型车，一举开创了汽车时代和福特公司的新纪元。1908年10月1日，T型车正式推向市场，很快就赢得了美国消费者的热爱，取得了巨大的市场成功。这个巨大的成功是和T型车所包含的重大创新密不可分的。实际上，T型车的诞生不仅仅是一种车型或者设计的创新，而是汽车生产方式乃至大工业生产方式上具有划时代意义的创新。在T型车出现以前，汽车工厂都是作坊式的手工生产状态。这种生产方式使得汽车的产量很低，成本居高不下。20世纪初，一辆汽车在美国的售价大约是4 700美元。这相当于一个普通人好几年的收入。在这种价格下，汽车仅仅是少数有钱人的奢侈品，是社会高级地位的象征。这时，汽车市场自然只能是一个很小的市场。亨利·福特认为，要想把汽车市场变成一个能够创造巨大利润的市场，就必须把汽车变成普通人也买得起的消费品，而要想做到这一点，大幅降低价格是关键。也就是说，福特公司要想获得大的发展，必须设法生产出价格低得多的汽车。最初推向市场的T型车，定价只有850美元，相当于当时一个中学教师一年的收入。这背后的生产效率差异是，同时期其他公司装配出一辆汽车需要700多个小时，福特公司仅仅需要12.5个小时。与此同时，福特汽车的市场价格不断下降，1910年降为780美元，1911年下降到690美元，1914年则大幅降到了360美元，最终降到了260美元。福特公司先进的生产方式为它带来了极大的市场优势。第一年，T型车的产量达到10 660辆，创下了汽车行业的纪录。到了1921年，T型车的产量已占世界汽车总产量的56.6%。福特公司也成为美国最大的汽车公司。

引入问题

福特公司是如何取得成功的？

第一节　成本概述

一、成本的含义

成本理论

人们要进行生产经营活动或达到一定的目的，就必须耗费一定的资源，其所耗费资源的货币表现形式便称为成本。随着商品经济的不断发展，成本概念的内涵和外延都处于不断变化发展之中。

本章主要分析的是与生产活动相关的生产成本。生产成本又称为生产费用，是生产过程中所使用的各种生产要素的支出。换句话说，厂商的生产成本是企业购买生产要素的货币支出。

课堂讨论

小刘的饮品店

小刘用自家的门面开了一个饮品店，自己全职负责日常经营管理。饮品店的费用如下：装修及设备购买花费分摊到每月 3 万元；雇用两名服务员，每月工资合计 1 万元；每月购买水果等原材料合计 2 万元。现每月可销售 1 万杯，每杯售价 7 元，请问小刘每月盈利了吗?

二、成本的主要表现形式

1. 机会成本

从经济学的角度分析，由于生产要素具有多用途性，因此生产成本也应该包括生产物品和劳务的所有机会成本。

生产一单位的某种商品的机会成本是指生产者所放弃的使用相同的生产要素在其他生产用途中所能得到的最高收入。

2. 显成本和隐成本

显成本是指厂商在生产要素市场上购买或租用所需要的生产要素的实际货币支出。在会计账目上所反映的各经济交易所发生的货币支出便属于显成本。

隐成本是指厂商自己所拥有的且被用于该企业生产过程的那些生产要素的总支出（所应该得到的报酬）。此时厂商并没有支出相应货币。在经济学的分析上，除了显成本之外，隐成本也应该计算在厂商的总成本中，因为此时厂商放弃了这些生产要素在其他用途的收入，是一种机会成本。

3. 会计成本和经济成本

在会计分析中，厂商的成本只包括反映在账目中的实际货币支出，而隐成本在会计上是作为正常利润被算在会计利润里面的，因此会计成本就等于显成本。

在经济学的分析中，除了关注实际支出带来的货币成本即显成本，还关注由此而带来的机会成本，即隐成本。因此经济成本等于显成本加上隐成本。

由于会计成本和经济成本不同，因此有必要区分会计利润和经济利润。用公式表示为

$$利润 = 收益 - 成本$$

$$会计利润 = 销售收益 - 会计成本（显成本）$$

$$经济利润 = 销售收益 - 经济成本（显成本 + 隐成本）= 会计利润 - 隐成本$$

因此，从公式可以看出来，存在隐成本的时候，会计利润大于经济利润，意味着即使经济利润为零，厂商也获得了会计利润。

三、成本理论

成本理论建立在生产理论的基础上。在西方经济学中，成本理论主要包括短期成本理论和长期成本理论。

区分短期成本与长期成本的依据在于：生产要素的数量是否全部发生改变。在短期内，生产者只能调整部分生产要素的数量而非全部。在长期内，所有的生产要素都是可变的，生产者可以调整全部生产要素的投入数量。

实例 首富的秘密

只要对比一下每年的福布斯全球富豪排行榜，大家都会发现一个规律：互联网行业诞生的富翁远远多于其他行业。以2018年为例，全球排名前十的富豪当中，互联网行业的多达6人，且一二名全部被互联网行业包揽，分别是亚马逊的贝佐斯和微软的比尔·盖茨。为什么互联网行业与其他行业尤其是传统行业相比，更能制造富翁？其中最主要的一个原因就是成本。互联网企业在产品研发之初，的确要投入大量成本，但只要产品研制成功，很多产品，例如软件，其生产过程就可以简化为不断复制→粘贴→再复制→再粘贴，而这一生产过程的成本则要减少很多，甚至可以忽略不计。互联网产品往往具备高附加值，以高价格卖给消费者，而产品本身生产过程成本又很低，因此互联网产品的利润相当可观，这也就不难解释互联网为什么能制造这么多富翁了。反观其他行业尤其是传统行业，虽然也能带来巨大收入，但生产过程往往需要巨额成本，例如汽车、飞机制造，这样相互抵消，创造的利润与互联网行业相比，也就小巫见大巫了。

由此可见，任何企业在生产过程中都必须面对成本问题，而成本问题解决的成败，直接关乎企业未来的发展。

第二节 短期成本分析

一、短期成本的分类

在短期，企业的成本有可变成本和不变成本之分。前者是指由可变要素投入带来的成本，后者是指由不变要素投入带来的成本。具体来讲，企业的短期成本主要分为七种：不变成本、可变成本、短期总成本、平均不变成本、平均可变成本、短期平均总成本和短期边际成本。

（1）不变成本（Fixed Cost，FC）又称固定成本，相对于可变成本，是指成本总额在一定时期和一定产量范围内，不受产量增减变动影响而能保持不变的成本。例如机器、厂房。如图5-1所示，横轴Q表示产量，纵轴C表示成本，不变成本FC是一条水平线。

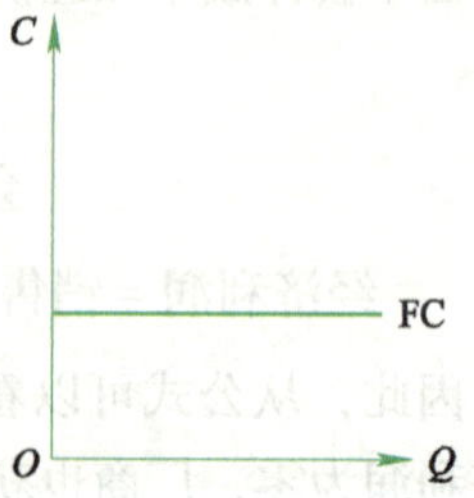

图5-1 不变成本

（2）可变成本（Variable Cost，VC）是指支付给各种变动生产要素的费用。例如，购买原材料及电力消耗费用和工人工资等。这种成本随产量的变化而变化，常常在实际生产过程开始后才需支付。可变成本的生产函数为

$$VC=VC(Q)$$

如图5-2所示，短期可变成本表现为一条从原点出发向右上方倾斜的曲线。

（3）短期总成本（Short-run Total Cost，STC）是指短期内生产一定产品所需要的成本

总和。短期总成本分为总固定成本与总可变成本。短期总成本的生产函数为

$$STC(Q)=FC+VC(Q)$$

如图 5-3 所示，短期总成本是一条从纵轴上相当于不变成本 FC 高度的点出发的一条向右上方倾斜的曲线。

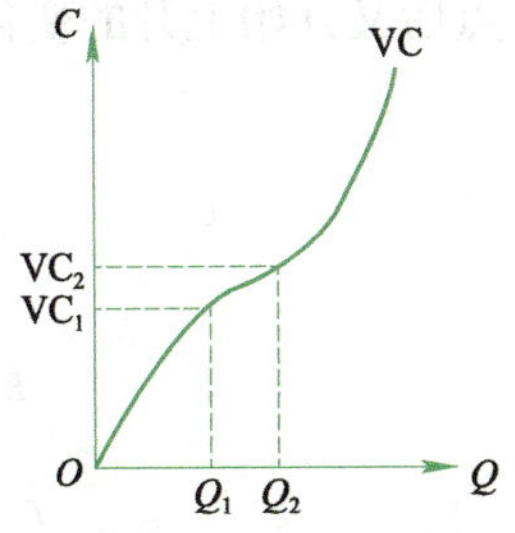

图5-2 可变成本

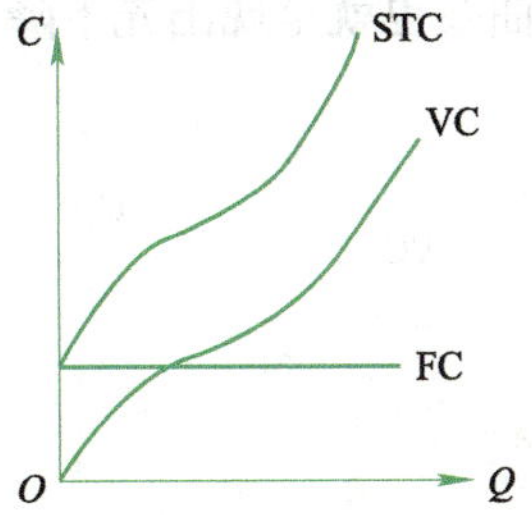

图5-3 短期总成本

（4）平均不变成本（Average Fixed Cost，AFC）是平均每单位产品所耗费的不变成本，公式为

$$AFC(Q)=\frac{FC}{Q}$$

不变成本不随着产量的变化而变化，是一个常数。因此，平均不变成本与产量成反比关系，随着产量的减少而不断升高，随着产量的增加而不断降低，如图 5-4 所示。

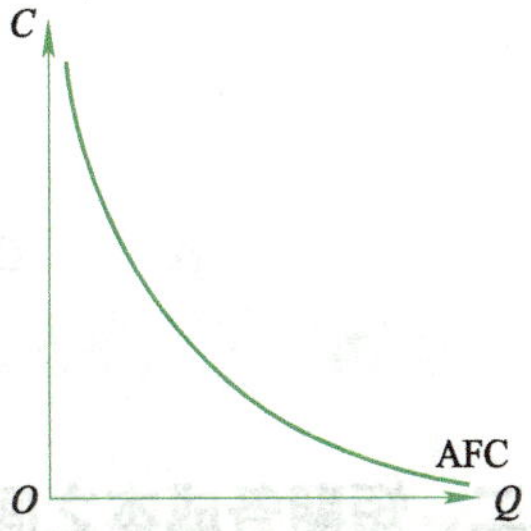

图5-4 平均不变成本

（5）平均可变成本（Average Variable Cost，AVC）是厂商在短期内平均每生产一单位产品所消耗的可变成本，即平均可变成本是总可变成本除以产量。公式为

$$AVC(Q)=\frac{VC(Q)}{Q}$$

起初随着产量的增加，平均可变成本减少；但产量增加到一定程度后，平均可变成本由于边际产量递减规律而增加。因此平均可变成本曲线是一条先下降而后上升的 U 形曲线，表明其随着产量增加先下降而后上升的变动规律，如图 5-5 所示。

（6）短期平均总成本（Short-run Average Cost，SAC）是指短期内生产每单位产品平均所需要的成本，公式为

$$SAC(Q)=\frac{STC(Q)}{Q}=\frac{FC+VC}{Q}=AFC(Q)+AVC(Q)$$

由于 STC 曲线先以递减的速度上升，而后再以递增的速度上升，因此 SAC 曲线先下降，到达最低点之后又上升，也是 U 形曲线，如图 5-6 所示。

（7）短期边际成本（Short-run Mariginal Cost，SMC）是指在短期内，厂商每增加一单位产量所引起的总成本的增加量。公式为

$$SMC(Q)=\frac{\Delta STC(Q)}{\Delta Q}$$

当产量的改变趋于零时：

$$SMC\left(Q\right)=\lim_{\Delta Q\to 0}\frac{\Delta STC\left(Q\right)}{\Delta Q}=\frac{dSTC\left(Q\right)}{dQ}$$

可见，在每一产量水平上的短期边际成本（SMC）值就是相应的短期总成本（STC）曲线的斜率。SMC 曲线也就呈现出先下降，在达到最低点后又开始上升的变化趋势，如图 5-7 所示。

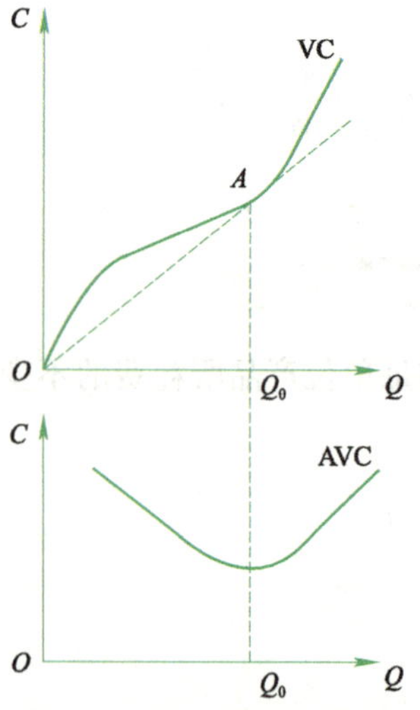

图5-5 平均可变成本

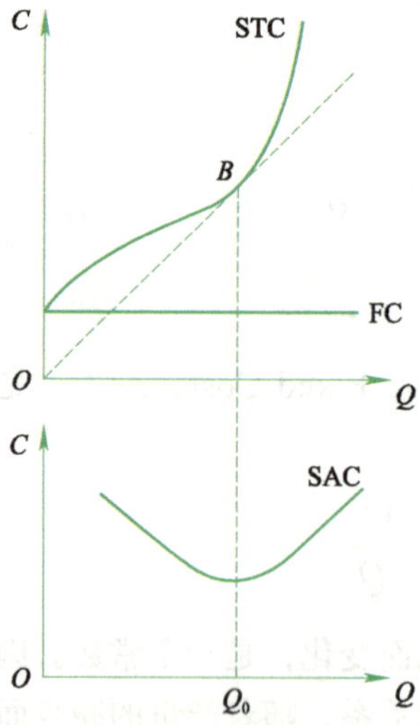

图5-6 短期平均总成本

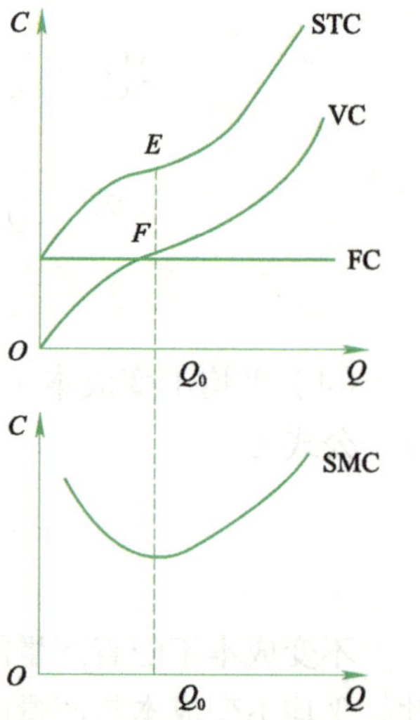

图5-7 短期边际成本

二、短期各成本之间的关系

（一）不变成本、可变成本和短期总成本的关系

不变成本（FC）曲线是一条平行于横轴的水平线，表明不变成本是一个既定的数量，它不随产量的增减而改变。可变成本（VC）是产量的函数，是一条向右上方倾斜的曲线。STC 曲线由不变成本线与可变成本线相加而成，其形状与可变成本曲线一样，相当于可变成本曲线向上平移，平移距离就是不变成本（FC）。因此，总成本曲线也是产量的函数，其形状也取决于边际收益递减规律。总成本的变动趋势与可变成本的变动趋势是一致的，如图 5-3 所示。

（二）短期平均总成本和平均可变成本的关系

短期平均总成本（SAC）曲线与平均可变成本（AVC）曲线都是 U 形曲线，在每一产量水平下，SAC 总是大于 AVC，且二者之间的差额为 AFC（Q），因此如图 5-8 所示，SAC 曲线位于 AVC 曲线的上方，两者之间的垂直距离为 AFC（Q）。但是随着产量的增加，AFC（Q）越来越小，因此，两者越来越接近。

（三）短期平均总成本和短期边际成本的关系

根据短期平均总成本（SAC）曲线与短期边际成本（SMC）曲线在短期总成本（STC）曲线上的几何意义，企业在短期内任意产量下的短期平均成本，等于对应的短期总成本曲线上的点向原点所引射线的斜率，而此产量的边际成本为对应短期总成本曲线上的点的切线的斜率。如图 5-9 所示，当产量为 Q_2 时，过 B 点的切线与向原点所引的射线重合，此时 SAC 等于 SMC，且 SAC 达到最低点。在 B 点之前，切线斜率小于射线斜率，因此 SAC 大于 SMC；在 B 点之后，切线斜率大于射线斜率，因此 SAC 小于 SMC。因此，SMC 交于 SAC 的最低点，相交之前 SAC 大于 SMC，相交之后 SAC 小于 SMC。同理可推 SMC 与 AVC 之间的关系。

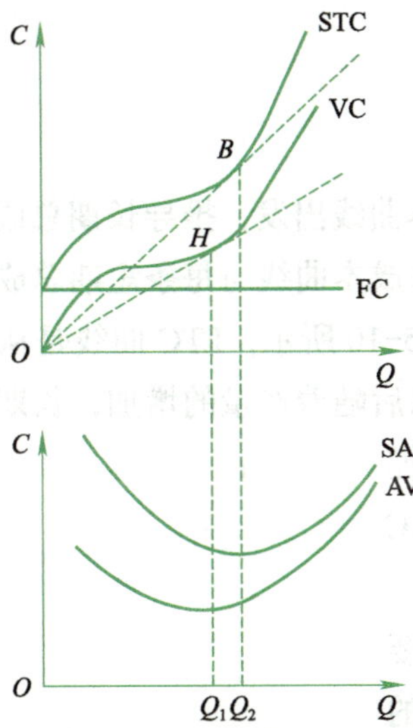

图5-8　SAC和AVC之间的关系

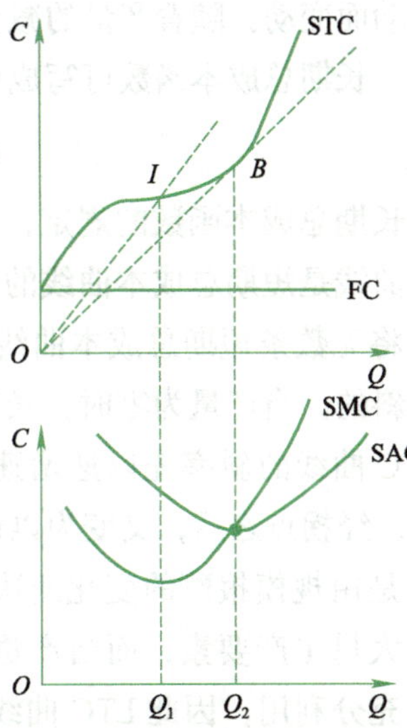

图5-9　SAC和SMC之间的关系

知识链接　为什么边际成本曲线呈U形

随着产量的不断增加，边际成本先递减后递增，即呈现出 U 形特征。其成 U 形的原因与可变要素（以下以劳动为例）投入的边际产量先递增后递减相关。当劳动的投入量较少时，劳动的边际产量是递增的，因此随着劳动的增加，每增加一单位的劳动所带来的产量增量会越来越大，换句话说，每增加一单位产量所需要投入的劳动数量会越来越少，这意味着每增加一单位产量所需的劳动成本会越来越低，因此劳动边际成本呈现递减趋势。但当劳动的投入量增加到一定程度后，劳动的边际产量就开始递减，此时随着劳动的增加，每增加一单位的劳动所带来的产量增量会越来越小，换句话说，每增加一单位产量所需要投入的劳动数量会越来越多，这意味着每增加一单位产量所需的劳动成本会越来越高，因此边际成本呈现递增趋势。由此可见，正是由于变动要素的边际生产率先递增后递减的特征，才导致了边际成本曲线呈现出先递减后递增的 U 形特征。

第三节　长期成本分析

在长期，企业可以调整所有生产要素的投入数量，对全部要素投入量的调整也就意味着企业对生产规模的调整。

长期成本都是可变的，没有不变成本与可变成本之分。具体来说，长期成本只分为长期总成本、长期平均成本和长期边际成本。

一、长期总成本

长期总成本（Long Total Cost，LTC）是指厂商在长期中生产一定量产品所需要的成本总和。在长期中，生产规模处于经常的调整变化之中，产量也在不断调整中，长期总成本随产量的变动而变动。随着产量的减少，总成本减少。

在这里，长期总成本函数可写成以下形式：

$$\text{LTC}=\text{LTC}(Q)$$

根据对长期总成本函数的规定，可以由短期总成本曲线出发，推导长期总成本曲线。长期总成本曲线是短期总成本曲线的包络线，即长期总成本曲线与每条短期总成本曲线相切，从下方将无数条短期总成本曲线包围起来。如图5-10所示，LTC曲线是从原点出发向右上方倾斜的。当产量为零时，长期总成本为零，以后随着产量的增加，长期总成本是增加的。LTC曲线的斜率先以递增速度增加，进而以递减速度增加，经拐点之后，又变为以递增速度增加。LTC曲线的特征是由规模报酬的变化所决定的。在开始生产时，要投入大量生产要素，而当产量少时，这些生产要素没有得到充分利用，因此LTC曲线很陡。随着产量的增加，生产要素开始得到充分利用，这时成本增加的比率小于产量增加的比率，表现为规模报酬递增。最后，由于规模报酬递减，成本增加的比率又大于产量增加的比率。

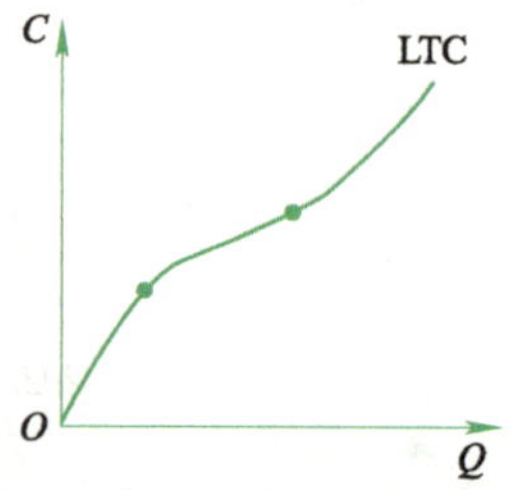

图5-10 长期总成本曲线

二、长期平均成本

长期平均成本（Long Average Cost，LAC）是指长期内厂商平均每单位产量花费的总成本。其函数形式为

$$\text{LAC}=\frac{\text{LTC}}{Q}$$

LAC曲线表示厂商在长期内按产量平均计算的最低总成本。它是一条先下降后上升的线，长期平均成本曲线是短期平均成本曲线的包络线。LAC曲线表示：在长期内，厂商在每一个产量水平上都会选择最优的生产规模进行生产，从而将生产的平均成本降到最低水平。在这条包络线上，连续变化的每一个产量水平，都存在LAC曲线和一条SAC曲线的相切点，此SAC曲线所代表的生产规模就是生产该产量的最佳生产规模，此切点所对应的平均成本就是相应的最低平均成本，如图5-11所示。

由图5-11可知，长期平均成本曲线是一条U形线，长期平均成本曲线呈U形是因为规模经济与规模不经济。规模经济是指厂商由于扩大生产规模而使经济效益得到提高，即产量增加的倍数大于成本增加的倍数。规模不经济是指厂商由于规模过大，导致经济效益下降，即产量增加倍数小于成本增加倍数。

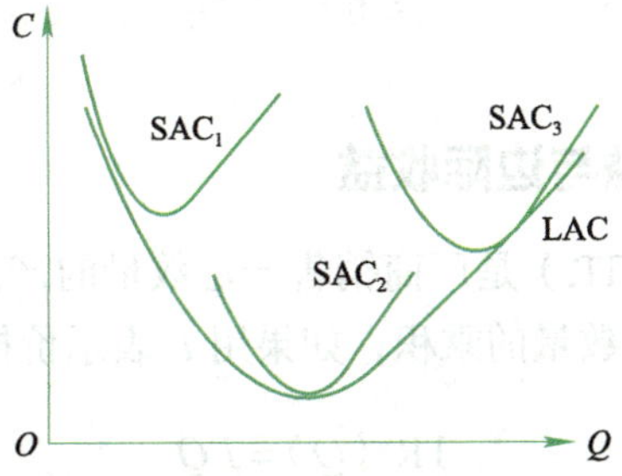

图5-11 长期平均成本曲线

三、长期边际成本

长期边际成本（Long Marginal Cost，LMC）表示企业在长期内增加一单位产量所引起的最低总成本的增量，用公式表示为

$$\mathrm{LMC}(Q)=\frac{\Delta\mathrm{LTC}(Q)}{\Delta Q}$$

$$\mathrm{LMC}(Q)=\lim_{\Delta Q\to 0}\frac{\Delta\mathrm{LTC}(Q)}{\Delta Q}=\frac{\mathrm{dLTC}}{\mathrm{d}Q}$$

从上式中可以看出，LMC 是 LTC 曲线上相应点的斜率。因此可以从 LTC 曲线推导出 LMC 曲线。

LMC 曲线是 LAC 曲线同 SAC 曲线的切点所表示产量的短期边际成本的连接线。具体做法可以从 LAC 曲线和 SAC 曲线的各切点对横轴做垂线，取得其与 SMC 曲线的交点，把这些交点连起来，就是长期边际成本曲线，如图 5-12 所示。

LMC 曲线和 LAC 曲线的关系可表述为：

（1）当LMC小于LAC时，LAC曲线下降。

（2）当LMC大于LAC时，LAC曲线上升。

（3）当LMC和LAC相等时，LMC曲线在LAC曲线的最低点与其相交。

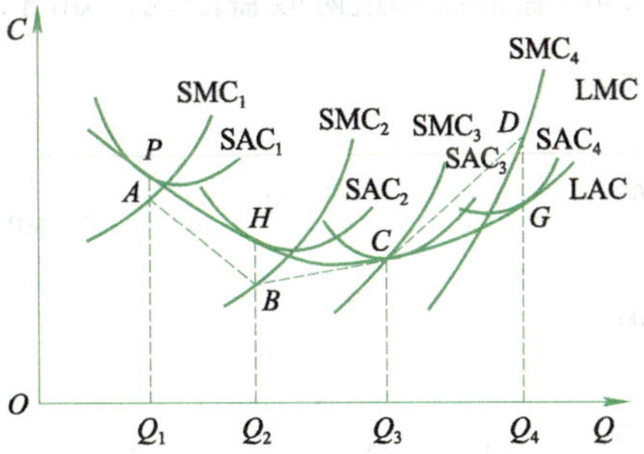

图5-12 长期边际成本曲线

第四节 收益与利润最大化

一、总收益、平均收益与边际收益

总收益（Total Revenue，TR）是厂商销售一定数量的产品或劳务所获得的全部收入，它等于产品的销售价格与销售数量的乘积，如果用 P 表示价格，Q 表示销量，则公式为

$$\mathrm{TR}(Q)=PQ$$

平均收益（Average Revenue，AR）是指厂商平均销售一单位产品所获得的收入，公式为

$$\mathrm{AR}(Q)=\frac{\mathrm{TR}(Q)}{Q}=\frac{PQ}{Q}=P$$

即平均收益就是生产者产品的销售价格。

边际收益（Marginal Revenue，MR）是指增加一单位产品的销售所增加的收益，即最后一单位产品的售出所取得的收益，公式为

$$\mathrm{MR}(Q)=\lim_{\Delta Q\to+\infty}\frac{\Delta\mathrm{TR}(Q)}{\Delta Q}=\frac{\mathrm{dTR}}{\mathrm{d}Q}$$

在完全竞争的条件下，产品的价格对于单个生产者来说是既定的，若生产者提高产品价格，则消费者将不购买其产品而购买其他生产者的产品，因此销售产品的平均收益就等于产品的价格。而生产者增加一单位产量所增加的收益，也只能是这个单位产量的价格。也就是说，平均收益和边际收益是相等的且都等于价格。

表 5-1 反映出在产品价格既定、产量增加时，平均收益与边际收益的关系。

表5-1 平均收益与边际收益的关系

产量/吨	价格/（元/吨）	总收益/元	平均收益/元	边际收益/元
1	200	200	200	200
2	200	400	200	200
3	200	600	200	200
4	200	800	200	200

根据表 5-1 可以绘出平均收益曲线和边际收益曲线，如图 5-13 所示。

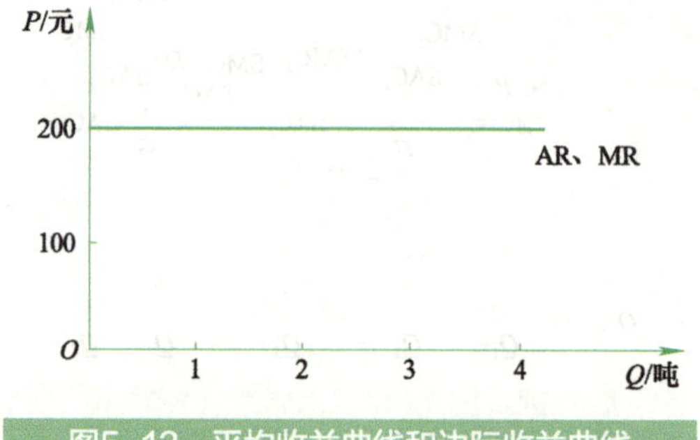

图5-13 平均收益曲线和边际收益曲线

二、利润最大化原则

厂商从事生产或出售商品的目的是赚取利润。如果总收益大于总成本，就会有剩余，这个剩余就是利润。值得注意的是，这里讲的利润，不包括正常利润，正常利润在经济学中是包括在总成本中的，这里讲的利润是指经济利润。如果总收益等于总成本，厂商不亏不赚，只获得正常利润；如果总收益小于总成本，则厂商便要发生亏损。厂商从事生产或出售商品不仅要求获取利润，而且要求获取最大利润，厂商利润最大化原则就是产量的边际收益等于边际成本的原则，即 MR＝MC。

边际收益是最后增加一单位销售量所增加的收益，边际成本是最后增加一单位产量所增加的成本。如果厂商的边际收益大于边际成本，意味着厂商每多生产一单位的产品用于销售所增加的收益大于因多生产这一单位产品所增加的成本，厂商仍有利可图，因而会增加产量。如果厂商的边际收益小于边际成本，意味着厂商每多生产一单位的产品用于销售所增加的收益小于因多生产这一单位产品所增加的成本，厂商会亏损，因而会减少产量。无论是边际收益大于还是小于边际成本，厂商都会改变产量，以使利润增加，只有在边际收益等于边际成本时，厂商才不会调整产量。因此 MR＝MC 是利润最大化的条件，这一利润最大化条件适用于所有类型的市场结构。

本 章 小 结

企业生产过程中必定会产生成本，如何控制好成本，是企业盈利的关键。

在经济学中，成本主要分为短期成本与长期成本，二者共同构成了成本理论。短期成本主要分为不变成本、可变成本、短期总成本、平均不变成本、平均可变成本、短期平均总成本和短期边际成本，长期成本的主要相关概念则为长期总成本、长期平均成本和长期边际成本。

在掌握相关成本理论之后，可以推导出厂商实现利润最大化的原则是：边际收益等于边际成本（MR＝MC），此时厂商可以以最佳的生产规模盈利。因此，厂商往往以此原则来控制自己的生产规模。

练 习 题

一、名词解释

不变成本　可变成本　长期总成本　长期边际成本　规模经济

二、单项选择题

1. 假设某机器原来生产产品 A，利润为 200 元，现在改生产产品 B，投入不变，利润为 100 元，则生产产品 B 的机会成本为（　　）。

A. 200 元　　B. 300 元　　C. 100 元　　D. 无法确定

2. 当产量为10单位时，总成本为500，产量为11单位时，平均成本为51，则边际成本为（　　）。

A. 51　　B. 50　　C.52　　D.61

3. 边际成本（MC）和边际产量（MP）的关系是（　　）。

A. MC和MP的变动方向相反　　B. MC曲线下凹，MP曲线上凸

C. MP达到最大值时MC是最小值　　D. 以上都对

4. 当边际报酬递增时，短期总成本曲线（　　）。

A. 以递增的速率上升　　B. 以递减的速率下降

C. 以递减的速率上升　　D. 以递增的速率下降

5. 厂商利润最大化的原则是（　　）。

A. 边际收益等于边际成本　　B. 边际收益小于边际成本

C. 边际收益大于边际成本　　D. 都不正确

6. 在长期中，（　　）是不存在的。

A. 机会成本　　B. 平均成本　　C. 不变成本　　D. 隐成本

7. 由企业购买或租用任何生产要素所发生的成本是指（　　）。

A. 不定成本　　B. 隐成本　　C. 可变成本　　D. 显成本

8. SAC绝不会小于LAC这句话（　　）。

A. 总是对的　　B. 常常对　　C. 总是不对　　D. 有时对

9. SMC（　　）。

A. 是FC曲线的斜率

B. 是VC曲线的斜率，但不是STC曲线的斜率

C. 是STC曲线的斜率，但不是VC曲线的斜率

D. 既是VC又是STC曲线的斜率

10. 下面关于边际成本和平均成本的说法中正确的是（　　）。

A. 如果边际成本超过平均成本，平均成本可能上升或下降

B. 边际成本上升时，平均成本一定上升

C. 如果边际成本小于平均成本，平均成本一定下降

D. 平均成本下降时，边际成本一定下降

三、多项选择题

1. 就短期边际成本与短期平均成本来说，（　　）。

A. 如果平均成本下降，则边际成本下降

B. 如果平均成本下降，则边际成本小于平均成本

C. 如果边际成本上升，则平均成本上升

D. 边际成本曲线刚好经过平均成本曲线最低点

2. 下列说法错误的有（　　）。

A. 在产量某一变化范围内，只要边际成本曲线位于平均成本曲线上方，平均成本曲线一定向下倾斜

B. 在产量某一变化范围内，只要边际成本曲线位于平均成本曲线上方，平均成本曲线一定向上倾斜

C. 在产量某一变化范围内，只要边际成本曲线位于平均成本曲线下方，平均成本曲线一定向上倾斜

D. 在产量某一变化范围内，只要边际成本曲线位于平均成本曲线下方，平均成本曲线一定向下倾斜

3. 在短期内随着产量的增加，关于 AFC 说法错误的有（　　）。

A. 一直上升　　B. 一直下降

C. 先上升后下降　　D. 先下降后上升

4. 关于 LAC 曲线，说法错误的有（　　）。

A. 通过 LMC 曲线的最低点

B. 随着 LMC 曲线下降而下降

C. 是 SAC 曲线的包络线

D. 当 LMC 小于 LAC 时下降，当 LMC 大于 LAC 时上升

5. 在从原点出发的射线与 TC 曲线相切的切点上，AC（　　）。

A. 最小　　B. 等于 MC

C. 等于 AVC+AFC　　D. 以上都不对

四、简答题

1. 简述短期成本与长期成本的关系。
2. 简述利润最大化的原则。

五、案例分析题

北戴河景区是我国近代旅游业的发端和缩影，1898 年，清政府将其正式辟为旅游避暑区，著名的海滨二十四景被誉为“蓬莱仙境”。新中国成立后，北戴河又成为中央领导暑期办公的场所和各界人士疗养休息之地。1954 年，毛主席在北戴河写下不朽诗篇《浪淘沙·北戴河》。1979 年，中共中央、国务院决定北戴河对外开放并确定为国家级风景区。1991 年，北戴河景区被评为“中国旅游胜地四十佳”之一。北戴河秦始皇行宫遗址被国务院公布为第四批全国重点文物保护单位。北戴河 15 千米的海岸线沙软潮平，是海水浴、沙浴和日光浴理想的天然场所。每年夏天，吸引着全国各地游客的到来，形成旅游旺季，但每年 10 月以后，随着天气转凉，游客减少又形成旅游淡季。在淡季，饭店和景点即使亏本，仍然开张营业，尽力维持。于是有人提出疑问：为什么不关门，等到旺季再营业呢?

请用本章所学的成本理论的相关知识解释该疑问。

第六章

市场结构理论

[学习目标]

◎知识目标

- 理解四种市场结构类型及其含义
- 理解四种市场类型的特征
- 掌握四种市场条件下的厂商行为

◎能力目标

- 能解释四种市场类型的概念和特征
- 能分析不同类型市场的经济效益

◎素质目标

- 分析企业在不同市场结构下的经营策略及其影响，培养逻辑推理和判断能力
- 识别实际市场问题，培养解决实际问题的能力

◆ 引导案例 ◆

石油输出国组织

石油输出国组织（OPEC）是亚、非、拉石油生产国为协调成员国石油政策、反对西方石油垄断资本的剥削和控制而建立的国际组织，于1960年9月成立。OPEC现有成员国伊拉克、伊朗、科威特、沙特阿拉伯、委内瑞拉、阿尔及利亚、加蓬、利比亚、尼日利亚、阿拉伯联合酋长国、刚果和赤道几内亚，总部设在奥地利维也纳。它的宗旨是：协调和统一成员国石油政策，维持国际石油市场价格稳定，确保石油生产国获得稳定收入。OPEC最高权力机构为成员国大会，由成员国代表团组成，负责制定总政策；执行机构为理事会，日常工作由秘书处负责处理；另设专门机构经济委员会，以协助维持石油价格的稳定。该组织自成立以来，与西方石油垄断资本坚持斗争，在提高石油价格和实行石油工业国有化方面取得重大进展。

引入问题

1. 你是如何理解竞争和垄断的?
2. 所有的市场都一样吗？有哪些市场类型？不同类型的市场有什么区别?

第一节 市场概述

一、市场的含义与划分标准

（一）市场的含义

市场是经济运行的载体或现实表现，是同种商品由供求两种力量共同决定价格的“地方”。市场可以是一个特定的、交易某种商品的地区或场所，如农贸市场就是包括许多种农副产品的交易市场，但现在有些商品可能无须交易场所，而是通过发布广告的形式进行交易，也有许多商品的交易活动可以通过电话、电视、互联网等形式来进行，因而这些商品往往拥有一个无形市场。

市场在其发育和壮大的过程中，推动着社会经济的进一步发展。市场通过信息反馈，直接影响着人们生产什么、生产多少，以及上市时间、产品销售状况等，连接经济发展过程中的供给和需求各方，为供需各方提供交易场所、交易时间和其他交易条件，以此实现商品生产者、经营者和消费者各自的经济利益。

经济学家主要从市场的作用出发，把不同类型的市场按其在决定价格方面的作用区分为不同的市场结构，反映了市场以其组织和构成方面的一些特点影响厂商的经济行为。

（二）市场结构的划分标准

市场结构的划分标准主要有以下五个方面。

1. 市场上交易者的数量

市场上某种商品的买方和卖方的数量多少与市场竞争程度高低有很大关系。参与者越多，竞争程度可能就越高，否则竞争程度就可能较低。这是因为参与者很多的市场，每个参与者的交易量只占市场交易的很小份额或比重，对市场价格缺乏控制能力，竞争能力就比较小，厂商之间的竞争相对比较激烈。

2. 产品差异程度

产品差异是指同一种产品在质量、牌号、形式、包装等方面的差别。产品差异引起垄断，产品差异越大，垄断程度越高。产品差异可以分为物质差异、售后服务差异和形象差异。产品之间的差异越小甚至雷同，相互之间替代品越多，竞争程度就越强。对于替代性较强的无差异的产品，每个市场参与者不可能或无法凭借自己的产品控制市场价格。

3. 行业的进入限制

进入行业的限制来自自然原因和立法原因。自然原因是指资源控制与规模经济，如果某个企业控制了某个行业的关键资源，则其他企业得不到这种资源，就无法进入该行业。立法原因是法律限制进入某些行业，这种立法限制主要采取三种形式：一是特许经营，二是许可证制度，三是专利制。行业进入的限制，主要体现在资源流动的难易程度上。厂商能否自由进入和退出某个行业，取决于资源在这个行业中流入和流出的难易程度。如果生产某种产品的原材料被人控制，又没有适当的替代品，那生产者就不容易进入这个行业，在这个行业中市场竞争程度就比较低。

4. 价格决策形式

如果产品交易价格是由市场的供求关系来决定的，那市场的竞争程度就比较高。如果企业能够用自己的力量在不同程度上决定产品的市场交易价格，那其市场竞争程度就比较弱，这样的市场结构就容易不同程度地产生垄断现象。

5. 市场信息通畅程度

在信息时代，信息是企业经营的生命，市场信息流通渠道越通畅，企业参与市场竞争的能力就越强。如果市场参与者对供求关系、产品质量、价格变动、销售方法、广告效果等信息资料了如指掌，则市场竞争程度就高，否则市场竞争程度就低。

二、市场结构的类型与特征

（一）市场结构的类型

各种市场的竞争与垄断程度不同形成了不同的市场结构。根据以上划分标准，可以把市场结构分为四种类型。

市场类型

1. 完全竞争市场

完全竞争市场是一种竞争不受任何阻碍和干扰的市场结构。形成这种市场的条件是企业数量多，而且每个企业规模都非常小。价格由整个市场的供求关系决定，任何一个企业都不能通过改变自己的产量而影响市场价格。

2. 垄断竞争市场

垄断竞争市场是既有垄断又有竞争，但更能体现竞争性的市场。这种市场与完全竞争市场的相同之处是市场集中率低，而且无进入限制。企业规模小和无进入限制保证了这个市场上竞争的存在。但二者的关键差别是完全竞争市场上产品无差别，而垄断竞争市场上产品有差别。

3. 寡头垄断市场

寡头垄断市场是只有几家大企业的市场，形成这种市场的关键是规模经济。在这种市场上，大企业集中程度高，对市场控制力强，可以通过变动产量影响价格。而且，由于每家企业的规模都很大，其他企业就难以进入。由于不是一家垄断，因此在几家寡头之间仍存在竞争。

4. 完全垄断市场

完全垄断市场是只有一家企业控制整个市场的供给。形成垄断的关键条件是对进入市场的限制，这种限制可以来自自然原因，也可以来自立法原因。此外，垄断的另一个条件是没有相近的替代品，如果有替代品，则有替代品与之竞争。在完全垄断市场上由于没有替代品，因而一个厂商独占市场供给，可以根据市场需求控制产品的价格。

（二）各类市场结构的特征

各类市场结构的特征见表 6-1。

表6-1 各类市场结构的特征

项 目	市场类别			
	完全竞争市场	垄断竞争市场	寡头垄断市场	完全垄断市场
生产者	很多	较多	少数	一个
产品差别	同质、替代品多	有差别，但轻微	有差别或同质	产品唯一，无替代品
价格控制	企业接受市场价格，不能制定自己的价格	企业有一些定价能力，但不是很大	企业制定自己的价格，但关注竞争对手的反应	企业根据需求有完全的制定价格的自由
进入市场难易	无市场进入障碍	较小的市场进入障碍	有较大的市场进入障碍	行业封闭，无新企业进入
经济效率	最高	较高	较低	最低
典型行业举例	农产品、外汇交易	轻工、零售	汽车、钢铁	公用事业领域

第二节 完全竞争市场

完全竞争也叫作纯粹竞争，也就是说不存在垄断因素。完全竞争市场上各个经济主体都不具有影响市场的势力，而只能作为市场机制安排的接受者。严格而言，完全竞争只是理论上的一个极端特例，几乎不存在于现实生活中。

一、完全竞争市场的特征

1. 市场上有大量的买方和卖方，交易双方都是市场价格的接受者

参与市场经济活动的个别厂商或个别消费者，其销售量和购买量都只占很小的市场份

额，其供应能力或购买能力对整个市场来说是微不足道的。这样，无论买方还是卖方都无法左右市场价格，或者说单个经济单位将不把价格作为决策变量，它们是价格的接受者。显然，在交换者众多的市场上，若某厂商要价过高，则顾客可以从别的厂商处购买商品和劳务；同样，如果某顾客压价太低，那么厂商也可以拒绝出售给该顾客而不怕没有别的顾客购买。

2. 参与经济活动的厂商出售的产品具有同质性

这里的产品同质不仅是指产品之间的质量、性能等无差别，还包括在销售条件、包装等方面是相同的。因为产品是相同的，对于购买产品的消费者来说，哪一个厂商生产的产品并不重要，他们没有理由偏爱某一厂商的产品，也不会为得到某一厂商的产品而必须支付更高的价格。同样，对于厂商来说，没有任何一家厂商拥有市场优势，它们将以可能的市场价格出售自己的产品。

3. 厂商可以自由地进入或退出一个行业，要素资源也可以在各行业之间自由流动

劳动可以随时从一个岗位转移到另一个岗位，或从一个地区转移到另一个地区；资本可以自由地进入或撤出某一行业。资源的自由流动使得厂商总是能够及时地向获利的行业移动，及时退出亏损的行业，这样，效率较高的企业可以吸引大量的资源投入，缺乏效率的企业会被市场淘汰。资源的流动是促使市场实现均衡的重要条件。

4. 交易双方对交易具有完全信息

消费者、资源所有者和厂商对现在的以及将来的价格、成本及其机会拥有完全的信息。消费者不会支付高于市场价格的价格，资源所有者总是将资源出售给开价最高者，而厂商能够准确地确定为了争取最大利润而需要生产的产量。

显然，理论分析上完全竞争市场的假设条件是非常严格的。在现实的经济中没有一个市场真正满足以上四个条件，通常只是将某些农产品市场看成是比较接近的完全竞争市场类型。但是完全竞争市场作为一个理想经济模型，有助于人们了解经济活动和资源配置的一些基本原理，解释或预测现实经济中厂商和消费者的行为。

二、完全竞争厂商的需求曲线

在任何一个产品市场中，市场需求是针对市场上所有厂商组成的行业而言的，消费者对整个行业所生产的产品的需求称为行业所面临的需求，相应的需求曲线称为行业所面临的需求曲线，也就是市场的需求曲线，它一般是一条从左上方向右下方倾斜的曲线，如图 6-1a 所示。

消费者对行业中的单个厂商所生产的产品的需求量，称为厂商所面临的需求量，相应的需求曲线称为厂商所面临的需求曲线，简称厂商需求曲线。在完全竞争条件下，厂商需求曲线是一条由既定的市场均衡价格出发的水平线。图 6-1b 中的 d 曲线就是一条完全竞争市场的厂商需求曲线，它是一条与横轴平行的水平线。

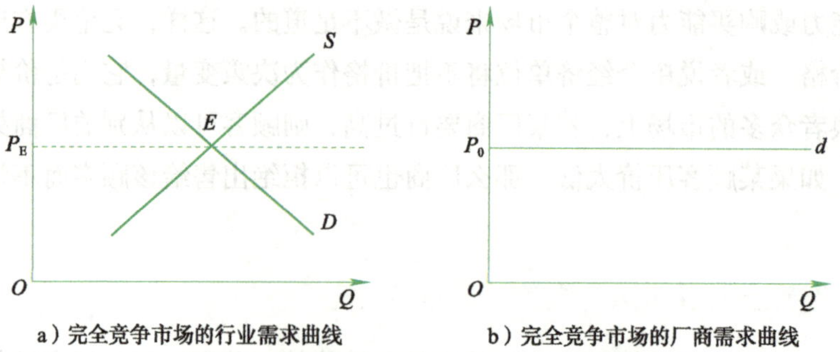

图6-1 完全竞争市场的需求曲线

在完全竞争市场上，单个厂商是市场价格的接受者，而不是价格的制定者。假设某家厂商把价格定得略高于市场价格，由于产品具有同质性，且消费者有完备信息并可以自由流动，那么将没有人购买该厂商的产品。也就是说，厂商一旦涨价，它所面临的需求会下降为零。如果厂商的价格等于市场价格，则由于厂商数目众多，一个厂商的供应是无足轻重的，无论厂商供应多少，价格都维持不变，或者说在既定的市场价格下，厂商可能销售掉任意数量的商品。厂商会不会把价格降到市场价格以下呢？降价原本是为了刺激需求，既然每个厂商在市场价格下可以供应任意数量，那又何必降价呢？因此，在完全竞争市场上，厂商既不能提高价格，又不愿降低价格，只能是市场价格的接受者。从需求的角度看，完全竞争厂商所面临的需求是水平的，水平需求的弹性是无穷大的，价格一旦上升，需求降为零，价格下降，购买者会蜂拥而至，厂商面对的需求会变成无穷大。

三、完全竞争市场的经济效率分析

在完全竞争市场上，价格可以充分发挥其“看不见的手”的作用，从而自发调节整个经济的有效运行。通过市场调节，最终会实现长期均衡。从社会的供求均衡来看，产品既不会出现供不应求的状况，也不会出现供过于求的状况，不会有生产不足或过剩，消费者的需求得到满足，从而使资源得到最优配置。

在完全竞争市场上市场价格是一条水平线，这表明厂商使用现有技术使得厂商生产的平均成本为最低，因而完全竞争厂商在生产技术使用方面是有效率的。如果全社会所有厂商都能在平均成本(AC)的最低点组织生产，则社会稀缺资源的消耗最小，即经济效率最高。

通过对经济剩余的分析有助于理解完全竞争市场的效率。消费者剩余是指某一物品对于消费者的价值或效用超过了这一物品的购买价格。这里引入生产者剩余的概念，生产者剩余是指生产者获得了超过其生产成本的收益。生产者剩余与消费者剩余有相似之处，也有不同之处。二者相似之处是：二者都是由实际发生额（实际收入额或实际支付额）与心目中的数额（愿意接受的数额或愿意支付的数额）之差形成的。二者不同之处是：消费者剩余是一种心理上的感觉，而并不是实际收入的增加，生产者剩余则是实际收入的增加。生产者剩余和消费者剩余的总和叫作经济剩余。

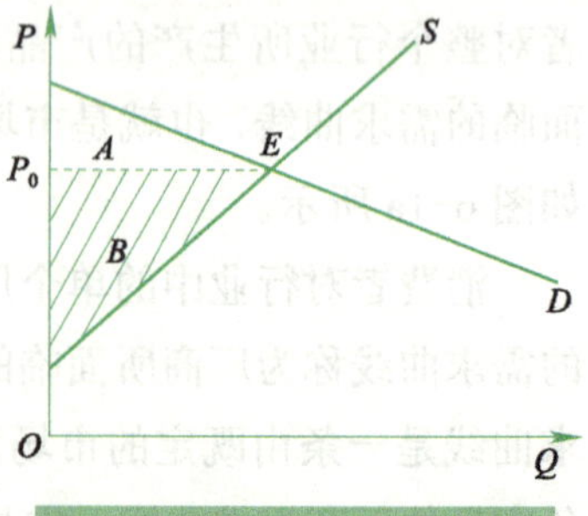

图6-2 生产者剩余

在一个完全竞争市场上，市场均衡由供给曲线和需求曲线的交点决定。如图6-2所示，市场均衡价格为P_0，区域A为消费者剩余，区域B则为生产者剩余。二者的总和即经济剩余的大小，可以用来反映市场的效率。在完全竞争条件下，消费者剩余和生产者剩余的总和达到最大。为什么呢？因为在完全竞争市场里，代表消费者剩余和生产者剩余的 A 和 B 两个区域覆盖了 P_0 的市场价格条件下需求曲线之下、供给曲线之上的全部面积，因此，消费者剩余和生产者剩余的总和达到了最大值。在非完全竞争市场上，消费者剩余和生产者剩余的总和没有这么大。从这个意义来说，完全竞争是最有效率的。

但是在完全竞争市场结构下，同样存在以下问题：各个企业的规模很小，小企业通常没有能力进行技术创新，从而不利于技术进步和发展；由于产品无差别，不能很好地满足消费者多样化的需求；各个厂商的最低平均成本不一定就是最低社会成本；由于信息是完全和对称的，因此不存在对技术创新的保护。

第三节　完全垄断市场

完全垄断又称垄断或独占，是指整个行业中只有唯一的一家厂商，即一家厂商控制了某种产品全部供给的市场结构。

一、完全垄断的特征与成因

（一）完全垄断的特征

具有以下特征的市场称为完全垄断市场。

1. 厂商数目唯一，一家厂商控制了某种产品的全部供给

完全垄断市场上垄断企业排斥其他竞争对手，独自控制了一个行业的供给。由于整个行业仅有唯一的供给者，企业就是行业。

2. 完全垄断企业是市场价格的制定者

由于完全垄断企业控制了整个行业的供给，也就控制了整个行业的价格，成为价格的制定者。完全垄断企业可以有两种经营决策：以较高价格出售较少产量，或以较低价格出售较多产量。

3. 完全垄断企业的产品不存在任何相近的替代品

如果完全垄断企业的产品存在替代品，则其他企业可以生产替代品来代替完全垄断企业的产品，完全垄断企业就不可能成为市场上唯一的供给者。因此，消费者无其他选择。

4. 完全垄断市场上存在进入障碍

其他任何厂商进入该行业极为困难或不可能，要素资源难以流动。

（二）完全垄断的成因

完全垄断厂商之所以能够成为某种产品的唯一供给者，是由于该厂商控制了某种产品的供给，使其他厂商不能进入该市场并生产同种产品。导致垄断的原因一般有以下几方面。

1. 对资源的独家控制

如果一家厂商控制了用于生产某种产品的全部资源或基本资源的供给，排除了其他厂

商生产同种产品的可能性，则该厂商就可能成为一个垄断者。例如，南非的钻石开采企业戴比尔斯（De Beers）公司控制了世界钻石生产的80%左右。虽然这家企业的市场份额并不是100%，但它也已大到足以对世界钻石价格产生重大影响的程度。

2. 规模经济的要求形成自然垄断

如果某种商品的生产具有十分明显的规模经济，需要大量固定资产投资，规模报酬递增阶段要持续到一个很高的产量水平，此时，大规模生产可以使成本大大降低。那么由一家大厂商供给全部市场需求的平均成本最低，两个或两个以上的厂商供给该产品就难以获得利润。这种情况下，该厂商就形成自然垄断。许多公用行业，如电力供应、煤气供应、地铁等都是典型的自然垄断行业。

3. 拥有专利权

专利权是政府和法律允许的一种垄断形式。专利权是为了促进发明创造、发展新产品和新技术，而以法律的形式赋予发明人的一种权利。专利权禁止其他人生产某种产品或使用某项技术，除非得到发明人的许可。一家厂商可能因为拥有专利权而成为某种商品的垄断者。不过专利权带来的垄断地位是暂时的，因为专利权有法律时效。

4. 政府特许权

某些情况下，政府通过颁发执照的方式限制进入某一行业的人数，如大城市出租车牌照限额等。很多情况下，一家厂商可能获得政府的特权而成为某种产品的唯一供给者，如邮政、手机通信、公用事业等。执照特权使某行业内现有厂商免受竞争，从而具有垄断的特点。作为政府给予企业特许权的前提，企业会同意政府对其经营活动进行管理和控制。

二、完全垄断厂商的需求曲线

完全垄断条件下，市场上只有一家企业，企业和行业合二为一，企业就是行业。因此完全垄断厂商所面临的需求曲线就是整个市场的需求曲线，这是完全垄断厂商的重要特征。完全垄断厂商的需求曲线向右下方倾斜，斜率为负，销售量与价格成反比关系。因此，完全垄断厂商是价格的制定者，可以通过减少销售量来提高市场价格，在其产量水平较高时，市场价格也会随之下降。这一点与完全竞争市场上厂商是价格的接受者不同。

一般来说，厂商的销售价即平均收益等于消费者的买价，因此平均收益曲线在任何情况下都与需求曲线重合，完全垄断厂商的需求曲线也就是它的平均收益曲线。由于完全垄断厂商的平均收益和边际收益都随销售量的变化而变化，而且边际收益下降比平均收益下降得更快，因此边际收益（MR）曲线必然位于平均收益（AR）曲线的下方，如图6-3所示。

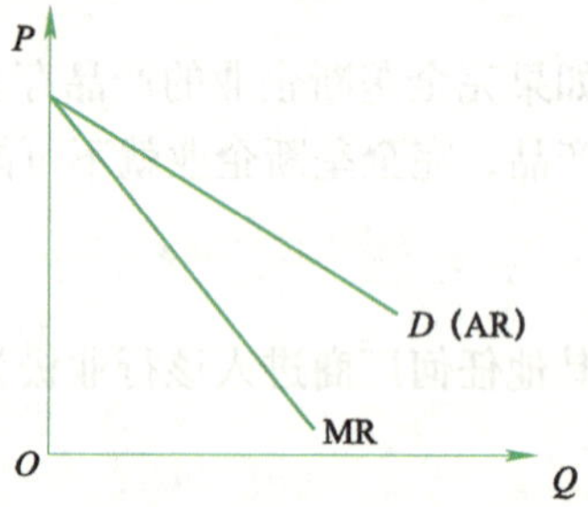

图6-3 完全垄断厂商的需求曲线

三、完全垄断厂商的差别定价

在完全竞争市场上，同一产品有完全相同的市场价格，也就是说完全竞争厂商在价格上对任何消费者均是一视同仁的。但是由于完全垄断厂商的特殊垄断地位，它可以实行价格歧视。价格歧视又称价格差别，是指完全垄断厂商对成本基本相同的同种产品在不同的市场上以不同的价格出售。由于同种产品的成本基本相同，这种价格差别并不是因为产品本身成本存在差别，因而带有歧视的性质。例如：供电部门根据不同时段的需求确定不同的电价；公交公司对公共汽车的盈利线路和亏损线路实行不同的价格；航空公司根据旅游旺季和淡季实行不同的客运价；出口商品实行出口价和内销价；等等。

（一）实行价格歧视的条件

实行价格歧视的目的是要获得经济利润（或称垄断利润）。要使价格歧视得以实行，一般须具备以下三个条件。

1. 市场存在不完善性

当市场存在竞争信息不通畅，或者由于种种原因被分隔时，垄断者就可以利用这一点实行价格歧视。例如，美国图书出版商通常使图书在美国的销售价高于在国外的销售价，这是因为国外的图书市场竞争更激烈，并且存在盗版复制问题。

2. 市场需求弹性不同

当购买者分别属于对某种产品的需求价格弹性差别较大的不同市场，而且完全垄断厂商又能以较小的成本把这些市场区分开来时，完全垄断厂商就可以对需求弹性小的市场制定高价格，以获得垄断利润。例如，某些航空公司将顾客分为商务人员和普通游客，按不同需求类别执行不同票价。

3. 市场之间的有效分割

市场之间的有效分割是指完全垄断厂商能够根据某些特征把不同市场或同一市场的各部分有效地分开。例如，公司根据给公司带来利润的不同，将全国市场分为一级市场、二级市场、三级市场等。市场有效分割的实质就是厂商能够防止其他人从差别价格中套利。

很明显，完全垄断市场具备上述条件，因此完全垄断厂商可以实行价格歧视。

（二）价格歧视的类型

英国经济学家庇古（Pigou）于1920年提出，根据歧视程度的高低，价格歧视可以分为一级价格歧视、二级价格歧视和三级价格歧视三种类型。

1. 一级价格歧视

一级价格歧视又称完全价格歧视，是指企业根据每一个消费者对产品可能支付的最大货币量（消费者的保留价格）来制定价格，从而获得全部消费者剩余的定价方法。也就是说，完全垄断厂商按不同的价格出售不同单位的产品量，而且这些价格可以因人而异，如图6-4所示。

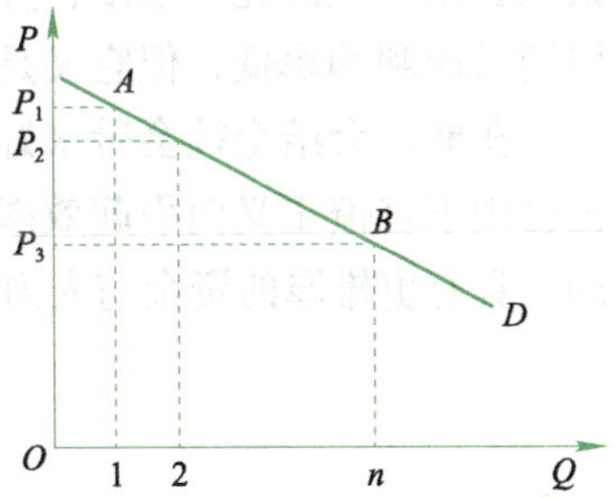

图6-4　一级价格歧视

实行一级价格歧视，完全垄断厂商必须确切地知道各个消费者购买每单位产品愿意支付的价格。因此，它只有在完全垄断厂商面临少数消费者以及垄断者机灵到足以发现消费者愿意支付的价格时才可能实行。在一级价格歧视中，由于完全垄断厂商是按消费者愿意支付的价格来确定售价的，因此它占有了全部消费者剩余，并把这些剩余变成了垄断利润。在现实中，由于企业通常不可能知道每一个消费者的保留价格，因此不可能实行完全的一级价格歧视。

2. 二级价格歧视

二级价格歧视是指完全垄断厂商根据消费者购买单位的多少收取不同的价格。完全垄断厂商把产品需求按购买量分成几组，按不同的价格出售不同组别的商品，但是每个购买相同数量的人支付相同的价格。例如，批量购买可以打折，以团体票的方式购买景区门票。实行二级价格歧视只是把部分消费者剩余变成了垄断利润。二级价格歧视实质就是按销售量定价。

3. 三级价格歧视

三级价格歧视是指对于同一产品，完全垄断厂商根据不同市场上的需求价格弹性不同，将其顾客划分为两种或两种以上的类别，对每类顾客索取不同的价格。三级价格歧视是最普遍的价格歧视形式。例如，电厂对于弹性较大的工业用电实行低价格，而对弹性较小的家庭用电采用高价格。三级价格歧视中，完全垄断厂商对每个群体内部不同的消费者收取相同的价格，但不同群体的价格不同。在每一个群体内部，与统一定价相似，存在正的社会福利净损失，与完全竞争相比降低了社会总福利。

四、完全垄断市场的经济效率分析

许多经济学家根据完全垄断市场和完全竞争市场的比较分析，认为完全垄断对经济是不利的。

1. 生产资源浪费

因为完全垄断与完全竞争相比，平均成本与价格高，而产量低，这是由于生产在生产成本高于最低平均成本处保持均衡，因此资源未能得到最优配置。

2. 社会福利损失

完全垄断厂商实行价格歧视，消费者所付的价格高，消费者剩余减少。这种减少是社会福利的损失。此外，垄断者凭借其垄断地位而获得超额利润，加剧了社会收入分配的不平等，也阻碍了技术进步。

但也有许多经济学家认为对完全垄断也要做具体分析。有些完全垄断，尤其是政府对某些公用事业的完全垄断，并不以追求垄断利润为目的。这些公用事业往往投资大，投资周期长而利润率低，但它又是经济发展和人们生活所必需的。这样的公用事业由政府进行完全垄断，会给全社会带来好处。然而也应该指出，由政府完全垄断这些公用事业，往往也会由于官僚主义而引起效率低下。也有的经济学家认为，完全垄断厂商因能获得垄断利润，具有更雄厚的资金与人力，从而更有能力进行新的研究，促进技术进步。

第四节　垄断竞争市场

垄断竞争市场是一种介于完全竞争和完全垄断之间的市场组织形式，在这种市场中，既存在着激烈的竞争，又具有垄断的因素。

一、垄断竞争市场的特征

垄断竞争市场是最常见的一种市场结构，如肥皂、洗发水、毛巾、服装、布匹等日用品市场，餐馆、旅馆、商店等服务业市场，牛奶、火腿等食品类市场，以及书籍、药品等市场大都属于此类。作为垄断竞争市场，它们一般具有以下基本特征。

（1）市场中存在着较多数目的厂商，彼此之间存在着较为激烈的竞争。由于每个厂商都认为自己的产量在整个市场中只占有一个很小的比例，因而厂商会认为自己改变产量和价格，不会招致其竞争对手相应行动的报复。

（2）厂商所生产的产品是有差别的，或称“异质商品”。产品差别是指同一产品在价格、外观、性能、质量、构造、颜色、包装、形象、品牌、服务及商标广告等方面的差别以及以消费者想象为基础的虚幻的差别。由于存在着这些差别，产品成为带有自身特点的“唯一”产品，也使得消费者有了选择的必然，使得厂商对自己独特产品的生产销售量和价格具有控制力，即具有了一定的垄断能力，而垄断能力的大小则取决于其产品区别于其他厂商产品的程度。产品差别程度越大，垄断程度越高。

（3）行业进出容易。厂商的生产规模比较小，因而进入和退出一个行业比较容易。

二、垄断竞争厂商的需求曲线

由于垄断竞争厂商生产的是有差别的产品，因而和完全竞争厂商只是被动地接受市场价格不同，垄断竞争厂商对价格有一定的影响力。例如，厂商如果将它的产品价格提高一定的数额，则习惯于消费该产品的消费者可能不会放弃该产品的消费，该产品的需求不会大幅度下降。但若厂商大幅度提价，由于存在着大量的替代品，消费者就可能舍弃这种偏好，转而购买该商品的替代品。因此其面临的需求曲线不像完全竞争市场上那样是一条水平直线，而是一条向右下方倾斜的曲线。

又因为市场上存在着其他具有垄断势力的厂商，且产品之间具有良好的替代性，这样，单个厂商的降价虽然能吸引一部分消费者，却无法吸引所有其他厂商的消费者，因此单个厂商面临的需求曲线和完全垄断厂商也有所区别。垄断竞争厂商所面临的需求曲线相对于完全竞争厂商而言要更陡峭一些（即更缺乏弹性），而相对于完全垄断厂商来讲更平缓，即更富有弹性。更进一步分析，在垄断竞争市场上，存在着两条需求曲线，一条是厂商“想象”的需求曲线，另一条是真实的需求曲线。

由于在垄断竞争行业中厂商生产的产品都是有差别的替代品，因而市场对某一厂商产品的需求不仅取决于该厂商的价格－产量决策，而且取决于其他厂商对该厂商的价格－产量决策是否采取对应的措施。例如，一厂商采取降价行动，如果其他厂商不降价，则该厂商的需求量可能上升很多，但如果其他厂商也采取降价措施，则该厂商的需求量不会增加很多。因此，在分析垄断竞争厂商的需求曲线时，就要分两种情况进行讨论。

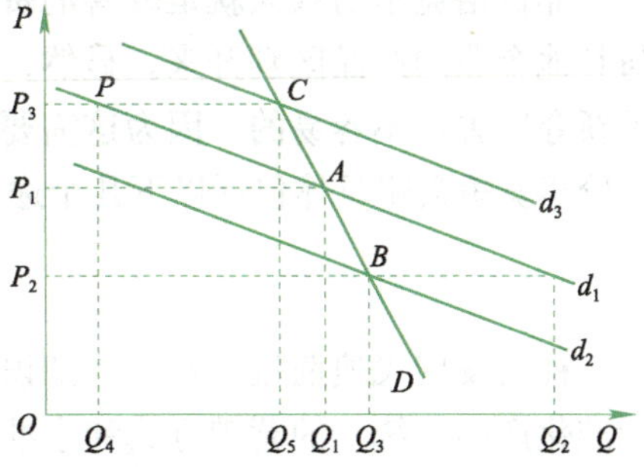

图6-5　垄断竞争市场的需求曲线

如图 6-5 所示，d 曲线（d_1，d_2，d_3）表示：在垄断竞争生产集团中的单个厂商改变产品价格，而其他厂商的产品价格保持不变时，该厂商的产品价格与销售量之间的对应关系。因为在市场中有大量的企业存在，因而单个厂商会认为自己的行动不会引起其他厂商的反应，于是它便认为自己可以像完全垄断厂商那样，独自决定价格。这样，单个厂商在主观上就有一条斜率较小的需求曲线，称为主观需求曲线。

D 曲线表示：在垄断竞争生产集团中的单个厂商改变产品价格，而其他厂商也使产品价格发生相同变化时，该厂商的产品价格和销售量之间的关系。在现实中，一个垄断竞争厂商降低价格时，其他厂商为了保持自己的市场占有率，势必也会跟着降价，该厂商因而会失去一部分顾客，需求量的上升不会如厂商想象的那么多，因而还存在着另外一条需求曲线，称为客观需求曲线或比例需求曲线。

在图 6-5 中，垄断竞争厂商的主观需求曲线为 d_1，厂商最初的产量为 Q_1，最初的价格为 P_1，即 A 点。当该厂商将产品的价格由 P_1 下调至 P_2 后，按照其主观需求曲线 d_1，厂商预期其销售量将提高至 Q_2。但是，由于该厂商降价时，其他厂商也将采取同样的措施，以维护自己的市场占有率，因此，该厂商的销售量实际只有 Q_3，即介于 Q_1 和 Q_2 之间。当厂商意识到这点之后，厂商的主观需求曲线就会做出相应的调整，改为通过 B 点的 d_2。相反，如果厂商将它的价格由 P_1 提高至 P_3，厂商按照主观需求曲线 d_1 会预期自己的需求量将降低至 Q_4，但由于其他厂商也同样采取提价措施，该厂商需求量的下降并不像预期的那么多，实际的需求量为 Q_5，厂商的主观需求曲线也将随之调整至通过 C 点的 d_3。根据客观需求曲线的定义，连接 A、B、C 三点的曲线 D 即是客观需求曲线。

当所有厂商同样调整价格时，整个市场价格的变化会使单个垄断竞争厂商的 d 曲线沿着 D 曲线上下移动：d 曲线表示单个厂商改变价格时预期的产量，而 D 曲线表示单个厂商在每一价格水平实际面临的市场需求量或销售量，因此 d 曲线与 D 曲线相交，意味着垄断竞争市场的供求平衡状态。客观需求曲线 D 更缺乏弹性，因此更陡峭一些。主观需求曲线 d 弹性较大，因此较平坦一些。

三、垄断竞争厂商的非价格竞争

厂商之间的竞争一般采取两种手段，一是价格竞争，二是非价格竞争。价格竞争是通过降价使消费者花更少的钱却得到同样的产品和服务的一种竞争，非价格竞争就是为消费者提供更好、更有特色或者更能适合各自需求的产品和服务的一种竞争。垄断竞争市场上价格竞争会引起其他企业明显的反应，而通过非价格手段进行竞争，虽然也会引起对方的反应，但这种反应比起价格竞争引起的反应要小得多。这是因为非价格因素的变化一般不易被对方发觉，即使对方发觉，到它有所反应也需要一个过程（如设计新产品、训练推销人员均需要时间）。

非价格竞争的效果就是改善消费者对企业产品的看法，使企业的产品在消费者头脑中与其他企业的产品区别开来。显然，一旦厂商在竞争中取得了这种效果，对方要把消费者重新夺回去是不容易的，因为这需要把消费者对产品的看法再转变过来。垄断竞争厂商的非价格竞争策略具体包括以下几个途径。

1. 产品创新策略

社会发展飞速前进，在今天知识经济时代的前提下，消费者对产品的要求越来越高，标准化产品、统一的营销方式和水准已经远远不能满足消费者的需要。单一的产品品种无法满足消费者，价格因素在竞争中的影响降低，消费者开始关注产品的差异化还有其更新换代的速度。

2. 产品品牌个性化

每一种产品不同的质量、价格、外观、品位、内涵都会给消费者带来不同的感受和理念，也会给消费者带来不同程度的心理上的满足，这些都是影响消费者购买产品的重要因素。现代生活水平在不断提高，高技术含量还有高档次的产品在不断增加，产品的差异化、品牌的个性化倾向越来越显著。除了质量、价格、外观等理性方面，消费者越来越强调产品的文化内涵、个性等感性方面的影响因素，这些影响因素的增加也加深了消费者对产品及品牌的理解和依赖。

3. 产品服务竞争策略

美国著名市场营销学家西奥多·莱维特（Theodore Levitt）曾说过："未来企业竞争的焦点不再是企业能为消费者生产出具有什么使用价值的产品，而是企业能为消费者提供什么样的附加价值——服务。"因此，企业拥有的竞争优势，必须通过实施销售服务竞争策略取得。

4. 战略联盟

所谓战略联盟，就是指两家或两家以上的厂商为了实现某些共同的战略目标而结成的一种网络式联盟，联盟成员各自发挥自己的竞争优势，相互合作，共担风险，在完成共同的战略目标后，这种联盟一般都会解散，其后为了新的战略目标，厂商也可能与新的合作者结成新的联盟。战略联盟是一种适应市场环境变化的新型竞争观念，它以一种合作的态度来对待竞争者，形成商业联盟，通过建立双方的信任关系，在合作中竞争，实现优势互补，借助对方来加强各自的竞争力，在合作的基础上展开竞争，从而不断提高竞争的水平，促进社会经济和技术的不断发展进步。

5. 广告策略

随着经济的不断发展进步，买方市场格局逐渐稳定，广告越来越显示出其不可替代的价值与作用。广告是以促进销售为目的，付出一定的费用，通过特定的媒体传播产品或劳务等有关经济信息的大众传播活动。广告宣传的基本功能在于向消费者传递产品的信息，增强生产者与消费者之间的联系，以此促进产品销售。而广告之所以能在市场促销过程中具备举足轻重的作用是由广告的功能所决定的。广告的功能特点是高度普及公开、渗透性强、富于表现力，广告促销既能用于树立企业形象，也能促进快速销售。当前，促销宣传不再是仅以某种优惠或变相优惠来吸引消费者购买，而是以妥善处理公共关系、树立产品和企业的良好形象、增强消费者和社会的信任为其主流的一种商业模式。

四、垄断竞争市场的经济效率分析

在垄断竞争市场中，同一行业里的厂商数目过多，各厂商的市场份额不能使厂商充分利用已有的生产设备、生产资源，从而导致产品的平均成本无法达到最低点；而且在垄断竞争市场中，非价格竞争非常普遍，厂商将大量的成本花费在广告等营销宣传上，但不少时候这样做的结果并未使厂商的销售量增加多少，却导致了销售成本的上升。

但也并不能由此得出完全竞争市场就优于垄断竞争市场的结论。因为尽管垄断竞争市场上平均成本与价格高，资源有浪费，但对于消费者来说，可能会欢迎因垄断竞争条件而造成的产品差别，因为这样消费者就能在品种繁多的替代品中任意挑选，满足自己的特殊偏好，所以他们可能十分愿意为垄断竞争条件下的低经济效率付出代价。因此，如果不是单纯从成本角度看问题，而是从消费者福利的角度看问题，垄断竞争企业的低效率生产并不能算是一种弊病。而且垄断竞争市场上的产量要高于完全垄断市场，价格却要低。特别是在非价格竞争中，垄断竞争企业必须提高技术、改进产品，因而垄断竞争企业比完全竞争企业更有利于创新。因此，许多经济学家认为，垄断竞争从总体上看还是利大于弊的。

第五节 寡头垄断市场

一、寡头垄断市场的特征

寡头垄断市场是指少数几家厂商控制整个市场的产品生产和销售的市场组织，这与完全垄断市场和垄断竞争市场不同。完全垄断市场只有一家厂商，这家厂商的供给和需求就是一个行业的供给和需求；垄断竞争市场则有较多的厂商，每家厂商只是行业中的一份子；而寡头垄断市场则是几家大企业生产和销售了整个行业的极大部分产品，它们每家都在该行业中举足轻重。寡头垄断市场是既包含垄断因素和竞争因素，但更接近于完全垄断的一种市场结构，只是在垄断程度上有所差别。

寡头垄断市场在现实经济中占有十分重要的地位。钢铁、石油、汽车、造船、航空等行业就是典型的寡头垄断市场。例如，美国汽车业就是被通用汽车公司、福特汽车公司等几家公司控制的。

寡头行业可以分为两大类：一是每个厂商所生产的产品是同质的，称为纯粹寡头行业，如钢铁、水泥、铜等产品生产的寡头；二是每个厂商所生产的产品是有差别的，称为差别寡头行业，如汽车、计算机产品生产的寡头。

寡头垄断市场的特征有以下几个方面。

1. 厂商数目极少

市场上只有少数几个厂商，每个厂商在市场上都举足轻重，对产品价格具有相当大的影响力。厂商数目极少的原因是：①由于市场规模较小，只能容纳下几家厂商。例如，在一个小城市中，通常只有几家银行、几家电影院等。②由于规模经济。在使用综合生产线和大型机械的资本密集型工业中，工厂的适度规模是很大的，只有少数几家厂商才能达到这个标准，使自己的平均成本下降到最低状态。因此，新厂商很难进入。

2. 行业进出不易

因为在规模、资金、市场、原料、专利、信誉等方面，其他企业难以与原有企业匹敌，尤其是某些行业有明显的规模经济性，存在许多进入障碍。而且由于原有企业相互依存、休戚相关，不仅其他企业难以进入，本行业企业也难以退出。

3. 厂商相互依存

这是寡头垄断市场最基本的特征。任何一个企业进行决策时，都必须考虑竞争者可能的反应。由于寡头市场只有几家厂商，因此每家厂商的产量和价格的变动都会显著地影响本行业竞争对手的销售量和销售收入。这样，每家厂商必然会对其他厂商的产量和价格变动做出直接反应，在做决策时必须考虑其他厂商的决策，同时，也要考虑自己的决策对别的厂商的影响。因此，寡头垄断市场是一个相互依存的市场结构。寡头厂商既不是价格的制定者，也不是价格的接受者，而是价格的寻求者。因而寡头厂商的行业具有不确定性。

寡头垄断市场的这个特征，决定了其下面几种行为。

（1）它很难对产量与价格问题做出像前三种市场那样确切而肯定的答案。因为各个寡头在做出价格和产量决策时，都要考虑竞争对手的反应，而竞争对手的反应又是多种多样并难以判断的。

（2）价格和产量一旦确定后，就有其相对稳定性。这就是说各个寡头由于难以判断对手的行为，一般不会轻易变动已确定的价格与产量水平。

（3）各寡头之间的相互依存性，使它们之间更容易形成某种形式的勾结。但各寡头之间的利益又是矛盾的，这就决定了勾结不能代替或取消竞争，寡头之间的竞争往往会更加激烈，这种竞争有价格竞争，也有非价格竞争。

二、寡头厂商的合谋

寡头垄断市场厂商数目很少，具有较强的相互依存性，这就使厂商认识到，如果相互间展开激烈的竞争，势必两败俱伤，因而厂商之间进行勾结成为必然。寡头厂商通过相互勾结（合作或者说是合谋），以获得更大的利润。

寡头垄断行业的厂商通过相互勾结以达到协调行动的主要形式是建立卡特尔，即“限产保价”。一个卡特尔是一个行业的各个独立的厂商所构成的组织，在卡特尔内部就价格、产量和其他诸如瓜分销售地区或分配利润等事项达成必须严格遵守的明确的协议，通常是正式的协议。假如一个卡特尔能够根据该行业产品的需求状况和各厂商的成本状况，按照行业利润最大化原则确定产品的销售价格和全行业的生产数量，那么这样的寡头垄断市场就和完全垄断市场一样了。

然而，上述分配方式往往只是在理论上是合理的，实践中的产量分配则取决于建立卡特尔时达成的协议所做出的安排。事实上，产量不同，各成员厂商的利润也往往不同。各厂商从自身利益出发，或者对这种分配结果不满，或者在已经获取较多利润的情况下希望获取更多的利润，就可能暗中采取削价行动，或者扩大产量。由于卡特尔成员往往不多，一旦有某个成员违反协议，其行动很容易被其他厂商察觉，从而引起“连锁反应”，最终导致卡特尔崩溃。这说明卡特尔是很不稳定的。

由于寡头厂商规模庞大，如果不合谋，它们之间价格战的结果往往是两败俱伤，竞争的双方利润都趋向于零。因此，在那些不合谋的寡头垄断市场上，产品的价格往往也比较稳定，厂商比较喜欢采用非价格竞争方式，即便采用价格战的方式也是非常慎重的。

三、寡头垄断市场的经济效率分析

寡头垄断市场被认为是经济效率仅仅高于完全垄断市场的结构。它的低经济效率主要表现在以下几个方面。

（1）低产量，同时价格高于边际成本，因而从社会角度讲，意味着寡头垄断企业生产不足和资源分配的低效。由于资源不能得到最有效的利用，消费者不能得到最大的满足，因此，社会福利会受到损失。

（2）寡头垄断企业的产量一般比完全竞争企业低，价格却比完全竞争企业高，因而利润也比完全竞争企业多。由于行业壁垒的存在，寡头垄断企业可以尝试得到经济利润，这意味着社会分配的不公平。

（3）寡头垄断企业过度重视产品差别和广告等非价格竞争，造成了资源的浪费。

但一些经济学家认为寡头垄断企业有它的优势，主要表现在以下几个方面。

（1）规模经济性。和小规模企业相比，大企业可以以较低的单位成本进行生产。这也是一些国家鼓励、刺激企业合并成为少数寡头的主要原因。

（2）寡头垄断企业有研究开发的动力，而且有研究开发的实力，因而有助于技术进步。

本章小结

市场理论一直都是西方经济学的核心内容。市场由大大小小许多企业和消费者构成，它们也同时构成了种类众多的不同行业。不同行业所遇到的竞争与垄断程度是不同的，正是竞争与垄断的程度区分了不同的市场结构。不同行业的企业处于不同市场结构的背景下，决定了其产量与价格，这就是市场结构与厂商行为的关系。而厂商在激烈的市场竞争中要生存并发展，就要以实现利润最大化为根本目标。本章就是从四种不同的市场结构入手，分析各种市场结构的特点，并由此说明厂商如何在该种市场背景下实现利润最大化。

练习题

一、名词解释

完全竞争市场　垄断竞争市场　完全垄断市场　寡头垄断市场

二、单项选择题

1. 完全竞争市场中的厂商不能控制的是（　　）。

A. 价格　　B. 产量　　C. 成本　　D. 生产技术

2. 水稻市场接近于（　　）。

A. 完全竞争市场　　B. 完全垄断市场

C. 寡头垄断市场　　D. 垄断竞争市场

3. 寡头垄断厂商的产品是（ ）。

A. 同质的　　B. 有差异的

C. 既可同质也可有差异　　D. 既不同质也无差异

4. 垄断竞争厂商短期均衡（ ）。

A. 一定获得经济利润

B. 厂商一定不获得经济利润

C. 只能得到正常利润

D. 取得经济利润、发生亏损及获得正常利润都可能发生

5. 完全垄断厂商的需求曲线是（ ）。

A. 向右下方倾斜的　　B. 向右上方倾斜的

C. 垂直的　　D. 水平的

6. 一个市场上只有一个厂商，生产一种没有替代品的产品，这样的市场结构是（ ）。

A. 完全垄断　　B. 垄断竞争　　C. 完全竞争　　D. 寡头垄断

7. 一个市场有很多厂商，每个厂商生产的产品与其他厂商的产品略有差别，这样的市场结构是（ ）。

A. 完全垄断　　B. 垄断竞争　　C. 完全竞争　　D. 寡头垄断

8. 下面（ ）不是垄断竞争的特征。

A. 进入该市场较容易　　B. 厂商数目很少

C. 产品存在一定差别　　D. 厂商对产品价格有一定的控制能力

9. 最需要进行广告宣传的市场是（ ）。

A. 垄断竞争市场　　B. 完全竞争市场

C. 寡头垄断市场　　D. 完全垄断市场

10. 一个行业中只有少数几家企业，每家企业都要考虑竞争对手的行为，这样的市场结构是（ ）。

A. 垄断竞争　　B. 完全竞争　　C. 完全垄断　　D. 寡头垄断

三、多项选择题

1. 垄断产生的原因有（ ）。

A. 自然原因　　B. 资源原因　　C. 人为原因　　D. 政府原因

2. 完全垄断市场的特点包括（ ）。

A. 生产者较多　　B. 生产者唯一

C. 没有替代品　　D. 厂商有定价权

3. 垄断竞争市场的特点包括（ ）。

A. 生产者较多　　B. 生产者唯一

C. 产品相似，又有差别　　D. 其他厂商可以自由进出该行业

4. 完全竞争市场需要满足（ ）条件。

A. 市场上有大量的买方和卖方　　B. 产品同质无差异

C. 市场上投入要素可以自由流动　　D. 市场信息是完全的

5. 垄断的价格歧视有（　　　）。

A. 一级价格歧视　　B. 二级价格歧视

C. 三级价格歧视　　D. 四级价格歧视

四、简答题

1. 实行价格歧视的条件有哪些?
2. 形成寡头垄断市场的原因是什么?

五、案例分析题

能源、钢铁、农业、物流业、运输业、加工制造业、零售业、餐饮业、文化和娱乐业等都有自己的特点，它们被归入不同的市场结构。根据竞争与垄断的程度，将市场划分为四种类型：完全竞争市场、完全垄断市场、垄断竞争市场和寡头垄断市场。

试比较或总结完全竞争市场、完全垄断市场、垄断竞争市场和寡头垄断市场的不同。

第七章 要素分配理论

[学习目标]

◎知识目标

- 掌握生产要素需求的特点
- 掌握生产要素价格的均衡
- 了解工资、利息、地租、利润的决定
- 理解洛伦兹曲线和基尼系数

◎能力目标

- 能够利用要素的价格决定原理，分析现实要素市场中的问题
- 能绘制洛伦兹曲线并分析其经济学意义

◎素质目标

- 理解和掌握要素理论的核心内容，提高管理能力和素质
- 激发创新思维和创造力，培养创新能力和意识

◆ 引导案例 ◆

花农的工资

云南是著名的鲜花种植基地。假定某鲜花种植基地只有一亩地栽种培育玫瑰花，一天的时间内，花农的工资以采摘的鲜花蕾来结算，如果有50个人来采摘这一亩地，那么每个花农应该得到多少工资呢，或者说是多少鲜花蕾呢？

每个人到底能分得多少鲜花蕾，必须进行边际考虑。也就是看最后一个人，即第50个人的产量是多少，比如是8千克，也就是说，增加最后一个花农所增加的产量是8千克，这个产量就叫“边际产量”。经济学家说，每个花农应该获得的鲜花蕾就是这个边际产量，即8千克。

在这个案例中所运用到的就是要素分配理论中的工资理论。

引入问题

你是如何理解要素分配理论的？

第一节　生产要素的需求与供给分析

在市场经济中，要素通过生产要素市场实现流转，生产要素市场与产品市场具有相同点，二者均由生产者和消费者的行为来共同决定价格，并通过要素或产品流转的过程调节经济资源，实现资源的有效配置。而与产品市场不同的是，厂商或生产者在生产要素市场上是作为需求方来购买生产要素的，消费者或者居民则成为生产要素的供给者。

在本章中，首先要清楚分配理论是关于资源分配的理论，主要是解决微观经济学三个基本问题中的“为谁生产”这一问题。其次，要了解什么是生产要素。在西方经济学中，萨伊首先提出生产三要素，即劳动、土地、资本，与这三要素相对应的要素价格分别是工资、地租和利息。马歇尔把萨伊的生产三要素扩充为生产四要素，即劳动、土地、资本、企业家才能，马歇尔运用均衡价格分析方法研究四个生产要素，四个生产要素的均衡价格主要由工资、地租、利息和利润来决定，由此确立了分配理论的中心和研究基础。也就是说，分配理论就是解决“生产要素的价格决定”问题。

一、生产要素的需求分析

1. 生产要素的需求的特点

（1）生产要素的需求是一种派生需求，也可以称之为引致需求。由前文可知，生产要素的需求来自厂商，而厂商是以追求利润最大化作为目标的，当这样的生产者需要某种生产要素时，说明该生产要素可以生产出有利可图的产品，而且这样的产品是消费者现在或将来愿意购买的已经具有市场或者将存在市场潜力的产品，也就是说，生产者使用生产要素的目的是生产出消费者需要的产品，以获取最大利润。生产者对劳动、土地等生产要素的需求是从消费者对最终消费品的需求中间接派生出来的，故而生产要素的需求是一种派生需求。

（2）生产要素的需求是一种联合需求，也可以称之为复合需求。生产过程中所需要的要素是多样化的，并且具有替代性或互补性，各种生产要素需要共同发挥作用才能生产出最终的产品。例如，在一个工厂内，单有工人，或单有机器设备，是无法生产出产品的，只有工人和机器设备结合起来，工人运用机器设备才有可能生产出产品，而工人和机器设备又在一定程度上可以相互替代。这里需要注意的是，在一定范围内，生产要素替代变动会受到边际收益递减规律的影响。

2. 影响生产要素需求变动的因素

（1）市场对产品的需求以及产品价格的变动。一般情况下，市场对某种产品的需求越大，该产品的价格越高，则对生产这种产品所需的生产要素的需求就越大，反之需求就越小。

（2）生产要素密集类型，也可以称为生产技术水平的影响。如果厂商的生产方式是资本密集型的，则对资本的需求大，生产技术水平要求高；如果是劳动密集型的，则对劳动要素的需求大，生产技术水平要求低。

（3）生产要素的价格及其可替代性。企业一般要用价格低的生产要素替代价格高的生产要素，因而生产要素的价格本身对其需求就有重要的影响。当生产要素的价格上升，对其需求便会减少，反之则会增加。

3. 完全竞争市场中的生产要素需求

厂商购买生产要素的目的是实现利润最大化。假定完全竞争厂商（所处产品市场与要素市场都是完全竞争的）只使用一种生产要素、生产单一产品、追求最大限度的利润，它必须使生产要素使用的边际成本与边际收益相等。在完全竞争市场上，企业对生产要素的需求就取决于生产要素的边际收益，进而取决于该要素的边际生产力。

（1）要素的边际收益是指厂商增加一单位要素使用量所增加产量的收益，等于要素投入带来的边际产量乘以产品的价格，可称之为边际产品价值，用VMP表示。当产品都按统一的价格P销售时，要素的边际收益由投入要素的边际产量所决定。在其他条件不变的前提下，随着要素投入量的不断增加，边际产量存在递减的规律，因此要素的边际收益也存在递减规律。当只使用劳动一种生产要素时，随着劳动投入量的增加，劳动的边际收益递减，如图7-1所示。

（2）要素的边际成本（MC）是指厂商增加使用一单位生产要素所增加的成本。当要素市场是完全竞争的，那么单个要素供给者和要素需求者都是要素价格的接受者，当只使用劳动一种生产要素时，要素的边际成本便是劳动市场上劳动的工资，用W表示。

完全竞争厂商使用生产要素的原则为：$\text{VMP}=W$

如果 $W<\text{VMP}$，即每增加一单位要素所增加的收益大于每增加一单位要素所增加的成本，厂商有利可图，就会增加该要素的需求量；反之，厂商就会减少该要素的需求量。而当一单位要素所带来的收益恰好等于该要素的成本时，即 $\text{VMP}=W$ 时，厂商对该要素的需求处于均衡状态，如图 7-2 所示。

当劳动力市场上工资水平为 W_1 时，在利润最大化条件下，完全竞争厂商确定的劳动投入量为 L_1；当工资水平为 W_2 时，在利润最大化条件下，完全竞争厂商确定的劳动投入量为 L_2，因此，实际上 VMP 曲线也是完全竞争厂商对劳动的需求曲线。

由于整个行业和整个市场的生产要素需求是各个厂商需求之和，因此行业和市场的生产要素需求曲线也是一条向右下方倾斜的线。

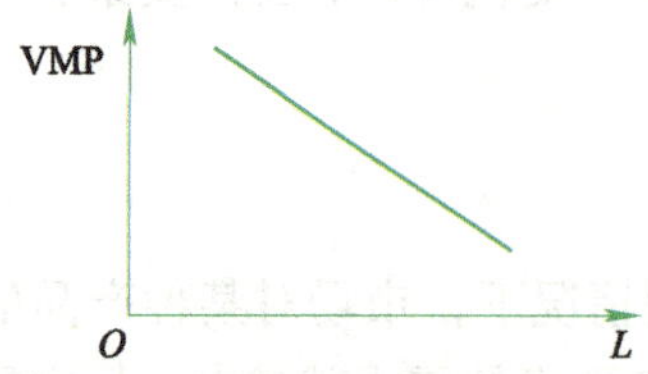

图7-1 厂商的边际产品价值

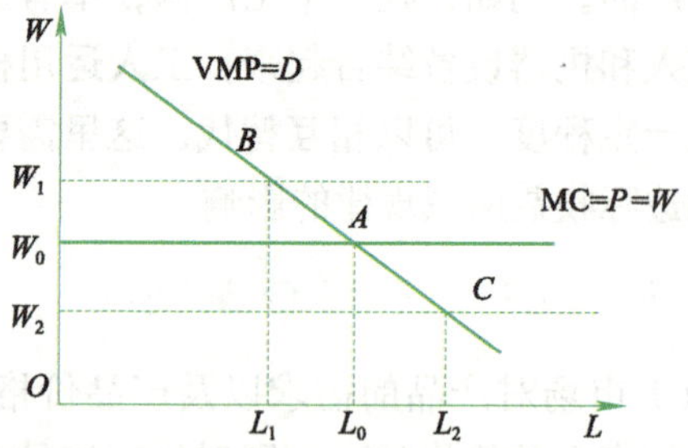

图7-2 完全竞争厂商的生产要素需求曲线

二、生产要素的供给分析

从要素的供给来看，它有两个来源：一个是生产中间产品（中间要素）的厂商；另一个是来自个人或家庭。由于中间产品的供给和一般产品的供给一样，因此本章主要分析要素所有者为个人或家庭的情况。个人或家庭在消费理论中是消费者，在要素价格理论中是生产要素所有者。个人或家庭拥有并向厂商提供各种生产要素。生产要素的供给是指在不同的报酬下生产要素市场上所提供的要素数量。生产要素的供给价格是生产要素所有者对提供一定数量生产要素所愿意接受的最低价格。

第三章已经讨论了消费者所采取的不同行为都是为了追求自身的效用最大化，因此本部分从消费者追求效用最大化的行为中去建立其要素供给量和要素价格之间的关系。

消费者所拥有生产要素的供给特点是：要素数量在一定时期内总是保持不变的。例如，一天只有 24 个小时，则工作时间不能超过 24 个小时，剩下的时间则保留自用。实际上，对于消费者而言，便是在要素价格一定的前提下，将所拥有的要素在要素供给和保留自用中进行分配以获得效用最大化。

作为要素供给的这部分要素的边际效用要等于作为保留自用的这部分要素的边际效用。如果作为要素供给的最后一单位要素带来的边际效用大于保留自用的最后一单位要素的边际效用，则可以通过增加要素供给、减少保留自用部分来增加总效用，直到实现边际平衡，即二者相等时总效用最大；反之则可以减少要素供给，增加保留自用部分以增加总效用。这也是边际平衡在生活当中的运用：任何资源在不同用途上的分摊平衡点一定是每种用途的最后一单位带来的边际效用都相等时总效用达到最大。

在实现边际平衡的过程中，消费者作为要素供给者，通过提供要素获得收入而增加效用。一般情况下，在要素市场上，要素价格上升，意味着消费者提供要素的收入会增加，则效用会增加，因此消费者会愿意增加要素的供给；反之，要素价格下降会减少要素的供给，其供给价格和数量呈同方向变动。因此，生产要素的供给曲线是一条向右上方倾斜的曲线，如图 7-3 所示。

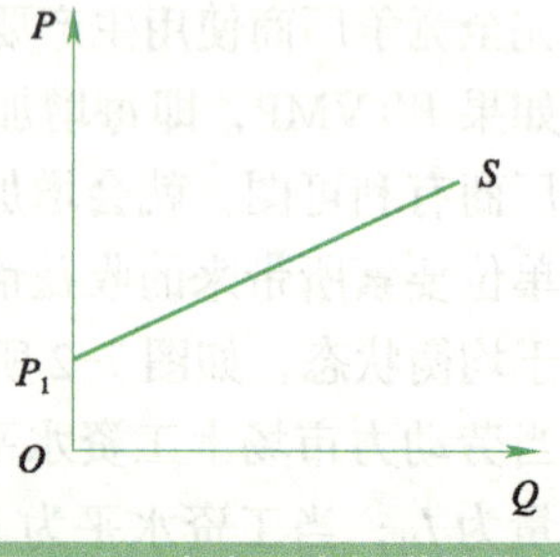

图7-3 生产要素的供给曲线

但不同生产要素的供给曲线又有自己的变化规律，如土地，由于总量有限，所以其供给是一条垂直于横轴的直线，劳动的供给也由于其本身的特点是向后背弯的。

三、生产要素市场的均衡

要素价格同产品价格一样，是由其需求和供给相互作用共同决定的，均衡价格为要素的需求曲线和供给曲线的交点处代表的价格，如图 7-4 所示。

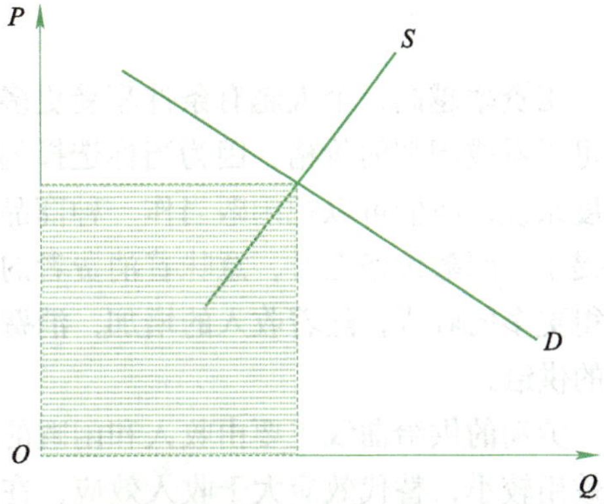

图7-4 要素市场的均衡

第二节 工资理论、地租理论、利息理论和利润理论

一、工资理论

工资是劳动力提供劳务之后所获得的报酬，即劳动这种生产要素的价格。劳动者提供了劳动，获得了作为收入的工资。

（一）劳动的需求曲线

马歇尔认为，工资理论可以以均衡价格理论为基础，从需求与供给两个方面来说明工资的决定。厂商对劳动的需求取决于劳动的边际收益，随着劳动这一要素的使用量增加，劳动的边际收益递减，因此随着劳动数量的增加，厂商愿意为每一单位劳动支付的价格呈下降趋势，所以劳动需求曲线从左上方向右下方倾斜。将所有厂商对劳动的需求曲线水平进行加总求和就是劳动市场需求曲线，即得到一条向右下方倾斜的需求曲线。

（二）劳动的供给曲线

劳动的供给实际上就是分析时间资源的分配问题，即如何安排闲暇和劳动。实际上，闲暇便是属于要素的保留自用，剩下的时间便是用于劳动这种要素的供给；闲暇可以带来身心的享受，获得效用，同样劳动的供给可以带来收入，获得效用。消费者需要在闲暇与收入之间做出选择，以实现效用最大化。

当工资率提高时，会给消费者带来两种效应。

1. 替代效应

工资率越高，对牺牲闲暇的补偿越大，消费者越愿意用多劳动替代闲暇。由于闲暇与劳动之间存在相互替代的关系，即当消费者增加闲暇时必须减少劳动，增加劳动时必须减少闲暇。我们可以把劳动的工资看成选择闲暇的机会成本，当工资提高时，选择闲暇放弃的代价增加，机会成本增加，因此往往消费者此时愿意以增加劳动来代替闲暇。

2. 收入效应

工资率越高，个人越有条件享受更多的娱乐，越不愿意增加劳动的供给。实际上，工资可以看成闲暇的价格，因为当你选择闲暇，意味着你损失了工资带来的收入，从另一个角度来说，我们可以把闲暇当作一种商品，是用这份工资购买了闲暇。在其他条件不变的前提下，闲暇价格上升，意味着消费者的实际收入增加，此时消费者提供同样的劳动可以获得更多的收入，随着收入的增加，消费者会增加对闲暇商品的购买，相应地便是减少劳动的供给。

劳动的供给曲线主要由收入和闲暇的效用两者决定。在工资率较低时，收入低，闲暇的效用较小，替代效应大于收入效应，在这一阶段，劳动的供给量会随着工资率的上升而增加。当工资率提高到一定程度后，收入大大提高，闲暇的效用增加，收入效应大于替代效应，在这一阶段，劳动的供给量会随着工资率的上升而减少。（W_1，L_1）之前，劳动供给曲线向右上方倾斜，但在此点之后，随着工资的增加，劳动供给量反而减少，供给曲线“弯”向左边。个人的劳动供给曲线则具有“向后弯曲”的特征，如图7-5所示。

劳动的市场供给曲线一般还是随着工资上升而向右上方倾斜。这是因为高工资可以吸引新的工人加入。在劳动市场上，劳动的需求曲线与供给曲线相交于均衡点E，E点将对应一个均衡的工资W_0和劳动数量L_0，如图7-6所示。

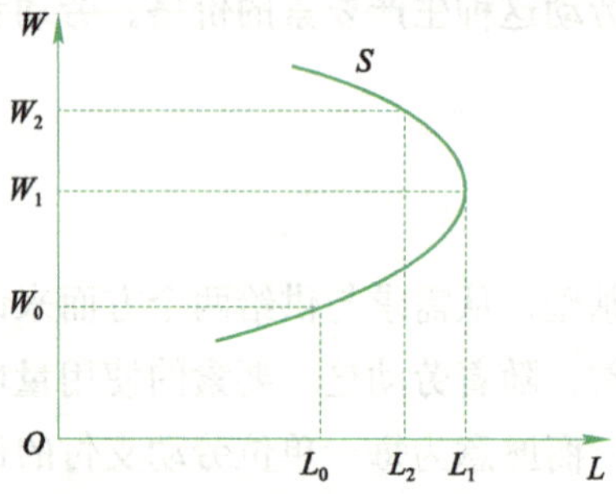

图7-5 劳动的供给曲线

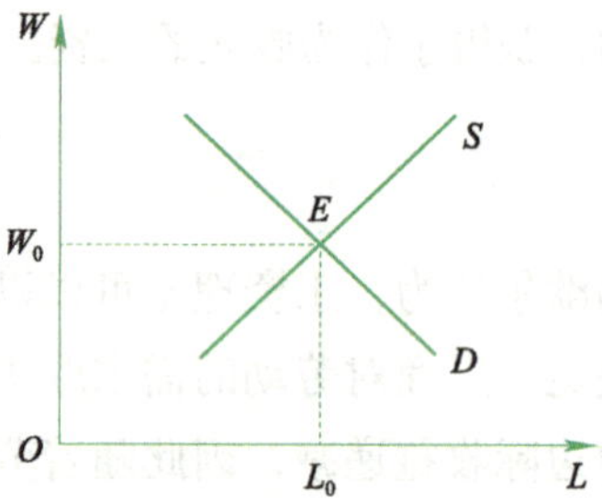

图7-6 工资的形成

（三）工资差异的形成

不同地区、不同职业以及不同产业之间的工资差异是非常大的。实际上每一个岗位都有特定的需求与供给，因此由各自需求与供给相互作用形成的工资会有天然的差异。通过调查分析，工资差异可以从以下三个方面进行解释。

（1）补偿性工资差异。这种差异是由于工种之间的差异导致的，因为各工种吸引力不同，必须通过提高工资来吸引人们进入那些吸引力较小的工作岗位，此时的供给小于需求，所提供的补偿形成的工资率差异成为补偿性差异。例如高空作业工人的高工资。

（2）劳动质量本身造成的差异。由于劳动者接受教育、培训的程度不同，往往造成了不同劳动者之间工作能力的差异，对不同劳动者的需求不一致，这也就造成了对不同能力支付的报酬不同。例如一般保洁人员的工资和企业经理的工资。

（3）劳动市场的信息不对称导致的工资差异。由于信息不对称，可能造成市场之间的分割，同样的劳动对自己愿意接受的工资水平会存在差异，因此同样的劳动在不同市场上所获得的报酬不一致。例如发达地区和落后地区工资的差异。

课堂讨论

工资由什么决定

设想两位工程师，王工程师和赵工程师，他们分别在不同的城市工作，具有相似的技术背景和工作经验。王工程师在上海市的一家知名跨国公司担任高级软件工程师，而赵工程师在昆明市的一家创新型初创企业担任同样的职位。虽然他们的职位和技术背景相似，但他们的工资可能会因为多种因素而有所不同。

二、地租理论

经济学中的土地泛指一切自然资源，这些自然资源既不能被生产出来，又不会毁灭。也就是说，这些自然资源的数量既不能增加也不能减少，即土地的“自然供给”是固定不变的。

地租是土地使用的服务价格，或者说是土地这一生产要素的收益或价格，而不是土地买卖的价格。经济学家保罗·萨缪尔森则认为，地租是为使用土地付出的代价，因为土地供给数量是固定的，因此地租完全取决于土地需求者之间的竞争。

土地供给是指在各种可能的地租下，人们愿意提供的土地数量。前面假定土地的自然供给即自然赋予的土地数量是固定不变的，因此土地的供给曲线为垂直于横轴的直线。

（一）地租的决定

地租由土地的需求与供给决定。土地的需求取决于土地的边际收益，土地的边际收益也是递减的。因此，土地的需求曲线是一条向右下方倾斜的曲线。但土地的供给是固定的，土地的供给曲线就是一条与横轴垂直的线。与工资一样，地租是由土地市场的供给和需求共同决定的。土地的供给曲线和需求曲线的交点决定了土地的价格，如图 7-7 所示。

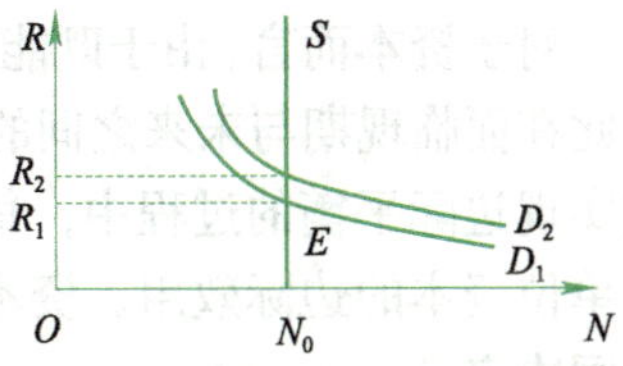

图7-7 地租的形成

具体来说，导致地租上升的原因主要有两个：①由于生产技术不断进步导致土地的边际生产力提高；②因为城镇化的推进，使得土地被不断占用，从而导致人们对土地需求的增加。

（二）准租金、经济租金

有些要素，如一些设施，其数量在短期内也是固定不变的，租用这些设施而支付的报酬也类似于地租，被称为准租金。所谓准租金，就是对供给量暂时固定的生产要素的支付，即固定生产要素的收益。准租金只在短期内存在。

经济租金是指提供一定数量的要素的所有者实际得到的报酬与愿意接受的最低报酬之差，类似于生产者剩余，如图 7-8 中的阴影部分所示。

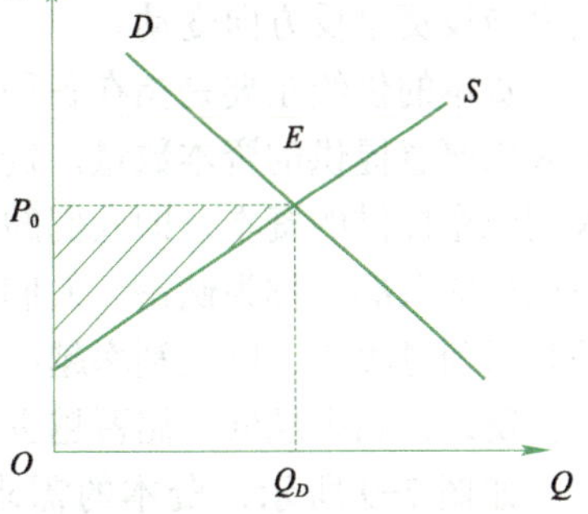

图7-8 经济租金

三、利息理论

（一）资本和利率

资本是由经济制度本身生产出来的耐用的生产资料，可以用作投入要素以生产更多的商品和劳务。在现实生活中，资本总是表现为一定的具象物，如货币、机器、厂房、原料、商品等。但资本的本质并不是物，而是体现在物上的生产关系。

资本的主要特征有：①它的数量是可以改变的，即它可以通过人们的经济活动生产出来；②它之所以被生产出来，其目的是以此而获得更多的商品和劳务；③它是作为投入要素，即通过用于生产过程来得到更多的商品和劳务的。

利息就是资本这种生产要素的价格。利息用利率来表示，利率就是利息在资本中所占的比率。

实际上，在分析资本的价格时，是在以往的分析中加入了时间维度，是分析资本所有者在现期消费与未来消费之间的选择问题。对于任何人来说，不考虑其他因素，在现期与未来之间始终更偏好现期消费带来的满足感，因此如果要人们放弃现期消费让渡资本所有权，则必须要有相应的补偿，这个补偿就是利息。只有当利息收入带来的满足感大于资本现期消费带来的满足感时，人们才愿意让渡资本的所有权。

美国经济学家欧文·费雪认为，利息起源于时间，起源于人对延迟消费的耐心，只要与时间有关的现象，都涉及利息。

对于每一个人而言，能够把握的都是现在，未来都是充满不确定性的，因此推迟消费面临的风险就越大，补偿就越高，补偿就是利率的基础。未来越是不确定，利息就越高；消费推迟得越久，利息也越高。

对于资本而言，由于既能通过现期消费获得效用，也能投资于未来获得收入，增加效用，因此在面临现期与未来之间的选择时同样应该满足边际平衡的原则，从而实现效用最大化。在实现边际平衡的过程中，每一单位资本能够获得的边际效用与它的价格有关，即利息影响单位资本的边际效用。资本与一般商品一样，它的价格仍然由市场对资本的需求与供给共同决定。

（二）利率的决定

投资代表资本的需求，储蓄代表资本的供给，这里用投资与储蓄来说明利率的决定。在利润率既定时，资本作为生产要素投入生产过程中，在其他条件不变的前提下，增加资本所带来的收益增量是递减的，因此随着资本投入量的增加，企业愿意为单位资本支付的价格是下降的，资本的需求曲线向右下方倾斜，利率与投资呈反方向变动。

资本的供给主要是指在各种可能的利率水平下人们愿意提供的资本数量。资本的供给依存于人们愿意提供的资本，即人们的收入用于个人消费以后的余额，称为储蓄。人们进行储蓄的目的是获得利息收入，因此利率越高，人们越愿意储蓄；反之，利率越低，储蓄越少。

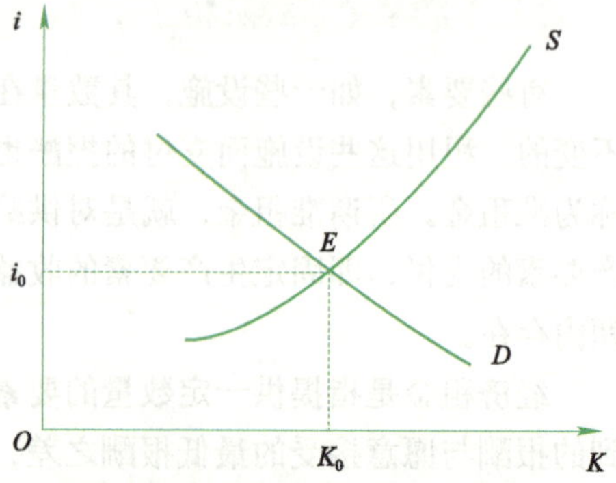

图7-9 资本市场的利率决定

如图 7-9 所示，资本的需求曲线 D 和供给曲线 S 相交于均衡点 E，E 点对应的均衡利率为

i_0，对应的资本为 K_0，它表示利率水平为 i_0 时，投资者对资本的需求恰好等于储蓄者愿意提供的资本。

四、利润理论

在经济学上，一般把利润分为正常利润和超额利润（经济利润）。

（一）正常利润

正常利润，即企业家才能的价格，这是一种特殊的工资。正常利润的决定与工资类似，它取决于企业家才能的供求关系。正常利润包括在经济学分析的成本之中，收支相抵就是获得了正常利润。完全竞争中，长期均衡的利润最大化就是获得正常利润。

（二）超额利润

超额利润也称为经济利润，即超过正常利润部分的利润。完全竞争条件下，达到均衡就不存在任何形式的超额利润。企业获得超额利润的途径主要有以下三种。

（1）创新的超额利润。创新是指企业家对生产要素实行新的组合。

（2）承担风险的超额利润。承担风险是指对某项事业可能失败的补偿。

（3）垄断的超额利润。垄断对经济的长远发展不利，此种方式不合理。

（三）利润在经济中的作用

（1）正常利润作为企业家才能的报酬，鼓励企业家更好地管理企业，提高经济效益。

（2）由创新而产生的超额利润鼓励企业家大胆创新，这种创新有利于社会的进步。

（3）由承担风险而产生的超额利润鼓励企业家勇于承担风险，从事有利于社会经济发展的风险事业。

（4）追求利润的目的使企业按社会的需要进行生产，努力降低成本，有效地利用资源，从而在整体上符合社会的利益。

（5）整个社会以利润来引导投资，使投资与资源的配置符合社会的需要。

第三节　收入分配理论

知识链接　　恩格尔系数

国家统计局在开展住户调查时，一个非常重要的部分就是调查城乡居民的收支和生活状况。其中，支出情况使用恩格尔系数来表现。国家统计局 2019—2023 年统计的用来表示人们生活水平的数据（这个数据叫作恩格尔系数，是食品支出总额占个人消费支出总额的比重）见表 7-1。

表7-1　2019—2023年的恩格尔系数

指　标	2019 年	2020 年	2021 年	2022 年	2023 年
居民恩格尔系数（%）	28.2	30.2	29.8	30.5	29.8
城镇居民恩格尔系数（%）	27.6	29.2	28.6	29.5	28.8
农村居民恩格尔系数（%）	30.0	32.7	32.7	33.0	32.4

收入情况则使用基尼系数来表现，全国居民基尼系数可以通过历年《中国住户调查年鉴》“第七部分住户调查其他数据”中的“全国居民人均可支配收入基尼系数”查询，但没有分城乡的居民基尼系数。

收入分配平等程度的衡量主要利用洛伦兹曲线和基尼系数。

一、洛伦兹曲线

洛伦兹曲线是由美国统计学家M.O. 洛伦兹于1905年提出来的。洛伦兹首先将一国总人口按收入由低到高的顺序排列，然后计算出收入最低的任意百分比人口所得到的收入百分比。例如，收入最低的20%人口、40%人口等所得到的收入比例分别为3%、8%等，见表7-2，最后，将得到的人口累计百分比和收入累计百分比的对应关系描绘出来，即得到洛伦兹曲线，如图7-10所示。

表7-2 收入分配资料

人口累计	收入累计	人口累计	收入累计
0	0	60%	29%
20%	3%	80%	49%
40%	8%	100%	100%

洛伦兹曲线是用来衡量社会收入（或财产分配）平均程度的曲线。在洛伦兹曲线中，弯曲程度越大，分配越不平均；弯曲程度越小，分配越平均。

图7-10中*OY*这条线被称为45°线——收入绝对平等曲线，*OPY*曲线被称为收入绝对不平等曲线。洛伦兹曲线介于这两条线之间，越接近*OY*，收入分配越平等；越接近*OPY*，收入分配越不平等。如果把收入改为财产，洛伦兹曲线反映的就是财产分配的平均程度。

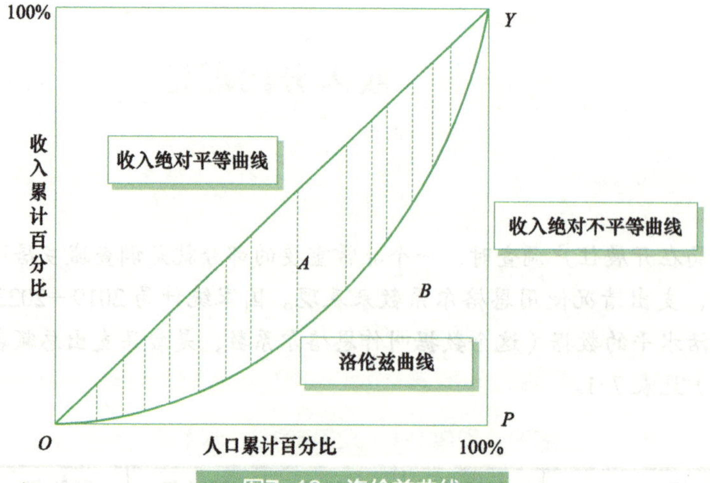

图7-10 洛伦兹曲线

二、基尼系数

根据洛伦兹曲线可以计算出反映收入分配平均程度的指标，这一指标称为基尼系数。

洛伦兹曲线与收入绝对平等曲线 OY 之间的面积为 A，洛伦兹曲线与收入绝对不平等线曲线之间的面积为 B，则基尼系数 $=A/(A+B)$。

当 $A=0$ 时，基尼系数为 0，表明洛伦兹曲线与 45° 线重合，社会分配绝对平均；当 $B=0$ 时，基尼系数为 1，表明收入分配处于绝对不平均状态。当基尼系数在 0 与 1 之间时，其数值越小，表明收入分配越平均。

基尼系数在 0.19 以下，则收入分配相当平均；基尼系数在 0.19 ～ 0.25 之间，则收入分配比较平均；基尼系数在 0.25 ～ 0.40 之间，则收入分配基本平均；基尼系数在 0.40 以上，则收入分配很不平均。

影响基尼系数大小的因素主要有以下几个。

（1）社会制度。社会主义国家的基尼系数一般要低于资本主义国家，这是由于社会主义国家实行统一的按劳分配，而劳动能力的差别所引起的收入差异一般只能相差3～5倍；而资本主义国家实行生产资料私有制，导致收入差距扩大。

（2）经济体制。我国在计划经济时期，基尼系数较低；改革开放后，实行市场经济体制，基尼系数有所上升。

（3）法律制度。法律制度不健全的国家，劳动者的利益往往受到侵害，收入水平受到影响，进一步拉大了收入差距。

（4）教育因素。随着教育资源的普及，有助于缩小收入分配差距。

值得注意的是，基尼系数代表的是统计点这个时间的瞬时收入情况。实际上某一个时间点的收入并不能代表某一个人的终身收入，不同的职业在不同的年龄阶段其收入是有差别的。因此基尼系数计算的某一个时点的收入分配情况亦存在弊端。

三、效率与公平

案例分析 到底是谁的马粪

1869 年曾发生过这样一起案件，案中的原告请了两个帮工去路上捡马粪，那时候的马粪对农民来说可是个好东西，算得上是一笔财富，于是这两个人从早上 6 时干到晚上 8 时，在马路上一共堆起了 18 堆马粪，但是到后面发现马粪太多拿不动，就商量着回家拿车第二天再来取，而这 18 堆马粪也没做标记。到了第二天的上午，案中的被告看到了这些马粪，就问当时巡逻的人，这些马粪有没有主人，有没有让别人把这些马粪搬走，巡逻人说不知道这是谁的，也没叫人搬走，于是被告就把这些马粪运走了。到了中午，昨晚的两个帮工带着车来发现马粪没有了，一问之下，发现是被告拿的，双方发生争执，就闹到了法庭上。如果你是法官的话，你会把马粪判给谁？

1. 鼓励创造财富，社会才会向前发展

上面的案例中，对于法官来说，判给谁考虑的不是个人得失，而是社会的发展。对于收集马粪的人，可以把他们看作通过劳动创造财富的人，如果判给他们，实际上是政府向社会宣告会保护个人的劳动成果，由此可以激励大家认真劳动、努力工作；如果判给看见马粪就把马粪拿走的人，可能人们就会形成一种预期，只要是没有人看管的东西，都有可能被别人拿走。一方面可能激励大家不用劳动而直接寻找可以占为己有、没人看管的东西，另一方面也促使人们花大量的时间和精力去看管自己的东西，从而造成资源的浪费，不利

于经济社会的发展。

因此，法官把马粪判给了原告。

2. 公平背后是效率的考量

尊重别人的劳动成果，这是社会所公认的一种公平观念，但实际上也是一种对效率的考量。因为在没有对产权进行保护的前提下，个人需要付出努力去保护自己的财产，这时财产的保护是要消耗资源的。当消耗的资源越多，财产的净值就越小；对于社会而言，道德越规范，人们就越能自觉遵守，不必要的资源消耗才能减少，社会的财富也才能越积越多。

因此，从经济学的角度去分析，公平的背后必定是有效率的支撑。公平的规则应该是能促使社会里的每个人积极地积累、创造财富的规则，能促进社会健康发展的规则。

公平和效率实际上就是一个硬币的两面。

本章小结

分配理论要解决为谁生产的问题，即生产出来的产品按什么原则分配给社会各阶级。各种生产要素所获得的报酬就是生产要素的价格。因此，分配理论就是要解决生产要素的价格决定问题。分配理论是价格理论在分配问题上的应用，分配是由价格决定的。本章从生产要素的需求与供给入手，然后介绍工资、地租、利息和利润理论。最后，通过洛伦兹曲线与基尼系数的运用从社会的角度来研究分配问题。

练习题

一、名词解释

派生需求　联合需求　工资　地租　洛伦兹曲线　基尼系数

二、单项选择题

1. 在现在的市场上，建筑工人的报酬比较高，原因是在这个行业中（　　）。
   A. 对建筑工人的技能要求不是太高
   B. 非熟练劳动力所占比重较小
   C. 大部分的建筑工人都属于非熟练工人
   D. 熟练劳动力所占的比重较大
2. 资本的价格是（　　）。
   A. 工资　　B. 利息　　C. 地租　　D. 利润
3. 在洛伦兹曲线上，离45°线越远表示（　　）。
   A. 对社会分配没有影响　　B. 社会分配越不平均
   C. 社会分配越平均　　D. 以上都不对

4. 基尼系数在 0.40 以上，则收入分配平均。这种说法是（　　）的。

A. 正确　　B. 错误

5. 在经济学上，一般把利润分为正常利润和非正常利润。这种说法是（　　）的。

A. 正确　　B. 错误

6. 在利润率既定时，利率与投资成（　　），因此资本的需求曲线是一条（　　）的曲线。

A. 反方向变动，向右上方倾斜　　B. 同方向变动，向右下方倾斜

C. 反方向变动，向右下方倾斜　　D. 同方向变动，向左下方倾斜

7. 随着工资水平的提高，（　　）。

A. 劳动的供给量会一直增加

B. 劳动的供给量会一直减少

C. 劳动的供给量会先增加，到一定程度后减少

D. 劳动的供给量增加到一定的程度后就不变了

8. 资本的需求曲线 *D* 和供给曲线 *S* 相交于均衡点 *E* 时，表示投资者对资本的需求恰好等于储蓄者愿意提供的资本。这个说法是（　　）的。

A. 正确　　B. 错误

9. 在不完全竞争市场上，劳动的需求与供给共同决定了工资水平。这个说法是（　　）的。

A. 正确　　B. 错误

10. 在不完全竞争市场上，对一个厂商来说价格是变动的。这时，生产要素需求取决于（　　）。

A. MR>MC　　B. MR=MC

C. 仅关于价格水平　　D. MR<MC

三、多项选择题

1. 以下选项中，是利润在经济中的作用的有（　　）。

A. 正常利润作为企业家才能的报酬，鼓励企业家更好地管理企业，提高经济效益

B. 由创新而产生的超额利润鼓励企业家大胆创新，这种创新有利于社会的进步

C. 由承担风险而产生的超额利润鼓励企业家勇于承担风险，从事有利于社会经济发展的风险事业

D. 追求利润的目的使企业按社会的需要进行生产，努力降低成本，有效地利用资源，从而在整体上符合社会的利益

E. 整个社会以利润来引导投资，使投资与资源的配置符合社会的需要

2. 资本的主要特征有（　　）。

A. 它的数量是不可以改变的

B. 是一种投入要素

C. 生产出来的目的是以此获得更多的商品和劳务

D. 可以通过人们的经济活动生产出来

3. 工会提高工资的方式，不包括（　　）。

A. 实行最低工资法　　B. 增加对劳动的供给

C. 减少对劳动的供给　　D. 减少对劳动的需求

4. 影响生产要素供给的因素与影响生产要素需求变动的因素包括（ ）。
   A. 市场对产品的需求及产品的价格　　B. 生产要素的价格
   C. 人口的规模与结构　　D. 居民的收入和生活水平
   E. 生产要素的稀缺及替代程度
5. 马歇尔认为生产要素主要包括（ ）。
   A. 劳动　　B. 科技水平　　C. 土地　　D. 企业家才能
   E. 资本

四、简答题

1. 生产要素需求的特点是什么？
2. 地租是如何决定的？
3. 什么是洛伦兹曲线和基尼系数？基尼系数的计算公式是什么？

五、案例分析题

昆明地铁的开通为市民的出行带来了便利，也在一定程度上缓解了路面交通的压力。2011 年，呈贡县撤县设区，昆明市政府行政中心也搬至呈贡区，当时的呈贡区楼盘均价在 4 000 ～ 5 000 元 / 平方米之间，随着地铁一号线、二号线和四号线的建设和连接，截至 2023 年 11 月，呈贡区楼盘均价在 1.1 万元 / 平方米左右。

根据这一情况，请分析城市轨道交通对沿线住宅价格的影响。

第八章

市场失灵与微观经济政策

[学习目标]

◎知识目标

- 理解市场失灵的含义
- 掌握垄断、外部性、公共物品和信息不对称的内涵
- 了解科斯定理、公地悲剧、逆向选择和道德风险
- 了解微观经济政策的主要内容

◎能力目标

- 能运用所学知识判断出现市场失灵的原因，并能提出简单的解决措施

◎素质目标

- 培养对市场失灵问题的敏感度和批判性思维，并提出相应的解决方案
- 培养政策分析和评估的能力，能够对各种微观经济政策进行剖析和评价

◆ 引导案例 ◆

社会美德的激励机制

在我们的生活中，会倡导各种各样的社会美德，小到捡起地上的空饮料瓶，大到见义勇为等。为什么社会要表扬这些行为并号召大家学习呢？为什么人人都认为空饮料瓶应该捡起来，但有的人又不愿意自己捡呢？这涉及的仅仅是道德问题吗？为什么社会要把捡起空饮料瓶的这种行为打上美德的标签？

其实这些都是经济学问题：人人都认为空饮料瓶应该捡起来，是因为捡起空饮料瓶的社会收益大于社会成本，因为倘若有人因此而摔倒，不仅可能会受伤带来身体的疼痛，还要支付一定的医疗费用，而捡起空饮料瓶却非常容易，几乎不需要任何成本。与此同时，有的人又不愿意自己捡，是因为私人成本大于私人收益，一个已经注意到空饮料瓶存在的人并不会因此而摔倒，因此捡了也不会给自己带来什么好处，作为理性的个人，通过比较后选择不捡是合理的。

但是，社会的发展必须注重的是整体社会的总福利，因此我们还要追求社会总体利益的最大化才能促进社会的进步。党的二十大报告指出："全面贯彻党的教育方针，落实立德树人根本任务，培养德智体美劳全面发展的社会主义建设者和接班人。"我们需要更多的"美德"行为来促进社会文明的发展，并给这些行为打上"美德""英雄"等标签，建立一种道德激励的机制来鼓励大家的行为，此种机制比诸如法律政治的安排更为节约成本，其收益高于成本。

引入问题

被激励的社会美德有什么样的特点？通过这些行为是否实现了社会资源的优化配置？

在微观经济学的分析中，我们假设市场机制是完善的，市场能够在价格机制的引导下自发地实现资源的优化配置，实现市场的优胜劣汰，促进生产效率的提高。但是在现实生活中，市场机制并不具备完善的条件，如信息不对称等，从而会出现资源不能实现最优配置的情况，即出现了市场失灵。

导致市场失灵的原因主要有垄断、外部性、公共物品和信息不对称等，此时价格机制不能正常发挥作用，便出现了市场运行的低效率，这就有必要通过微观经济政策对其加以弥补和矫正。

第一节 垄断与市场失灵

垄断是某些势力对市场的控制及操纵。由于市场机制本身不能保证竞争的完全性，便会出现垄断势力对市场的操控，它是市场不完善的表现，在这样的市场里面，往往产品的价格较高而产量较少，是一个低效率的市场。

一、垄断的市场失灵表现

1. 垄断造成了低效率的生产

不管是在什么样的市场结构，厂商都根据利润最大化的原则，使生产满足边际成本等于边际收益。在完全竞争市场里，由于单个厂商面临的需求曲线是一条水平线，价格就等于边际收益；而在垄断市场里，垄断厂商的需求曲线是市场的需求曲线，向右下方倾斜，此时价格并不等于边际收益，而是高于边际收益，也高于了边际成本。垄断厂商可以在既定的成本上，提高市场价格，降低产量水平，从而造成了生产的低效率，没有达到资源的最优配置，形成了资源的浪费。

2. 垄断造成了社会福利的净损失

在完全竞争市场里，消费者剩余和生产者剩余都达到了最大，因此整体的社会福利水平是最高的。而在垄断市场里，由于价格的提高，消费者剩余大大减少，生产者剩余也有所减少，整体社会福利水平下降，没有实现社会整体资源的最优配置。

在图 8-1 中，市场的供求均衡点为 E_0 点，均衡价格为 P_1，均衡数量为 Q_1，消费者剩余为三角形 AP_1E_0 的面积，生产者剩余为三角形 P_1FE_0 的面积，社会总福利为三角形 AFE_0 的面积；当形成垄断之后，垄断厂商根据边际收益等于边际成本的原则，将价格定在了 P_2，产量为 Q_2，此时，消费者剩余为三角形 AP_2B 的面积，生产者剩余为四边形 P_2FDB 的面积，社会总福利为梯形 $AFDB$ 的面积，则社会福利净损失为三角形 BDE_0 的面积。

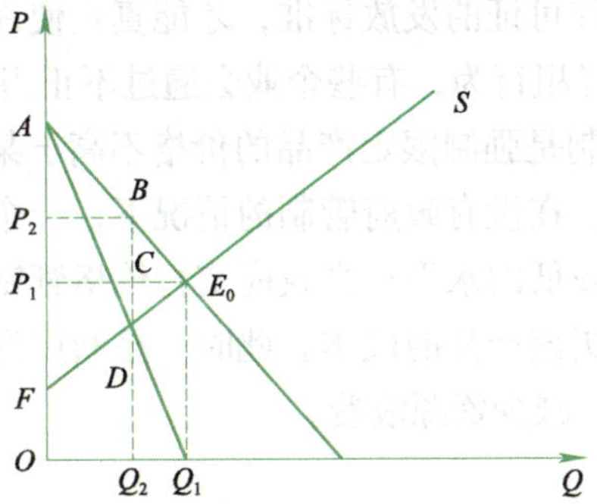

图8-1　社会福利净损失

3. 垄断扭曲了市场价格

在垄断市场里，厂商人为抬高市场价格，扭曲了正常的市场均衡价格，造成了供不应求的市场假象，会误导资源流向，形成社会资源的浪费。

4. 垄断阻碍了技术进步

在垄断条件下，厂商可以通过垄断地位来提高价格获得垄断利润，从而缺乏改进技术和管理的动力，阻碍了生产技术水平和管理水平的提高。

5. 垄断会导致寻租行为的产生

由于垄断厂商主要依靠垄断地位来攫取垄断利润，而有些垄断地位的获得主要是通过政府的特许和批准，则会引导厂商通过各种方式（如贿赂）去竞相争夺获取垄断地位。这种非生产性的寻利活动便是寻租，寻租行为会打破社会公平，扰乱社会秩序，使社会资源浪费在非生产性的活动上。

二、政府的反垄断管理

政府通常采用三种方法来解决自然垄断造成的市场失灵。

1. 国有化

政府将某些自然垄断产业国有化，有利于主管机构监督，将获得的垄断利润实现全民共享，可以在理论上兼顾公平。但是，垄断容易导致低效率。对于国有企业的领导来说，他们管理的并不是自己的资产，经营的好坏与自身没有利害关系，亏损也常常由政府给予补贴，可能会使其改善经营、提高生产效率的动力减弱；而且国有化会迫使这些行业在一定程度上受制于一些政治压力，承担一定的政治任务，很难单纯从经济效益上去约束管理者，管理者容易找到经营管理不善的借口。这是国有化时应注意完善的方面。

2. 政府管制

由于国有化存在一系列的问题，不少国家仍然让私人企业来经营自然垄断产业，同时政府又对其实施管制。政府管制主要通过许可证管理和价格管制实施。

（1）许可证管理。采用许可证管理，可以减弱自然垄断行业的竞争程度，确保行业采用一定的技术标准生产或提供符合质量要求的产品或服务。但是，在许可证管理上也存在一些问题。例如，如何制定许可证的发放标准，才能真正使许可证流向有效率的企业；同样，许可证管理可能会引起寻租行为，有些企业会通过不正当手段来获得许可证。

（2）价格管制。价格管制是强制限定产品的价格不高于某个水平，有利于防止垄断厂商恶意抬高产品价格。例如，在没有政府管制的情况下，一个垄断厂商会对某个产品索取20元的价格，把产量控制在较低的水平；当政府实行价格管制时，可以确定一个15元的最高限价，从而降低消费者购买该产品的成本。此时，垄断厂商不能通过限制产量来抬高市场价格，会促使其增加产量，减少资源浪费。

3. 鼓励竞争

除了以上对自然垄断的管理外，政府还可以通过鼓励竞争的方式削弱行业的垄断程度。虽然自然垄断产业受规模经济的影响，不可能实现完全竞争，但是随着经济社会的飞速发展，产品更新迭代的速度不断加快，进入和退出垄断行业的限制被逐渐弱化，因此它并不能排除寡头竞争和一些潜在的竞争。政府也可以通过补贴或税收优惠的方式鼓励某些有实力的企业进入行业进行生产。例如，航空服务和铁路服务也逐渐从自然垄断走向寡头垄断了。

实例　　**昆明出租车经营权改革**

《昆明市人民政府关于深化改革推进出租汽车行业健康发展的实施意见》（以下简称《意见》）指出，昆明将在巡游出租车行业的改革中，从经营权、承包费用、运价多方面探索，昆明新增的出租车经营权将全部无偿使用，并且将通过服务质量招投标或依据服务质量考核结果等方式配置。

《意见》指出，在昆明五华、盘龙、官渡、西山四区范围内，妥善处置既有经营权。2006年以前取得的出租汽车经营权，使用期限为16年（从交纳有偿使用费之日起计算），16年期满后还可以使用8年，不再收取有偿使用费；2010年以后取得的出租汽车经营权，按照当时签订的出租汽车经营权出让合同执行。经营期限届满后，经营者拟继续经营的，可按规定向客运出租汽车行政主管部门提出申请，客运出租汽车行政主管部门以其服务质量信誉考核结果为主要依据，考核合格的予以许可，按照国家相关政策执行；考核不合格或者未按规定提出申请的，按有关规定收回其经营权。经过过渡，逐步取消经营权有偿使用费，逐步实现机动车行驶证、道路运输证、从业资格证三证统一。

《意见》指出，鼓励、支持和引导出租汽车企业、行业协会与出租汽车驾驶员、工会组织平等协商，根据经营成本、运价变化等因素，合理确定并动态调整出租汽车承包费标准或定额任务，现有承包费标准或定额任务过高的要降低。要保护驾驶员的合法权益，构建和谐劳动关系。严禁出租汽车企业向驾驶员收取高额抵押金，现有抵押金过高的要降低。

值得注意的是，未来昆明巡游出租车运价将在继续实施政府定价的基础上，探索向政府指导价过渡。在与网约车的竞争中，《意见》鼓励巡游车经营者规模化、集约化、公司化经营，采取兼并重组或者股份制改造等方式优化整合。鼓励巡游车经营者、网约车经营者通过兼并、重组、吸收入股等方式，按照现代企业制度实行公司化经营，实现新老业态融合发展。

第二节 外部性与市场失灵

在前面的微观经济学分析里面，我们分析每个人的经济行为都是从自身利益最大化的角度出发，并没有考虑其他人的行为。在实际生活中，某个人的经济行为是会给其他人带来影响的。在本节，我们将要考察外部性会对每个人或每个厂商的经济行为产生什么样的影响。

实例

外部性与市场失灵

20世纪初的一天，列车在绿草如茵的英格兰大地上飞驰。火车上坐着英国经济学家庇古。他边欣赏风光，边对同伴说：列车在田间经过，喷出的火花（当时是蒸汽机）飞到麦穗上，给农民造成了损失，但铁路公司并不用向农民赔偿。这正是市场经济的无能为力之处，称为“市场失灵”。

1971年，美国经济学家乔治·斯蒂格勒（George Stigler）和阿门·阿尔钦（Armen Alchian）同游日本。他们在高速列车（这时已是电气机车）上见到窗外的禾田，想起了庇古当年的感慨，就问列车员，铁路附近的农田是否受到列车的损害而减产。列车员说，恰恰相反，飞驰而过的列车把吃稻谷的飞鸟吓走了，农民反而受益。当然，铁路公司也不能向农民收“赶鸟费”。这同样是市场经济无能为力的，也称为“市场失灵”。

同样一件事情在不同的时代与地点结果不同，两代经济学家的感慨也不同。但从经济学的角度看，火车通过农田无论结果如何，其实都说明了同一件事：市场经济中外部性与市场失灵的关系。

（资料来源：李志强、陈小刚，经济学基础，北京出版社，2014）

一、外部性及其分类

当某个人或者某个厂商在从事经济活动时，给其他个体带来了利益或者损害，而该主体又没有为此获得报酬或支付赔偿，此时这种利益或损害就被称为外部性，此时给社会带来的社会利益和社会成本并不等于给行为主体带来的私人利益和私人成本。外部性分为正外部性和负外部性。

外部性

1. 正外部性

当某个主体的行为给其他主体带来了有利的影响，而该主体并没有得到相应的补偿，则此时便存在正外部性，也叫外部经济，此时带来的社会利益（社会利益等于私人利益加上外部性）大于私人利益。正外部性又分为生产的正外部性和消费的正外部性。

（1）生产的正外部性是指生产者采取的经济活动给其他人带来了好处，但自己并没有从中得到相应的补偿。例如，企业对员工的培训，帮助员工提高了胜任同类工作的能力，当员工辞职到新单位后，企业并不能要求员工退回原来的培训费用，从而使该项培训活动带来的私人利益小于了社会利益。

（2）消费的正外部性是指消费者的行为给其他人带来了好处，但自己并没有从中得到相应的报酬。例如，一个人对自己的子女进行教育，把他们培养成更值得社会信任的公民，使其他人和整个社会都能从中获益，此时教育的私人利益也小于社会利益。

2. 负外部性

当某个主体的行为给其他主体带来了不利的影响，而该主体并没有受到相应的惩罚，则此时便存在负外部性，也叫外部不经济，此时带来的社会成本（社会成本等于私人成本加上负外部性）大于私人成本。负外部性又分为生产的负外部性和消费的负外部性。

（1）生产的负外部性是指生产者采取的经济活动给其他人带来了不好的影响，但自己并没有对其进行相应的补偿。例如，某工厂的生产活动带来了废气排放，污染了空气，工厂却没有为此付出额外的成本，此时该生产活动的社会成本大于私人成本。

（2）消费的负外部性是指消费者的行为给其他人带来了坏的影响，但自己并没有给予他人补偿。例如，某人的吸烟行为，虽然二手烟极大地危害了周围人的健康，但是吸烟的人并没有为此对周围人进行补偿，此时吸烟的社会成本也大于私人成本。

综上所述，外部性在经济社会中是普遍存在的，而经济活动中的生产者和消费者并不关注其行为产生的外部性。因此，存在外部性时，从单个行为主体出发的利益最大化并不等于整体市场的最大化，从社会的角度出发便出现了社会福利的损失，导致了市场失灵。

二、外部性的影响

当某主体的经济行为存在正外部性时，在其私人成本基础上形成的产量会低于社会所要求的产量水平，导致产量太少。不管是生产还是消费的正外部性，私人成本都高于社会成本，私人利益都小于社会利益。在其边际私人利益等于边际私人成本的决策原则上确定了该主体的私人产量水平，实现了该主体的利益最大化。但是在此产量水平上，边际社会利益大于边际社会成本，要实现社会的利益最大化就应该增加产量。

当某主体的经济行为存在负外部性时，在其私人成本基础上形成的产量会高于社会所要求的产量水平，导致产量太多。不管是生产还是消费的负外部性，私人成本都低于社会成本，私人利益都大于社会利益。在其边际私人利益等于边际私人成本的决策原则上确定了该主体的私人产量水平，实现了该主体的利益最大化。在此产量水平上，边际社会利益小于边际社会成本，要实现社会的利益最大化就应该减少产量。

三、外部性的解决措施

外部性的存在导致了社会资源的非最优配置，即出现了所谓的市场失灵。因此降低或消除外部性所带来的效率损失，便成为一个重要的经济问题。主张政府干预的学者认为，存在外部性的市场不再是理想的市场机制，政府应予以干预；而推崇自由市场的学者则认为，市场机制本身有能力解决某些外部性所产生的问题，政府不需干预，只要创造有利于市场运行的条件便可以了，如界定产权。总体而言，可以通过以下几种方式来解决外部性产生的问题。

1. 税收与补贴

外部性的存在使得生产者或消费者的私人成本与社会成本、私人利益与社会利益不一致，因此可以通过政府征税或发放补贴的办法来平衡私人和社会之间的成本与利益。

对造成负外部性的经济主体，政府予以征税，其税收额应等于该主体给其他经济主体造成的损失，使得该主体的私人成本等于社会成本，该主体便会自发地减少产量。例如，政府向污染者收税，其税额等于治理污染所需要的费用。但是，污染税税率的确定又存在一定的难度，因为政府很难确定企业的污染成本。

对于产生正外部性的经济主体，政府可以给予补贴，使得私人利益与社会利益相等，以鼓励该经济主体的行为，使其自发地增加产量。例如教育，受教育者可以通过教育找到较理想的工作、得到较丰厚的报酬、享受较好的文化生活等，教育可以形成良好的社会风气与社会秩序、促进经济技术进步等，因此，有必要对教育进行各种形式的补贴，提高社会的教育水平。

2. 政府管制

对于生产的负外部性，如污染问题，政府往往通过设定污染标准方式减少负外部性的不利影响。政府通过调查分析，规定各厂商所允许的排污量，一旦排污量超过了规定限度，便给予经济处罚或法律惩罚。

此外，经济学家还建议引进市场机制，建立排污许可证市场。首先由政府确定社会可以承载的总体排污水平，从而确定排污许可证的数量，每张许可证都分别规定可排放污染物的数量。排污许可证可以在厂商之间进行买卖。如果厂商和许可证足够多，就会逐渐形成一个具有竞争性的排污许可证市场，促使减污成本较高的厂商从减污成本较低的厂商那里购买许可证。在市场的均衡水平下，所有厂商的减污边际成本都趋于一致，最后都等于排污许可证的价格，此时整个行业便以最低的成本将污染降至规定的理想数量了。

3. 企业合并

当存在外部性时，由于各经济主体的决策是独立于其他主体的，并不会把自身以外的外部影响考虑进去，因此，如果有某种办法使决策主体承担外部损失或享受外部利益，它们就会自发地纠正决策，改善资源的配置。

例如，当一个企业的生产影响到另外一个企业时，如果是正外部性，则第一个企业的产量就会低于社会最优水平；反之，如果是负外部性，则第一个企业的产量就会高于社会最优水平。此时如果这两个企业合二为一，外部性便被“内部化”了。合并后的企业由于不存在外部性，企业的私人成本与私人利益就等于社会成本与社会利益，便实现了社会资源的最优配置。事实上，很多企业已经通过合并的方式内部化外部性了，如发电厂利用粉煤灰生产水泥。

4. 界定产权

科斯在《社会成本问题》一文中提出，解决外部性的措施是：在交易费用很低或者为零时，只要产权初始界定是清晰的，并允许当事人进行自由谈判交易，则无论在开始时将产权赋予谁，市场均衡的最终结果都会达到资源的有效配置。这就是“科斯定理”。

“科斯定理”的三个假设条件分别是：①交易费用很低或者为零；②产权界定清晰；③允许当事人之间进行自由交易。

产权是通过法律界定和维护的人们对于财产的权利。很多情况下的资源配置出现问题，都是由产权的不明确导致的。如果满足以上三个条件，市场便可以自发地实现资源的优化配置。例如，在一个宿舍里，有人喜欢安静，有人喜欢听音乐，当然最好的办法是听音乐的人戴上耳机放音乐。现在假设甲喜欢听音乐，其收益是200元，乙喜欢安静，其收益是100元，买一个耳机需要30元，实际上就是要解决谁买耳机的问题。只要界定权利，不管最开始把听音乐的权利赋予甲还是把享受安静的权利赋予乙，最后的结果都会是甲戴上耳机听音乐。如果权利赋予甲，则是乙买甲用；如果权利赋予乙，则是甲买甲用。

另外，还可以以上游造纸厂和下游农场为例，假设造纸厂排放的污水给农场造成的经济损失为5万元，如果造纸厂停产，自身则将损失8万元。而对造纸厂排放的污水有两种处理办法：一是在工厂安装一个过滤设备，需1万元；二是农场建立一个污水处理厂，需3万元。只要产权界定清晰，且交易成本为零，无论产权最初赋予谁，最终经双方协商谈判和交易，一定会获得有效率的结果。

如果赋予造纸厂排放污水的权利，农场则会为了减少损失，与造纸厂协商，由农场花费1万元为造纸厂安装过滤设备，此时的费用低于建立污水处理厂的费用，也减少了由原来污染造成的经济损失。

如果赋予农场享有清洁水资源的权利，此时如果造纸厂排放污水则会受到8万元以上的惩罚，此时造纸厂一定会自己花费1万元安装一个过滤设备，当然不会花费5万元去为农场建污水处理厂，也不会停产损失8万元。因此，只要满足科斯定理的三个假设条件，市场机制总会以最低的成本实现资源的最优配置。

案例分析 科斯定理的实际应用

有一家位于居民区附近的工厂，它的烟囱冒出的烟尘使得周围的居民受到了损失，损失合计为400元。现在有两种解决办法：一种是给工厂的烟囱安装一个除尘器，费用为200元；另一种是给居民提供烘干机，使他们可以不用在户外晒衣服，成本为300元。相比较，选择第一种方法的成本较低。

按照科斯定理，只要产权明确，无论是赋予工厂排放烟尘的权利，还是赋予居民不受烟尘污染的权利，只要协商费用为零，结果肯定是给工厂的烟囱安装一个除尘器。如果权利属于工厂，居民会选择大家出钱给工厂安装一个除尘器；如果权利属于居民，则工厂会自己出钱安装一个除尘器。

第三节　公共物品与市场失灵

一、公共物品的含义及特征

一般情况下，我们所讨论的物品都是指私人物品。私人物品是指只有通过付费才能消费的物品，而且一旦该物品被某人消费了，其他人就不能再消费该物品。因此，私人物品具有所谓的排他性和竞争性，市场能够实现私人物品的有效生产和消费。排他性是指没有支付能力的人被排除在物品的消费之外；竞争性是指一个人消费了某种物品，其他人便不能同时消费，大家之间的消费是处于竞争状态的。

与私人物品相对应还有一类物品，并不完全满足竞争性和排他性的特征，称之为公共物品。市场不能有效地调节公共物品的生产和消费，也就意味着公共物品不能由私人有效地提供。

公共物品又分为纯公共物品和准公共物品。纯公共物品是指满足非排他性和非竞争性两个特征的物品。

（1）非排他性，即没有办法避免一部分人“不付费便可消费”或者排他的成本太高而无法实现排他。例如国防，一旦国家建立起国防体系，所有的公民都会从中受益，即使某个人从不纳税也不能将他排除在国防力量的保卫之外。

（2）非竞争性，即当某个人消费公共物品时，并不会排除或影响其他人同时消费该物品。即在给定的生产条件下，增加一个消费者给提供这一物品的主体所带来的边际成本为零。例如路灯，多一个路人享受照明，并不会影响其他人同时享受照明，路灯的安装成本也不会发生变化。

准公共物品是指只满足非排他性或非竞争性中的一个条件的物品。例如有线电视和收费的高速公路，具有排他性和非竞争性；又如渔业资源和公共牧地，具有竞争性和非排他性。

案例分析　“双碳”战略与公共物品的关系

我国的“双碳”战略（碳达峰和碳中和）旨在应对气候变化和环境污染，通过一系列政策和措施减少温室气体排放，推动绿色低碳发展。这一战略不仅对我国的环境和经济具有重要影响，同时也提供了典型的公共物品——清洁空气和气候稳定。

（1）清洁空气。碳排放的减少直接改善了空气质量，减少了空气中的有害物质，提高了公众健康水平。清洁空气作为一种公共物品，其受益范围广泛，所有人都能享受。

（2）气候稳定。通过减少温室气体排放，“双碳”战略有助于减缓全球气候变化，维护气候系统的稳定。这一结果不仅惠及中国，更是全球共享的公共物品，具有广泛的国际影响。

二、公共物品造成的市场失灵分析

1. “搭便车”问题

公共物品的非排他性和非竞争性，意味着只要有一个人购买了此物品，其他人不用付费都可以同时享用该公共物品，而且大家之间享受的品质都是一样的。例如，楼道的照明灯，当某个人安装上照明灯后，其他上下楼的人并不需要付钱就可以享受照明，从而从中得到好处。但是，如果每个人都期望别人来安装照明灯，都想“搭便车”，结果便可能是照明灯永远也不会被安装上。显然，公共物品具有极强的正外部性，很难有私人愿意提供公共物品，市场机制不能实现资源的有效配置。

2. “公地悲剧”问题

对于某些准公共物品，具有非排他性和竞争性，极易导致此类物品的过度使用。“公地悲剧”讲述的是一块公共牧地，大家都可以到此块牧地上免费放牧，因此该公共牧地具有非排他性，而公共牧地的承载能力又有限，放牧人之间又是相互竞争的，大家就会相互抢夺资源，最终导致了无牧可放。同样，我们的渔业资源也是，极易由于过度捕捞造成某些生物物种的灭绝。

三、公共物品的供给

公共物品的非竞争性和非排他性特征，决定了其只能主要依靠政府来提供。此时，每个人都可以“搭便车”，做一个“免费乘客”，使大家都能从公共物品的提供中获益，也使公共物品得到了最大限度的利用。此外，税收又是政府财政收入的主要来源，也就意味着其提供公共物品的支出主要靠税收来维持，也相当于让“免费乘客”无形中被迫支付了费用。在现实生活中，大部分公共物品确实都是由政府部门来提供的。例如，国防由中央政府提供，其费用也是由税收支持；路灯和地方治安的维护是由地方政府提供，其费用也是靠税收来维持。

公共物品市场上的市场失灵表现，为政府的介入提供了依据，但并不意味着政府应提供全部的公共物品，特别是一些准公共物品。因为政府部门生产具有垄断性，缺乏提高效率的动力，往往会造成效率低下；而且政府部门在进行预算时，往往会追求预算的最大化，容易形成公共物品的过度供给，造成资源浪费。

实际上，对于某些公共物品的生产，可以把政府和市场结合起来，如政府通过招标的方式，由私人组织公共物品的生产，便可以提高生产的效率。一般情况下，政府通常还可以通过参股、授权经营、优惠贷款、税收减免和财政补贴等方式，将准公共物品安排给私人生产，以保证公共物品的供给。

案例分析

灯塔的故事

在一个靠海的渔港村落里住了两三百人，大部分人都是靠出海捕鱼谋生。港口附近礁石险恶，船只一不小心就可能触礁沉没而人财两失。这些村民都觉得该建一座灯塔，好在雾里、夜里指引方向。大家对于灯塔的位置、高度、材料、维护也都毫无异议，那么，剩下的问题就是怎样分摊建灯塔的费用。

村民们怎样分摊这些费用比较好呢？既然灯塔是让渔船趋福避祸，就依船只数平均分摊好了！可是，船只有大有小；船只大的船员往往比较多，享受到的好处比较多，因此依船员人数分摊可能比较好！可是，船员多少不一定是好的指标，该看渔获量。捞得的鱼多，收入较多，自然能负担比较多的费用，因此依渔获量来分摊比较好！可是，以哪一段时间的渔获量为准呢？要算出渔获量还得有人称重和记录，谁来做呢？而且，不打渔的村民也间接地享受到美味的海鲜，也应该负担一部分成本，因此依全村人口数平均分摊最公平！可是，如果有人是素食主义者，不吃鱼，难道也应该出钱吗？看来，还是以船只数为准比较好；船只数明确可循，不会有争议！可是，又有人反对：虽然家里有两艘船，却只有在白天出海捕鱼，傍晚之前就回到港里，根本用不上灯塔，为什么要分摊？还有人表示：自己了解这片海域，闭上眼睛就能把船开回港里，当然也就用不上灯塔！

不管用哪一种方式，假定大家都同意，可是由谁来收钱呢？在这个没有村主任的村落里，谁来负责挨家挨户地收钱保管呢？如果有人自告奋勇，或有人众望所归、勉为其难地出面为大家服务，总算可以把问题解决了。可是，即使当初大家说好各自负担多少，如果有人事后赖皮，或有意无意地拖延时日，就是不付钱，那又怎么办？

灯塔的例子具体而深刻地反映了一个社会在处理“公共物品”这个问题上所面临的困难。其他东西像面包、牛奶一个人享用了之后别人就不能再享用；而灯塔的光线却不是这样，多一艘船享用不会使光芒减少一丝一毫。而且，在杂货店里付了钱才能得到面包、牛奶；可是，即使不付钱，还是可以享受灯塔的指引，别人很难因为谁不付钱而把他排除在灯塔的照明之外。

传统上经济学者一直认为，灯塔非由政府兴建不可。因为灯塔散发的光芒虽然有用，可是船只可以否认自己真的要靠灯塔指引，或者过港不入，所以民营的灯塔可能收不到钱。而且，灯塔照明的成本是固定的，和多一艘船或少一艘船无关。因此，灯塔不应该由私人收费来建，而应该由政府来建设经营。

第四节 信息不对称与市场失灵

一、信息不对称的含义

在现实经济生活中，信息的获取常常是不充分、不完全的，一方面是受各经济主体自身知识能力的限制，另一方面又是因为信息的流通是受限制的，信息获取是需要成本的。因此，不管是消费者还是生产者都不能获取与经济交易相关的所有信息，双方都只能在有限的信息下做出各自的决策。

在信息不完全的市场上，信息量的分配还往往是不对称的。信息不对称是指市场上交易双方所掌握的信息是不对等的，即总是出现一方掌握的信息多于另一方的情况。例如，产品的卖方总是比买方更了解产品的质量和性能，拥有劳动力的个人比劳动力的雇用者更了解其工作的能力，因此有“买者不如卖者精”的说法。在此情况下，市场作用的发挥受到了很大的限制。

二、信息不对称的市场失灵表现

当市场出现信息不对称，便会产生一些欺骗行为，如假冒伪劣商品的生产销售，损害了消费者的合法权利，造成了生产资源的浪费；也会产生一些无法监督的偷懒行为，如企业雇用员工后，并不能完全准确地判断其工作时有没有尽力。除此之外，信息不对称还有两个常见的市场失灵表现。

1. 逆向选择

在完全竞争市场中，所有的产品都是同质的，厂商只能通过提高生产效率和降低生产成本的方式在竞争中取胜。因此，通过竞争实现了厂商之间的优胜劣汰，实现了社会资源的最优配置，增进了社会福利。

但在市场经济的实际运行中，我们又会看到一些与经济规律不一致的现象。例如，一般商品的需求规律是：在其他条件不变的前提下，需求量随着商品价格的降低而增加。而一般商品的供给规律是：在其他条件不变的前提下，供给量随着商品价格的上升而增加。但是当消费者和生产者掌握的市场信息不对称时，便会出现对商品的需求量随着价格的下降而减少、供给量也随着价格的上升而减少的情况，此时便出现了所谓的"逆向选择"问题。

逆向选择是指在买卖双方信息不对称的情况下，差的商品总是将好的商品驱逐出市场，出现"劣币驱逐良币"的现象。此时的市场充斥着各种劣质的商品，出现了市场失灵。

二手车市场是一个典型的出现逆向选择的例子。对于一辆二手车，不管其使用时间的长短，估值都差不多，因为二手车的质量并不能用肉眼直接看出来，它的很多质量问题要使用一段时间（这段时间可能很长，甚至可能达一年）以后才能发现。因此，质量好的车和质量差的车同时出现在一个市场上，买方只能评估一个平均质量，而对不同的车支付一个相同的价格，这样一来，质量好的二手车便会不愿意出售，导致质量差的二手车充斥在市场上，当买方知道情况后又会进一步压低价格，循环往复，可能市场交易最终达成的数量很少，大部分卖方都随着二手车价格的下降而退出市场，市场因此而趋于崩溃。这就是"逆向选择"。

在保险市场中同样存在"逆向选择"，保险的购买方非常清楚自身的情况，保险公司则对投保人的情况难以有全面的了解。例如，在保险市场中，很多保险都有年龄的限制，保险公司会对年龄较大的人收取较高的保费。但实际情况是，大家对自己的身体都有一个清楚的认识，因此年龄较大但身体比较健康的人，由于知道自己的风险低，通常不太愿意为保险支付较高的价格，而放弃购买保险；而那些年龄较大但身体不那么健康的人，便会接受较高的费用购买保险。和二手车市场一样，当保险公司知道了投保人的实际情况便会不断地提高保险价格，循环往复，保险的提供便会退出市场。

案例分析 柠檬市场

来看一下经济学家乔治·阿克洛夫关于柠檬市场的假设。假定有100位二手车的卖家，这些卖家的二手车价值从1万～100万元平均分布。同时，另外有100位买家，而且这些买家对每一辆车的估值都比卖家高50%。所以这100辆车每一辆都可以卖出去，买家和卖家皆大欢喜。

现在假设只有卖家才知道自己车的质量，而买家只知道这100辆二手车的质量分布，不知道具体每一辆车的质量，那又会发生什么样的情况呢？

随机买的话，能买到一辆平均质量价值50万元的车，估值高50%，则买家最多愿意付75万元来买这些他并不知道具体质量的车。这时质量价值超过75万元的卖家就会离开市场，不卖了。如此循环下去，市场里的二手车质量不断下降，最后卖家都跑光了，市场崩溃了。

2. 道德风险

前面所分析的"逆向选择"是出现在交易达成之前，而还有一种信息不对称导致的市场失灵出现在交易达成之后，这就是所谓的"道德风险"。"道德风险"是指当交易合同签订之后，由于交易的一方难以监督另一方的行为，无法准确地核实对方是否按协议履行义务，使其有可能采取有悖于合同规定的行为，从而损害了交易另一方的利益。

同样以保险市场为例，当投保人购买保险之后便会放松对自己的要求，增加各种风险产生的可能性。例如，在一个人购买了家庭财产保险之后，他对家中财物的看管可能不会像以前那么小心了，因为一旦财物出现损失，将会有保险公司进行赔偿。当然，如果在合同中对双方的行为都有详细而且明确的规定，则“道德风险”就较小；但很多问题在合同拟定时并不能完全预见，且制定详细而完善的合同条款也要花费大量的时间精力，加之有时候执行起来的成本又太高，因此，市场仍然不能完全避免“道德风险”的出现。

三、信息不对称的矫正

1. 政府介入

信息不对称的出现使市场机制出现了失灵现象，使市场机制不能有效解决某些领域的经济问题，同样也为政府的介入提供了依据。例如，对于保险市场的“逆向选择”，可以由政府为一定年龄的老年人提供保险。此外，政府还可以通过相关的法律规定与措施增加市场的“透明度”，尽可能确保买卖双方都能够获得正确且充分的市场信息。

2. 市场化的解决方案

信息不对称的市场失灵，实际上更多的是源于人与人之间的不信任问题，因此除了政府介入之外，还可以通过一些市场化的方案来建立信任，解决此类问题。

（1）通过重复交易增加交易双方的信任。实际上，在“逆向选择”的问题里面，市场不能正常交易是源于买卖双方的不信任，卖方实际上拥有了产品的所有信息，只要买卖双方是相互信任的，买方便可以通过卖方获取产品的全部信息。因此，必须通过合适的方式来增加双方的信任感。可以通过重复交易，增加交易双方对各自的了解程度，从而维持长久稳定的合作关系，这对双方都是有利的。

（2）引入交易相关的第三方。例如，在经济交易中实行中间人的担保制度，或者通过质押或抵押的方式，降低双方违背合同的风险，减少违背合同的损失；另外，也可以通过推荐人和推荐信的方式寻找合作伙伴，都有利于增加交易双方的信任。

（3）保持良好的信誉。信誉是厂商获利的一大关键资本，可以激励厂商生产更多优质产品或提供更多优质服务。在日常消费行为中，很多时候消费者是根据企业的信誉来做出购买决策的，因而可以通过信誉解决厂商的“道德风险”问题，使经济社会做出有效的选择。而且，诚信问题不仅仅是一个道德问题，更是一个制度问题。只有通过建立一个完善的诚信制度体系，鼓励诚信的行为，惩罚失信的行为，才能够形成社会的信誉机制。

（4）进行“标准化”生产。通过“标准化”的生产稳定产品的质量，保证产品的品质，从而增加消费者的信任。可以通过连锁经营的方式统一产品的生产标准，任何地方、任何时间它们每家店所提供的产品都是一样的，因此无论选择在哪里购买，消费者都不用为它的质量和价格担忧。

（5）实施质量保证。在产品市场上，消费者除了关心产品的价格以外，还特别关心产品的质量，因此，要想取得消费者对产品的信任，可以通过某些方式向消费者实施产品的质量保证。例如，消费品的“三包”政策、延保政策，都可以增加消费者对品牌的信赖；另外，还可以通过共享合约确定利润的分配方式，促使劳动提供者提高劳动的质量，降低“道德风险”的产生。

本章小结

微观经济学主要在于分析满足完全竞争条件下的市场运行机制，在“看不见的手”的引导下可以实现资源的最优配置。然而，现实经济生活由于垄断、外部性、公共物品和信息不对称的出现，并不能满足完全竞争的假设条件，因此市场机制在很多场合都出现了资源的配置失当问题，即出现了所谓的市场失灵现象。本章从垄断、外部性、公共物品和信息不对称四个方面分别分析了市场失灵的表现、原因以及如何通过微观经济政策矫正市场失灵。

练习题

一、名词解释

市场失灵　外部性　公共物品　信息不对称　科斯定理　逆向选择　道德风险

二、单项选择题

1. 市场失灵是指（　　）。
   A. 一种社会资源的有效配置状态　B. 社会收入分配出现不均衡的状态
   C. 商品需求对收入的变动不敏感　D. 市场对资源的配置出现失当的状态
2. 垄断厂商的产量水平（　　）。
   A. 大于竞争产量　B. 等于竞争产量
   C. 小于竞争产量　D. 以上都不对
3. 当某主体的经济行为对其他主体造成了影响，但并没有承担对其造成的影响时，这种现象称为（　　）。
   A. 垄断　B. 外部性　C. 搭便车　D. 信息不对称
4. 以下活动中带来的影响属于外部经济的是（　　）。
   A. 在公共场所吸烟　B. 把香蕉皮随手扔在地上
   C. 打理自己的庭院　D. 今年天气干旱不适合农作物生长
5. 当生产活动存在负外部性时，（　　）。
   A. 产量等于社会最优水平　B. 产量低于社会最优水平
   C. 产量高于社会最优水平　D. 以上都不对
6. 公海里的渔业资源具有（　　）。
   A. 竞争性和排他性　B. 非竞争性和非排他性
   C. 竞争性和非排他性　D. 非竞争性和排他性
7. “搭便车”源于（　　）问题。
   A. 公共物品　B. 垄断　C. 负外部性　D. 正外部性

8. 科斯定理用于解决（　　）问题。
   A. 垄断　　B. 信息不对称
   C. 外部性　　D. 信息不完全
9. 买卖双方对商品信息的掌握程度不一样属于（　　）。
   A. 逆向选择　　B. 道德风险
   C. 信息不对称　　D. 信息不完全
10. 劣币驱逐良币是由（　　）带来的后果。
   A. 逆向选择　　B. 道德风险
   C. 生产的正外部性　　D. 消费的正外部性

三、多项选择题

1. 导致市场失灵的原因有（　　）。
   A. 垄断　　B. 外部性　　C. 信息不对称　　D. 公共物品
2. 纯公共物品具有（　　）特征。
   A. 非竞争性　　B. 竞争性　　C. 排他性　　D. 非排他性
3. 以下具有正外部性的有（　　）。
   A. 教育子女　　B. 疫苗接种　　C. 吸烟　　D. 安装路灯
4. 解决信息不对称的方法有（　　）。
   A. 共享合约　　B. 实行三包政策
   C. 进行第三方担保　　D. 重复交易
5. 科斯定理的条件有（　　）。
   A. 交易费用很低或者为零　　B. 产权清晰
   C. 可以进行自由交易　　D. 交易费用很高

四、简答题

1. 什么是市场失灵？导致市场失灵的原因有哪些？
2. 垄断如何造成社会福利的净损失？
3. 如何理解与应用科斯定理？
4. 公共物品有什么特征？
5. 如何解决现实经济交易中的信息不对称问题？

五、案例分析题

共享单车自出现以来，呈现了百家争鸣之态。各家公司为了抢夺市场纷纷出台低价包月、低起步价甚至免费体验包月的优惠政策，并加大共享单车投放量，导致一二线城市供给严重过剩。2018 年，多家单车平台倒闭，还有大批共享单车平台面临倒闭危机，共享单车行业历经寒冬时刻。市场上共享单车供给大幅减少，供需关系走向相对平衡，共享单车企业不约而同宣布涨价。

请分析共享单车发展过程中出现的市场失灵现象。

第九章 国民收入核算与决定理论

[学习目标]

◎知识目标

- 掌握国内生产总值的含义及其计算方法
- 了解国民收入核算的基本指标
- 掌握国民收入核算的恒等式
- 掌握消费、储蓄函数以及简单国民收入决定的基本原理

◎能力目标

- 能运用国民收入核算的基本指标简单分析我国经济的运行趋势
- 能进行简单的国民收入核算
- 能进行简单的国民收入决定分析

◎素质目标

- 理解国民收入核算的重要性，掌握国民收入核算的基本方法
- 提高分析和解决问题的能力，培养宏观经济思维

◆ 引导案例 ◆

GDP十年翻番 我国经济实力实现历史性跃升

2013年至2022年，我国国内生产总值（GDP）从59.3万亿元增长到121万亿元，年均增长6%以上，按年平均汇率折算，经济总量达18万亿美元，稳居世界第二位。

2023年，我国经济社会发展主要预期目标有望圆满实现，这也意味着，我国经济总量将持续稳定增长。

新时代以来，我国经济总量已翻了一番，发展站在新的更高历史起点上：

从时间线来看，2014年、2016年、2017年、2018年、2020年、2021年，我国GDP相继跨越60万亿元、70万亿元、80万亿元、90万亿元、100万亿元、110万亿元大关，2022年突破120万亿元。

2020年，中国是全球唯一实现经济正增长的主要经济体。最近三年，中国经济年均增长达到4.5%，高于世界平均增速2.5个百分点左右。2023年，我国经济增速继续在主要经济体中居于前列。

纵向看，目前我国每年GDP增量已远超20世纪90年代初期全年GDP。我国经济1个百分点增速带来的增量，相当于10年前的约2.1个百分点。经济总量持续提高的同时，人均GDP实现新突破。10年来，我国人均GDP从43 497元增长到85 698元。按年平均汇率折算，2022年我国人均GDP达到12 741美元，连续两年保持在1.2万美元以上。

中国经济占全球份额稳步提升，国际影响力与日俱增。10年来，中国经济总量占世界经济的比重从12.3%上升到18%左右，货物贸易总额连续6年位居世界第一，对世界经济增长的年平均贡献率超过30%，一直是推动世界经济增长的最大引擎。

（资料来源：https://www.gov.cn/yaowen/liebiao/202312/content_6920375.htm）

引入问题

1. 你是如何理解GDP的？
2. 为什么用GDP衡量一国的经济发展水平，如何对GDP进行核算？

第一节　国民收入核算

一、国内生产总值

研究一国总体经济的运行情况，常用一国全年的总产值来衡量。总产值的衡量有一系列指标，其中国内生产总值（Gross Domestic Product，GDP）或国民生产总值（Gross National Product，GNP）是最重要、最广泛的指标。

国内生产总值

（一）国内生产总值的含义

国内生产总值是指一个国家（或地区）范围内所有居民在一定时间内（通常是一年）所生产的最终产品和劳务的市场价值总和。在理解GDP的含义时，要注意以下几个方面的内容。

（1）GDP是一个地域概念。GDP是指一个国家国境内在一年内所创造的全部最终产品的市场价值，而不管国境内的生产要素是不是本国的，它主要侧重衡量一国本土所具备的生产能力。例如，外国人在中国工作，在中国开办工厂，其生产的价值是中国GDP的一部分。

（2）GDP是指最终产品的总价值。最终产品是指在一定时期内生产出来直接供人们消费的产品，中间产品是指生产出来作为下一道生产工序投入品的产品。最终产品和中间产品的根本区别在于其购买的目的是用于消费还是用于出售或生产，而不在于产品本身的性质。在计算GDP时不应包括中间产品价值，否则会造成重复计算。

在实际经济中，某些产品既可以作为最终产品，也可以作为中间产品。例如，面粉被消费者买回家蒸馒头自家吃，面粉为最终产品；若被食品厂买去后蒸制馒头卖给消费者，这时面粉为中间产品。煤炭在用作燃料发电时是中间产品，而用作人们生活中的燃料时是最终产品。这样，把哪一部分商品计入最终产品，哪一部分商品计入中间产品就不容易了。为了避免重复计算，在实际计算当中，常采用“增加值法”来统计，只计算在各生产阶段上所增加的价值，即产品的销售收入与生产该产品的生产费用之差额。但不论用哪种方法，所得结果应是一致的。

假定一件衣服从生产到销售共要经过五个阶段：棉花种植、纺纱、织布、制衣、销售。各生产及销售阶段的中间产品成本、产品价值及增加值见表 9-1。

表9-1　最终产品价值的核算　（单位：元）

生产及销售阶段	中间产品成本	产 品 价 值	增 加 值
棉花种植	—	10	10
纺纱	10	20	10
织布	20	40	20
制衣	40	70	30
销售	70	100	30
合计	140	240	100

在此例中，只有销售了的衣服才是最终产品，其价值为 100 元，应计入 GDP，用增值法计算也是 100 元。如果不区分最终产品和中间产品，则会得到 240 元的总价值，其中含重复计算的 140 元的产品价值。在统计 GDP 时，就必须严格区分最终产品和中间产品。

（3）GDP中的最终产品不仅包括有形的最终产品，而且包括无形的最终产品——劳务。即要把旅游、服务、卫生、科研、教育等行业提供的技术与劳务，按其所获得的报酬计入GDP中。2023年，中国的GDP约为126.06万亿元，中国第三产业增加值约为68.82万亿元，占GDP比重已经达到了54.6%。

（4）GDP是一定时期内所生产而不是所售出的最终产品的价值。这里把生产出来而未售出的部分看作企业自己的存货投资，计入当期GDP。例如：某公司2023年生产1 000万元的产品，2023年只卖掉800万元的产品，所剩的200万元产品为存货，都属于2023年的GDP；2023年建成的商品房，开发商在2024年9月才售出部分房屋，也不能计算到2024年的GDP中；同样，二手车等产品在生产出来的时候就已经被计入当时的GDP，因此不能计入成交时的GDP。

（5）GDP一般仅是指通过市场交易活动导致的价值，不经过市场的最终产品不能计入GDP。非市场性和非生产性的交易活动产生的价值不能计入GDP。

非市场性的交易活动主要是指家务活动和自给自足的活动。例如，当一块菜地所种的菜是去市场销售，其蔬菜价值则应该计入 GDP；但是如果种的菜是自己吃，并没有经过市场交换，其价值则并不能计入 GDP。

非生产性交易主要是指政府及私人的转移支付和证券交易等，这些项目只是资金（货币）、证券的转移，并未出现产品交换，也就是没有出现最终产品的价值变化，因而不计入 GDP。例如，小张的爷爷给了他 500 元的压岁钱，则小张爷爷的财富减少，小张的财富增加，但该活动不增加现在的生产。在现实生活中，这些经济活动是普遍存在的，并不计入 GDP。

GDP 与 GNP 都是核算社会总产出的价值和反映宏观经济运行情况的总量指标，二者之间既有区别又有联系，可以互相换算，其公式为

$$GNP=GDP+（本国公民的国外收入-外国公民在国内的收入）$$

其中，本国公民的国外收入减去外国公民在国内收入的差额被定义为净要素支付，以 NFP 表示，上述公式可表示为

$$NFP=GNP-GDP$$

GNP 和 GDP 两个指标的比较可反映出一国资本输出和输入的情况：GNP>GDP 时，NFP>0，显示资本输出较多；而 GDP>GNP 时，NFP<0，则显示资本输入较多。

（二）名义GDP和实际GDP

由于 GDP 是用货币价值来衡量的，因此，一国 GDP 的变动有两个影响因素：一个是所生产的产品和劳务的数量变动，另一个是产品和劳务的价格变动。对于一国来讲，由于价格上升而导致的 GDP 上升是没有任何意义的，因为产品和劳务的数量没有增加，人们的消费水平没有得到提高。所以，有必要将 GDP 变动中的价格因素分离出来，只研究产品和劳务的数量变化。这就需要区别名义 GDP 和实际 GDP 两个概念。

名义 GDP（Nominal GDP）是用生产产品和劳务的当期价格计算出来的 GDP，而实际 GDP（Real GDP）是用之前某一年的基期价格计算出来的 GDP。

假设某国只生产两种产品——大米和牛肉。以 2013 年为基年，现在需要核算 2023 年的名义 GDP 和实际 GDP，见表 9-2。

表9-2 名义GDP和实际GDP

产 品	2013 年名义 GDP	2023 年名义 GDP	2023 年实际 GDP
大米	50 吨 ×1 万元 / 吨 =50 万元	100 吨 ×3 万元 / 吨 =300 万元	100 吨 ×1 万元 / 吨 =100 万元
牛肉	10 吨 ×10 万元 / 吨 =100 万元	50 吨 ×20 万元 / 吨 =1 000 万元	50 吨 ×10 万元 / 吨 =500 万元
合计	150 万元	1 300 万元	600 万元

从表 9-2 中可以看出，从 2013 年到 2023 年，名义 GDP 从 150 万元增加到了 1 300 万元，但实际 GDP 只增长到了 600 万元，即扣除物价上涨因素，GDP 只增长了 300%，即（600 万元 -150 万元）÷150 万元 =300%，而名义上却增长了 767%，即（1 300 万元 -150 万元）÷150 万元 =767%。

因此，只有实际 GDP 才能准确反映国民经济的实际增长情况。某个时期名义 GDP 与实际 GDP 之间的差额，可以反映出这一时期和基期相比的价格变动的程度。因为通过计算名义 GDP 和实际 GDP 的比率，可以计算出价格变动的百分比。名义 GDP 与实际 GDP 之比称为 GDP 平减指数。

实例 2023年全年国内生产总值同比增长5.2%

国家统计局2024年1月17日公布数据：初步核算，2023年全年国内生产总值（GDP）1 260 582 亿元，按不变价格计算，比 2022 年增长 5.2%。分季度看，一季度国内生产总值同比增长 4.5%，二季度增长 6.3%，三季度增长 4.9%，四季度增长 5.2%，呈现前低、中高、后稳的态势，向好趋势进一步巩固。按照可比价计算，2023 年我国经济增量超过 6 万亿元，相当于一个中等国家一年的经济总量。

2023 年，面对复杂严峻的国际环境和艰巨繁重的国内改革发展稳定任务，在以习近平同志为核心的党中央坚强领导下，各地区各部门坚持稳中求进工作总基调，完整、准确、全面贯彻新发展理念，国民经济回升向好，高质量发展扎实推进，主要预期目标圆满实现。

从经济增长看，2023 年我国 GDP 超过 126 万亿元，增速比 2022 年加快 2.2 个百分点。从就业看，就业形势总体改善，全年城镇调查失业率平均值比 2022 年下降 0.4 个百分点，特别是农民工就业形势改善比较明显。从物价看，物价总体保持温和上涨，全年居民消费价格指数（CPI）上涨 0.2%，核心 CPI 上涨 0.7%。从国际收支看，全年货物出口增长 0.6%，年末外汇储备超过 3.2 万亿美元。

创新驱动发展战略深入实施，创新投入稳步增加。初步测算，2023 年全社会研究与试验发展（R&D）经费投入达到 33 278.2 亿元，R&D 经费投入强度达到 2.64%，比 2022 年提高 0.08 个百分点。经济结构优化升级，服务业和消费的经济增长主引擎作用更加凸显。2023 年，服务业增加值占 GDP 比重达到 54.6%，比 2022 年提高 1.2 个百分点；最终消费支出对经济增长的贡献率达到 82.5%，比 2022 年提高 43.1 个百分点。安全发展基础进一步巩固夯实，全年粮食产量比 2022 年增长 1.3%，规模以上工业原煤产量增长 2.9%，原油产量增长 2%，天然气产量增长 5.8%。守住了不发生系统性风险的底线，确保了经济金融安全，民生保障更加有效，全国居民人均可支配收入比上 2022 年实际增长 6.1%。

2023 年，我国 5.2% 的经济增速高于全球 3% 左右的预计增速，在世界主要经济体中名列前茅。我国经济 2023 年对世界经济增长的贡献率有望超过 30%，是世界经济增长的最大引擎。在预计全球贸易有所下降的情况下，我国出口实现了小幅增长，占全球市场的份额保持稳定。

（资料来源：https://www.gov.cn/yaowen/liebiao/202401/content_6926714.htm）

二、国内生产总值的核算

（一）支出法

支出法又称最终商品法，是通过核算在一定时期内整个社会购买最终产品的总支出，即最终产品的市场总卖价来计算 GDP。因此，通过计算最终产品使用者的总支出便可以计算出 GDP。实际上，最终产品和劳务的最后使用者分为四个部分：个人消费支出、企业投资、政府购买支出和净出口。

（1）个人消费支出（C）是指消费者对最终产品和劳务的支出，可分为对耐用品、非耐用品和劳务的支出。使用年限在一年以上的消费品称为耐用品，如汽车、冰箱、家具等；使用年限在一年以下的是非耐用品，如食物、学习用具、汽油等。在不易划清两者的界限时，只能加以硬性规定，如衣服一概视为非耐用品。劳务支出包括医疗保健、旅游、理发等支出。

（2）企业投资（I）是指物质资本存量的增加，包括固定资产投资和存货投资。固定资产投资是指购买的新厂房、新设备以及新建住宅的投资；存货投资是指企业持有的存货价值的变动。由于资本具有磨损、消耗的特性，因此投资又可分为净投资和重置投资。重置投资是指新投资中用来弥补资本由于损耗造成的价值减少部分，其余部分属于净投资。用支出法核算GDP时，其投资指的是总投资（含折旧）。

（3）政府购买支出（G）是指各级政府购买产品和劳务的支出，包括政府用于国防（购买军火、组建军队等）、政府机关办公用品与基础设施建设（道路建设、学校和医院建设等）等方面的支出。政府支付给政府雇员的工资也属于政府购买。政府购买是一种实质性的支出，表现出商品、劳务与货币的双向运动，直接形成社会需求，因此成为GDP的组成部分。

政府购买只是政府支出的一部分，另一部分是政府转移支付，并不计入 GDP。政府转移支付包括政府在社会福利、社会保险、失业救济、贫困补助、老年保障、卫生保健、对农业的补贴等方面的支出。转移支付是政府通过其职能对财富的再分配，实质是购买力从一部分人手中转移到另一部分人手中，社会总收入并没有发生变化。

（4）净出口（X–M）是出口减进口的净值。在开放经济条件下，一国既会出口本国产品到国外，也会进口外国产品。进口表示收入流到国外，不是购买本国产品的支出，应从本国总购买中减去；出口表示收入从外国流入，是国外用于购买本国产品的支出，应加进本国总购买之中。净出口可能是正值，也可能是负值。当本国居民购买的外国产品与劳务多于外国居民购买的本国产品与劳务时，净出口便是负的。

将以上四项加总，就得到国民收入恒等式

$$\mathrm{GDP}=C+I+G+(X-M)$$

公式说明了 GDP 的各个组成部分，这四个部分分别代表来自不同部分的需求，支出法就是通过加总四个部分的需求数值来核算 GDP 的。表 9-3 为利用支出法计算的我国 2023 年 GDP 的构成。

表9-3 我国2023年GDP的构成（支出法） （单位：亿元）

居民消费	企业投资		政府购买	净出口	GDP总计
	固定资本形成	存货变动			
493 247.2	521 112.3	9 327.4	208 113.4	26 847.0	1 258 647.3

数据来源：国家统计局

（二）收入法

这种方法又叫作要素支付法、要素成本法。用收入法核算 GDP，就是从收入的角度，把生产要素在生产中所得到的各种收入加总来计算最终产品的市场价值，即从企业购买的生产要素的成本来核算 GDP。由于生产要素分为劳动、资本、土地和企业家才能，因此生产要素的收入分为劳动所得到的工资、资本所得到的利息、土地所有者得到的地租以及企业家才能所得到的利润。

严格说来，最终产品市场价值除了生产要素收入构成的成本，还有间接税、折旧、公司未分配利润等内容。因此，用收入法核算的 GDP 具体应包括以下一些项目。

（1）工资或薪金。它是劳动者的劳动报酬，包括实得工资和其他补贴及其雇主代其向社会保险机构缴纳的社会保障金等。它是GDP中比重最大的一部分。

（2）利息净额。它是储蓄所得利息与贷款还息之间的净额，但它不包括个人因借贷关系而发生的利息和政府发行公债所支付的利息，这只能算作转移支付。

（3）租金。它是指企业租用土地、厂房、设备等支付的租金，也包括个人和家庭出租房屋所获得的租金。此外，如果企业或个人使用的是自己的土地和房屋，则被认为把租金付给自己，被计入GDP中。

（4）折旧。它是指对一定时期内因经济活动而引起的固定资本消耗的补偿，虽然不是要素收入，但由于是企业投资的一部分，因此也被计入GDP中。

（5）间接税和企业转移支付。间接税是指企业缴纳的货物税、周转税，虽然名义上是对企业征收，但企业可以把它转嫁到消费者身上，故也应视为成本。对于直接税（如个人所得税、企业所得税等）已包括在工资、利息、租金、利润等要素收入中，因此不能再计入GDP。企业转移支付包括对非营利组织的社会慈善捐款和消费者呆账，虽然企业转移支付同样不创造收入，但也会通过产品价格转嫁到消费者身上，故也应该视为成本。

（6）非企业业主收入。它是指合伙制企业及个人制企业所取得的收入，也指不受人雇用的独立生产者，包括医生、律师、小店铺主、农民等的收入。他们使用自己的资金，自我雇用，其工资、利息、租金很难像企业的账目那样分类很详细，而是混在一起作为非企业业主收入。

（7）企业税前利润。它是指所有制企业在一定时期内获得的利润，是在企业的销售收入中扣除工资、利息、租金、折旧、间接税及其他成本项目之后获得的净剩余。企业税前利润包括企业所得税、社会保险税、股东红利及未分配利润等。

因此，按收入法核算的 GDP 可以表示为

$$\text{GDP}=\text{工资}+\text{利息}+\text{租金}+\text{折旧}+\text{间接税和企业转移支付}+\text{非企业业主收入}+\text{企业税前利润}$$

利用收入法计算 GDP，应注意以下几个问题：①销售上一期生产的产品和劳务取得的收入不计算在内；②与生产无关的收入不计算在内，如出售股票和债券只是一种金融交易；③政府的转移支付也不能算作接受者的收入。

从理论上来说，按支出法和收入法计算的 GDP 在量上是相等的。但在实际核算中经常会出现误差，因而在实际核算时要加上一个统计误差项来进行调整，使其达到一致。

（三）生产法

生产法又叫部门法，是指按提供物质产品与劳务的各个部门的产值来计算 GDP。生产法反映了 GDP 的产业来源，计算时各生产部门要注意把中间产品的产值扣除，只计算其增加值。卫生、教育、行政、家庭服务等无法计算其增加值的部门，就按工资收入来计算其服务的价值。

各国的国民经济部门分类不同，三大产业根据我国标准的分类情况为：第一产业是指农、林、牧、渔业（不含农、林、牧、渔服务业）；第二产业是指采矿业（不含开采辅助活动），制造业（不含金属制品、机械和设备修理业），电力、热力、燃气及水生产和供应业，建筑业；第三产业即服务业，是指除第一产业、第二产业以外的其他行业，包括批发和零售业，交通运输、仓储和邮政业，住宿和餐饮业，信息传输、软件和信息技术服务业，金融业，房地产业，租赁和商务服务业，科学研究和技术服务业，水利、环境和公共设施管理业，居民服务、修理和其他服务业，教育、卫生和社会工作，文化、体育和娱乐业，公共管理、社会保障和社会组织，国际组织，以及农、林、牧、渔业中的农、林、牧、渔服务业，采矿业中的开采辅助活动，制造业中的金属制品、机械和设备修理业。把三大产业的产值加总，再加上国外要素收入便可以核算出本国GDP值。

三、国民收入核算的其他指标

1. 国内生产净值

国内生产净值（Net Domestic Product，NDP）是指一个国家一年内新增加的价值，即用国内生产总值减去折旧之后的商品和劳务的价值。用公式表示为

$$NDP=GDP-折旧$$

2. 国民收入

国民收入（National Income，NI）有广义和狭义之分。广义的国民收入泛指国内生产总值、国民生产总值、国内生产净值、个人收入和个人可支配收入五个总量指标中的任意一个。国民收入决定理论中所讲的国民收入就是指广义的国民收入。

狭义的国民收入是指一国一年内提供各种生产要素的所有者获得的收入总和，它是工资、利息、利润和租金的总和。从NDP中扣除企业间接税和企业转移支付再加上政府补贴便得到了各要素收入。国内生产净值与国民收入之间的关系为

$$NI=NDP-间接税-企业转移支付+政府补贴$$

也可表示为

$$NI=工资+利润+利息+租金$$

3. 个人收入

个人收入（Personal Income，PI）是指一个国家的个人在一年内通过各种来源所得到的收入总和，包括劳动收入、业主收入、租金收入、利息和股息收入、政府转移支付等。它是从国民收入派生出来的一项指标。从国民收入中减去那些不会成为个人收入的项目（如企业所得税、企业未分配的利润、社会保险金），再加上那些不是来自个人要素收入的项目（如政府转移支付等），就是个人收入。国民收入与个人收入的关系为

$$PI=NI-企业所得税-企业未分配利润-社会保险金+政府转移支付$$

4. 个人可支配收入

个人可支配收入（Disposable Personal Income，DPI）是指一个国家的个人在一年内实际得到的可自由支配用于消费和储蓄的收入总和。它是从个人收入派生出来的一项指标。

个人收入在扣除个人所得税之后才能归个人自由支配。对个人可支配收入，居民可以按自己的意愿来支配它，但一般只有两种选择：一是消费；二是储蓄。个人可支配收入的计算公式为

DPI=PI－个人所得税＝消费＋储蓄

四、国民收入核算中的恒等式

要核算一国一定时期的国民收入，先要弄清社会总产出、总收入和总支出之间的关系。实际上，在经济的运行过程中，厂商购买生产要素进行生产并销售产品形成社会总产出，消费者用出让生产要素获得的总收入购买产品形成社会总支出，因此总产出、总收入和总支出三者相等。从另一个角度看，用于购买产品的社会总支出又等于社会总产出，社会总产出又等于社会对这些产品的总需求，总支出等于总需求；总收入是生产要素的投入报酬，总供给是投入生产要素生产产品，总收入等于总供给；此外，社会的总需求又等于社会的总供给。所以

总产出＝总收入＝总支出＝总供给＝总需求

在对国民收入核算体系进行了解和分析的基础上，可以进一步推导出国民收入核算中的恒等式，即投资－储蓄恒等式。

1. 两部门经济的恒等式

两部门经济是一种最简单的经济，此时的经济社会只由企业和家庭两种经济单位所组成，没有政府，也没有对外贸易。在两部门经济中，家庭向企业提供各种生产要素、获得相应的收入，并用这些收入购买各种产品与劳务；而企业购买家庭提供的各种生产要素进行生产，并向家庭提供各种产品与劳务。此时国民收入的构成可以从支出和收入两个方面来进行分析。

一方面，从支出的角度看，国民收入等于消费加投资，即 $Y=C+I$；另一方面，从收入的角度看，假设家庭的总收入只有两种用途，不是用于消费，就是用于储蓄，因此，国民收入等于消费加储蓄，即 $Y=C+S$。因此 $C+I=C+S$，就得到了两部门经济中投资－储蓄恒等式，即

$$I=S$$

2. 三部门经济的恒等式

三部门经济是指由企业、家庭和政府所组成的经济社会。在三部门经济中，政府的经济职能是通过税收与政府支出来实现的。三部门经济中国民收入的构成也可以从支出和收入两个方面进行分析。

一方面，从支出的角度看，国民收入等于消费加投资再加上政府购买，即 $Y=C+I+G$；另一方面，从收入的角度看，由于存在政府活动，家庭的总收入一部分要用于向政府缴纳税款，因此，国民收入等于消费加储蓄再加上税收，即

$$Y=C+S+T$$

因此 $C+I+G=C+S+T$，就有 $I+G=S+T$，就得到了三部门经济中投资－储蓄恒等式，即

$$I=S+(T-G)$$

式中，S 是居民储蓄；（$T-G$）是政府储蓄。

3. 四部门经济的恒等式

四部门经济是在三部门经济的基础上加上了国外部门，形成了本国的出口和进口。四部门经济的国民收入也可以从支出和收入两个方面来进行分析。

一方面，从支出的角度看，国民收入等于消费、投资、政府购买和净出口的总和，用公式表示，即

$$Y=C+I+G+(X-M)$$

另一方面，从收入的角度看，由于存在对外贸易，家庭的总收入不仅用于消费、储蓄、交税，还有可能用于对外国的要素支付或转移支付。例如，2018年印度尼西亚发生海啸时，我国政府就进行了较大规模的经济和物资援助。这种对国外的支付（用 K 表示）也来自生产要素的收入。因此可得 $Y=C+S+T+K$，由于 $C+I+G+(X-M)=C+S+T+K$，就有 $I+G+(X-M)=S+T+K$，就得到了四部门经济中投资 - 储蓄恒等式，即

$$I=S+(T-G)+(M-X+K)$$

式中，S 是居民储蓄；（$T-G$）是政府储蓄；（$M-X+K$）是外国对本国的储蓄。

第二节　简单国民收入决定理论

一、消费函数和储蓄函数

（一）消费函数

人们的日常消费行为受到很多因素的影响，如家庭的收入水平、商品的价格、消费者的偏好、信贷政策、年龄构成和风俗习惯等。在众多的影响因素中，凯恩斯认为，收入是最具有决定性的；而其他因素的影响都很小，甚至有些还可以相互抵消，因此在一定时期可以忽略不计。我们可以从理论上只分析由收入影响的消费函数，一般情况下，消费随收入的增加而增加，但是其增加的幅度并没有收入增加的幅度大。

凯恩斯的消费函数可以表示为

$$C=f(Y)$$

如果把消费与收入之间看作简单的线性关系，则消费函数可表示为

$$C=a+bY\ (0<b<1)$$

增加的消费与增加的收入的比值代表了收入增加后消费增加的幅度，称为边际消费倾向（MPC），用公式可以表示为

$$\text{MPC}=\Delta C/\Delta Y$$

当收入和消费的增量都很小时

$$\text{MPC}=\mathrm{d}C/\mathrm{d}Y=b$$

b 可以看作一个常数。

平均消费倾向（APC）是指在任何收入水平上的消费支出占收入的比重，即

$$\text{APC}=C/Y$$

凯恩斯认为，边际消费倾向始终在 0 和 1 之间，且当收入增加时，人们会增加消费，但消费的增加量会小于收入的增加量。随着收入的增加，消费增加的速度低于收入增加的速度，并且会呈下降趋势，这被称为边际消费倾向递减规律。根据凯恩斯的消费理论，边际消费倾向总是小于平均消费倾向。某家庭的消费函数如表 9-4 所示。

表9-4　某家庭的消费函数

收入（Y）/（元/月）	消费（C）/（元/月）	边际消费倾向（MPC）	平均消费倾向（APC）
2 000	2 000		1.00
4 000	3 600	0.8	0.9
8 000	6 400	0.7	0.8
16 000	9 600	0.4	0.6
20 000	10 000	0.1	0.5

如图 9-1 所示，当消费函数为线性函数时，消费曲线就是一条向右上方倾斜的直线。图中，45° 线上任意一点到横轴和纵轴的距离都相等，表示消费者的收入全部用于消费。消费线与 45° 线相交于 E 点，在 E 点之前，消费大于收入，意味着借贷消费或是使用以前的储蓄；在 E 点之后，消费小于收入。随着收入的增加，消费增加的幅度越来越小于收入增加的幅度。

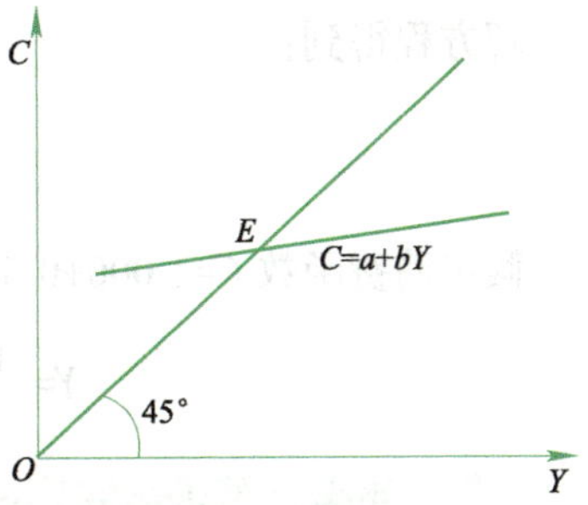

图9-1　线性消费函数

（二）储蓄函数

储蓄函数与消费函数相对应，收入中没有用于消费的部分便是用于储蓄。由于消费随收入增加而增加的比率是递减的，则储蓄随收入的增加而增加的比率是递增的。储蓄与收入的关系可以用储蓄函数表示出来，公式是

$$S=f(Y)$$

若储蓄函数为线性关系，则

$$S=-a+(1-b)Y$$

边际储蓄倾向（MPS）是储蓄的增量与收入的增量的比值，可表示为

$$\text{MPS}=\frac{\Delta S}{\Delta Y}$$

当收入与储蓄的增量都趋于极小时

$$\text{MPS}=\frac{\mathrm{d}S}{\mathrm{d}Y}=1-b$$

平均储蓄倾向（APS）是指在任何收入水平上的储蓄占收入的比重，即

$$\text{APS}=S/Y$$

（三）消费函数和储蓄函数的关系

由于收入完全用于消费和储蓄，因此收入的增加量等于消费的增加量加上储蓄的增加量，因此二者的关系可以表述为

$$Y=C+S$$
$$APC+APS=1$$
$$MPC+MPS=1$$

根据以上关系，如果消费函数和储蓄函数中任意一个确定，便可以确定另一个函数。

二、简单国民收入的决定

（一）使用消费函数决定国民收入

我们分析最简单的两部门经济模型。在两部门经济中，只有家庭和企业，国民收入取决于消费和投资，则 $Y=C+I$，为简化分析，假定 I 为已知的常数 I_0。

此时把收入函数和消费函数结合起来就可以求出均衡的国民收入，即

$$Y=C+I_0$$
$$C=a+bY$$

解方程得到：

$$Y=\frac{a+I_0}{1-b}$$

假定消费函数 $C=1\,000+0.6Y$，投资 I_0 为 500 万元，则均衡的国民收入为

$$Y=\frac{1\,000\text{万元}+500\text{万元}}{1-0.6}=3\,750\text{ 万元}$$

（二）使用储蓄函数决定国民收入

上面使用消费函数决定均衡的国民收入使用的是总支出等于总收入的方法，也可以使用计划投资等于计划储蓄的方法。

计划投资等于计划储蓄，即 $I=Y-C=S$，储蓄函数 $S=-a+(1-b)Y$，则可求解出

$$Y=\frac{a+I}{1-b}$$

这与使用消费函数计算均衡国民收入的结果是一致的。

三、乘数原理及其效应

乘数原理是说明影响国民收入的因素变动时国民收入的变动程度，国民收入的变动量是引起其变动的初始量的若干倍，用 K 表示乘数，则 $\Delta Y=K\times\Delta$ 初始量。

引起国民收入变动的因素可能是投资、政府购买和税收等，因此分别有相应的投资乘数、政府购买乘数和税收乘数等，这里主要分析投资乘数。

收入增量与投资增量之间的比值为投资乘数，即 $K=\Delta Y/\Delta I$。同时，由于投资增加引起的总收入增加中还包括由此间接引起的消费增量（ΔC）在内，即 $\Delta Y=\Delta I+\Delta C$，则有

$$K=\frac{\Delta Y}{\Delta I}=\frac{\Delta Y}{\Delta Y-\Delta C}=\frac{1}{1-\Delta C/\Delta Y}$$

式中，$\Delta C/\Delta Y$ 为边际消费倾向。

可以看出 MPC 越大，投资乘数就越大，乘数效应越明显，反之则越小。

假设消费函数 $C=1\,100+0.6Y$，$I_0=500$ 亿元，则两部门的均衡国民收入是

$$Y=\frac{a+I_0}{1-b}=4\ 000\text{（亿元）}$$

当投资从 500 亿元增加到 600 亿元时，均衡国民收入为 4 250 亿元，意味着投资增加 100 亿元，均衡国民收入增加了 250 亿元，是投资增量的 2.5 倍。

因此，当投资增加时，均衡国民收入的增量会是投资增量的 K 倍，$K=1/(1-b)$。

知识链接　节约悖论

1936 年，凯恩斯在《就业、利息和货币通论》中提出了著名的节约悖论，他引用了一则古老的寓言：有一窝蜜蜂原本生活得十分富足，所有蜜蜂都整天大吃大喝，后来一个哲人教导它们说，不能如此挥霍浪费，应该厉行节约，蜜蜂听了哲人的话，觉得很有道理，于是迅速贯彻落实，个个争当节约模范，但结果出乎预料，整个蜂群从此迅速衰败下去，一蹶不振了。

在经济大萧条时期，人们由于对未来预期持悲观态度，因此都不愿意消费而选择尽量多储蓄。根据乘数理论，边际消费倾向的降低会使国民收入成倍减少，从而使经济进一步恶化。因此在经济萧条时期，政府总会增加财政支出，鼓励消费，刺激经济的发展。

不过在经济繁荣时期，储蓄的增加能在一定程度上减轻社会通货膨胀的压力，是有利的。

本章小结

宏观经济学是以整体经济活动作为研究对象，研究的是经济总量问题。衡量经济总量的指标中最基本的是 GDP，因此掌握与 GDP 相关的国民收入核算与决定理论是学习、理解宏观经济学的前提。

国民收入核算的方法主要有支出法、收入法和生产法，国民收入核算中的恒等式是投资－储蓄恒等式；国民收入的决定主要通过消费函数和储蓄函数进行分析，均衡国民收入的决定不管是通过消费函数还是储蓄函数计算结果都是一样的。

练习题

一、名词解释

国内生产总值　国民生产总值　名义 GDP　实际 GDP　边际消费倾向　边际储蓄倾向

二、单项选择题

1. 下面不属于总支出的是（　　）。

A. 政府购买　　B. 税收　　C. 投资　　D. 消费

2. 正确的储蓄－投资恒等式是（　　）。

A. 投资＝储蓄　　B. 投资＝消费

C. 储蓄＝消费　　D. 总支出－投资＝总收入－储蓄

3. 个人收入与个人可支配收入的差别在于（　　）。

A. 个人所得税　　B. 间接税　　C. 折扣　　D. 公司未分配利润

4. 三部门经济中的恒等关系是（　　）。

A. $I=S$　　B. $I=S+(T-G)$

C. $I=S+T+G$　　D. $I=S+(T-G)+(M-X+K)$

5. 净出口是指（　　）。

A. 出口减进口　　B. 出口加进口

C. 出口加政府转移支付　　D. 进口减出口

6. 交通运输部的经常性支出属于（　　）。

A. 消费　　B. 投资　　C. 转移支付　　D. 政府购买

7. 在下列情形中，应该计入今年 GDP 的是（　　）。

A. 去年生产而在今年销售出去的汽车

B. 今年生产的汽车

C. 去年购买而在今年转售给他人的汽车

D. 某厂商今年计划要在明年生产的汽车

8. 从收入的角度出发，把生产要素报酬（工资、租金、利息、利润）进行加总计算国内生产总值的方法是（　　）。

A. 支出法　　B. 收入法　　C. 最终产品法　　D. 增值价值法

9. 某人的边际消费倾向是 70%，则他的边际储蓄倾向是（　　）。

A. 70%　　B. 60%　　C. 30%　　D. 20%

10. 今年的名义 GDP 小于去年的名义 GDP 说明（　　）。

A. 物价水平一定下降了

B. 今年生产的产品和劳务数量一定都减少了

C. 今年的物价水平以及产品和劳务的数量一定都减少了

D. 以上都不正确

三、多项选择题

1. 在理解国内生产总值时要注意（　　）。

A. 国内生产总值是一个地域性的概念

B. 国内生产总值是一个流量的概念，而不是存量的概念

C. 国内生产总值测度的是一定时期内所生产的产品，而不是所售卖掉的产品

D. 国内生产总值测度的是最终产品，而不是中间产品

E. 国内生产总值是一个市场价值的概念

2. 基本的国民收入核算的变量主要包括（　　）。

A. 国内生产总值　　B. 个人收入

C. 个人可支配收入　　D. 政府收入

E. 企业收入

3. 在四部门经济中，总支出包括（　　　）。
   A. 消费　　B. 投资　　C. 政府购买　　D. 出口
   E. 储蓄
4. 以下（　　　）是收入法核算的项目。
   A. 工资　　B. 利息　　C. 租金　　D. 利润
   E. 企业间接税和转移支付
5. 以下（　　　）是支出法核算的项目。
   A. 消费　　B. 投资　　C. 政府购买　　D. 净出口
   E. 利润

四、简答题

1. 如何理解 GDP 的含义？GDP 和 GNP 有什么区别？
2. GDP 的核算方法有哪些？

五、案例分析题

初步核算，2023 年上半年国内生产总值 593 034 亿元，按不变价格计算，同比增长 5.5%，比一季度加快 1.0 个百分点。分产业看，第一产业增加值 30 416 亿元，同比增长 3.7%；第二产业增加值 230 682 亿元，增长 4.3%；第三产业增加值 331 937 亿元，增长 6.4%。分季度看，一季度国内生产总值同比增长 4.5%，二季度增长 6.3%。从环比看，二季度国内生产总值增长 0.8%。

一、农业生产形势稳定，畜牧业平稳增长

2023 年上半年，农业（种植业）增加值同比增长 3.3%。夏粮生产再获丰收。全国夏粮总产量 14 613 万吨，比上年减少 127.4 万吨，下降 0.9%，产量居历史第二高位。上半年，猪牛羊禽肉产量 4 682 万吨，同比增长 3.6%，其中猪肉、牛肉、羊肉、禽肉产量分别增长 3.2%、4.5%、5.1%、4.3%；牛奶产量增长 7.5%，禽蛋产量增长 2.9%。二季度末，生猪存栏 43 517 万头，同比增长 1.1%。上半年，生猪出栏 37 548 万头，增长 2.6%。

二、工业生产稳步恢复，装备制造业增长较快

2023 年上半年，全国规模以上工业增加值同比增长 3.8%，比一季度加快 0.8 个百分点。分三大门类看，采矿业增加值同比增长 1.7%，制造业增长 4.2%，电力、热力、燃气及水生产和供应业增长 4.1%。装备制造业增加值增长 6.5%，比全部规模以上工业快 2.7 个百分点。分经济类型看，国有控股企业增加值同比增长 4.4%；股份制企业增长 4.4%，外商及港澳台商投资企业增长 0.8%；私营企业增长 1.9%。分产品看，太阳能电池、新能源汽车、工业控制计算机及系统产量分别增长 54.5%、35.0%、34.1%。6 月份，规模以上工业增加值同比增长 4.4%，环比增长 0.68%。6 月份，制造业采购经理指数为 49.0%，企业生产经营活动预期指数为 53.4%。

三、服务业增长较快，接触型聚集型服务业明显改善

2023 年上半年，服务业增加值同比增长 6.4%，比一季度加快 1.0 个百分点。其中，住宿和餐饮业，信息传输、软件和信息技术服务业，租赁和商务服务业，金融业，批发和零售业增加值分别增长 15.5%、12.9%、10.1%、7.3%、6.6%。6 月份，服务业生产指数同比增长 6.8%。其中，住宿和餐饮业，信息传输、软件和信息技术服务业，租赁和商务服务业生产指数分别增长 20.0%、15.4%、9.3%。1～5 月份，全国规模以上服务业企业营业收入同比增长 8.5%。6 月份，

服务业商务活动指数为52.8%，业务活动预期指数为60.3%。其中，航空运输、邮政快递、电信广播电视及卫星传输服务、货币金融服务、保险等行业商务活动指数均位于60.0%及以上高位景气区间。

四、市场销售增势较好，升级类商品销售加快

2023年上半年，社会消费品零售总额227 588亿元，同比增长8.2%，比一季度加快2.4个百分点。按经营单位所在地分，城镇消费品零售额197 532亿元，同比增长8.1%；乡村消费品零售额30 056亿元，增长8.4%。按消费类型分，商品零售203 259亿元，增长6.8%；餐饮收入24 329亿元，增长21.4%。基本生活类商品销售稳定增长，限额以上单位服装鞋帽针纺织品类、粮油食品类商品零售额分别增长12.8%、4.8%。升级类商品销售较快增长，限额以上单位金银珠宝类、体育娱乐用品类、化妆品类商品零售额分别增长17.5%、10.5%、8.6%。全国网上零售额71 621亿元，同比增长13.1%。其中，实物商品网上零售额60 623亿元，增长10.8%，占社会消费品零售总额的比重为26.6%。6月份，社会消费品零售总额同比增长3.1%，环比增长0.23%。

五、固定资产投资持续增长，高技术产业投资较快增长

2023年上半年，全国固定资产投资（不含农户）243 113亿元，同比增长3.8%。分领域看，基础设施投资增长7.2%，制造业投资增长6.0%，房地产开发投资下降7.9%。全国商品房销售面积59 515万平方米，下降5.3%；商品房销售额63 092亿元，增长1.1%。分产业看，第一产业投资增长0.1%，第二产业投资增长8.9%，第三产业投资增长1.6%。民间投资下降0.2%。高技术产业投资增长12.5%，其中高技术制造业和高技术服务业投资分别增长11.8%、13.9%。高技术制造业中，医疗仪器设备及仪器仪表制造业、电子及通信设备制造业投资分别增长16.8%、14.2%；高技术服务业中，专业技术服务业、科技成果转化服务业投资分别增长51.6%、46.3%。6月份，固定资产投资（不含农户）环比增长0.39%。

六、货物进出口保持增长，贸易结构继续优化

2023年上半年，货物进出口总额201 016亿元，同比增长2.1%。其中，出口114 588亿元，增长3.7%；进口86 429亿元，下降0.1%。进出口相抵，贸易顺差28 159亿元。一般贸易进出口增长4.0%，占进出口总额的比重为65.5%，比上年同期提高1.2个百分点。民营企业进出口增长8.9%，占进出口总额的比重为52.7%，比上年同期提高3.3个百分点。对“一带一路”沿线国家进出口增长9.8%。6月份，进出口总额34 883亿元，同比下降6.0%。其中，出口19 898亿元，下降8.3%；进口14 985亿元，下降2.6%。

总的来看，2023年上半年，随着经济社会全面恢复常态化运行，宏观政策显效发力，国民经济回升向好，高质量发展稳步推进。但也要看到，世界政治经济形势错综复杂，国内经济持续恢复发展的基础仍不稳固。下阶段，要坚持以习近平新时代中国特色社会主义思想为指导，坚持稳中求进工作总基调，完整、准确、全面贯彻新发展理念，围绕高质量发展这个首要任务和构建新发展格局这个战略任务，全面深化改革开放，加快建设现代化产业体系，着力畅通经济循环，在转方式、调结构、增动能上下更大功夫，努力推动经济实现质的有效提升和量的合理增长。

根据以上资料，请分析国民收入核算的方法。

第十章
失业与通货膨胀

[学习目标]

◎知识目标

- 理解失业与通货膨胀的含义、类型
- 掌握失业与通货膨胀的原因和二者之间的关系

◎能力目标

- 能对我国经济运行中的失业和通货膨胀问题进行简单的分析

◎素质目标

- 了解失业产生的原因和影响，提升职业规划与调整的能力
- 培养经济环境变化的适应和创新能力

◆ 引导案例 ◆

关于完善分年龄组调查失业率有关情况的说明

国家统计局高度重视劳动力调查制度完善工作，结合社会提出的建议意见，组织相关部门和专家深入探讨，研究国际标准和各国经验做法，并开展实地调研，认真梳理研究失业率的统计方法和统计口径，从充分考虑国情的角度出发，对分年龄组失业率统计进行了调整完善。

（1）发布不包括在校学生的16～24岁劳动力失业率，更精准监测进入社会、真正需要工作的青年人的就业失业情况。

2023年各月平均，我国16～24岁城镇人口中，在校学生占比六成多，近6200万人；非在校学生占比三成多，约3400万人。从我国国情看，在校学生的主要任务是学习，而不是兼职工作，如果把在校学生包含在分年龄组内，会把在校寻找兼职和毕业后寻找工作的青年混在一起，不能准确反映进入社会真正需要工作的青年人的就业失业情况。测算不包含在校学生的分年龄组失业率，有利于更准确反映进入社会的青年的就业失业情况，给予他们更加精准的就业服务，制定更加有效、有针对性的就业政策。

（2）增加发布不包括在校学生的25～29岁劳动力失业率，更完整反映青年从学校毕业到稳定工作过程中的就业失业全貌。

随着青年受教育年限不断提高，目前我国高等教育毛入学率近六成，多数青年24岁时刚毕业不久，尚处于择业期，一些人未就业或就业不稳定，至29岁时绝大多数已度过择业期，就业情况趋向稳定。社会各界非常关心青年刚走出校门时的就业情况，也非常关心他们毕业后一段时间内的就业情况。因此，国家统计局增加测算发布25～29岁劳动力失业率，更完整反映青年从学校毕业到稳定工作过程中的就业失业全貌。

引入问题

你是如何理解失业率的？

失业与通货膨胀是现代经济中不可回避的基本问题，世界上所有国家都经历过不同原因引起的失业与通货膨胀的问题，而且它们在许多情况下也会给各国正常的经济活动带来消极的影响。因此，本章从失业与通货膨胀的种类、成因进行分析，研究失业与通货膨胀对经济运行的各种效应以及失业与通货膨胀之间存在的联系，并初步探讨应对失业与通货膨胀的方法。

第一节 失 业

一、失业的内涵

失业现象无论是在发达国家，还是在发展中国家，都不同程度地存在。一般来说，失业是指在法定年龄内，具有劳动能力、愿意接受现行工资水平但仍然找不到工作的状态。

处于失业状态的劳动力称为失业者。通常，用失业率来衡量失业的程度，失业率是失业的劳动力占劳动力总数的百分比。失业率的计算公式为

$$失业率=\frac{失业人数}{劳动力总数}\times 100\%$$

式中，失业人数是指属于失业定义范围内的人数；劳动力总数是全部就业人数与失业人数之和。

二、失业的成因及主要分类

失业有很多种类，如根据就业意愿来分，可划分为自愿失业与非自愿失业。所谓自愿失业，是指劳动者不愿意接受现行的工作条件和收入水平，从而客观上处于没有工作的失业状态。这种失业是由于劳动力主观上不愿意就业而造成的，因此被称为自愿失业，无法通过经济手段和政策来消除。另一种是非自愿失业，即经济学中关注的失业，这种失业一般是由于信息不对称，社会的有效需求过低所造成的，因而可以通过经济手段和政策来消除。

一般来说，失业按照其形成的原因，大体上可分为以下类型。

1. 摩擦性失业

摩擦性失业是指生产过程中难以避免的、由于转换职业等原因而造成的短期、局部失业。这种失业的性质是过渡性的或短期性的。这种失业一般是因季节性或技术性原因而引起的失业，即由于经济调整或资源配置比例失调等原因，一部分劳动者暂时处于失业状态，表现为劳动者想要工作与得到工作之间的时间消耗造成的失业。

新加入劳动力队伍的劳动者寻找工作、已入职劳动者被雇主解聘而被迫寻找新工作、已入职劳动者不满意现有工作而辞职寻找新工作等，上述寻找工作期间内的无业状态均表现为摩擦性失业。就单个劳动者而言，摩擦性失业是暂时的；就整个经济而言，摩擦性失业是一种长期存在的现象。

影响摩擦性失业的因素主要包括劳动力流动性和寻找工作的成本等方面。一般而言，摩擦性失业与劳动力流动性呈同向变化，与寻找工作的成本呈反方向变化。寻找工作的成本主要取决于获得有关供求信息的成本、寻找工作的时间、失业者承受失业的能力及社会保障制度等因素。人们在生活有一定保障的条件下，就可能花更多的时间寻找工作，失业救济等社会保险制度及劳动力市场的完善服务都可降低人们寻找工作的成本。

2. 结构性失业

结构性失业是指劳动力的供给和需求不匹配所造成的失业，其特点是既有失业，也有职位空缺，劳动力找不到工作和用人单位招不到人的情况并存。一般来说，经济结构变化、地区发展不平衡、劳动力供求信息不对称等因素都会造成结构性失业。

（1）经济结构变化时，随着技术进步及消费需求发生变化，产业结构与地区结构发生改变，随着一些传统行业的衰落，这些行业中的大量人员失业，而一些新兴行业蓬勃发展，缺少合格的劳动者，由此产生结构性失业。

（2）由于各地区经济发展的不平衡性，一些地区因经济落后而存在失业，另一些地区则因经济快速发展出现“用工荒”。

（3）劳动力供求信息的不对称。由于信息的非对称性，劳动力的供给结构调整往往滞

后并具有一定的盲目性，与需求结构难以完全一致。例如一些大学生毕业即失业，与此同时，不少厂商却人才难觅。这些因素都会导致结构性失业。

3. 周期性失业

周期性失业是指因经济周期波动而造成的失业。失业率随经济扩张而下降，随经济衰退而上升。在经济复苏和繁荣阶段，整个经济对劳动的需求大幅上升，众多劳动者迅速被各行业吸收，失业率下降；在经济萧条和衰退阶段，大量企业收缩规模甚至倒闭，行业大量裁员，对劳动力的需求急剧减少，失业率大幅上升。失业率表现出与经济周期的波动相一致，故称为周期性失业。

第二节　通　货　膨　胀

通货膨胀

一、通货膨胀及其衡量标准

（一）通货膨胀的含义

一般来说，通货膨胀是指物价水平普遍而持续上涨。并不是所有的物价上涨都是通货膨胀，从通货膨胀的概念看，它有以下两个方面的特征：①通货膨胀是指物价水平普遍上涨。通货膨胀不是指一种或几种商品的价格上涨，而是指物价总体水平普遍上涨。如果只是一种或少数几种商品的价格在上涨，那就不能断定是发生了通货膨胀。②通货膨胀是物价水平持续上涨，即物价上涨必须持续一定时期。如果物价只是暂时性、季节性上涨，则不能说是发生了通货膨胀。

（二）通货膨胀的衡量

物价指数是衡量通货膨胀程度的基本指标。通货膨胀率是一定时期内物价指数的变动率。通货膨胀率的计算公式为

$$\text{通货膨胀率}=\frac{\text{报告期物价指数}-\text{基期物价指数}}{\text{基期物价指数}}\times 100\%$$

式中，基期物价指数是作为对比标准的那一时期物价指数；报告期物价指数是指所研究时期的物价指数。

例如，某市5月消费者物价指数为103%，该数据以2023年5月为基期，基期物价指数为100%，则相应的通货膨胀率为$\frac{103\%-100\%}{100\%}\times 100\%=3\%$

物价指数是综合反映物价变动趋势和程度的相对数。常用的物价指数有消费者物价指数（CPI）、生产者物价指数（PPI）和GDP平减指数。

1. 消费者物价指数（CPI）

消费者物价指数（CPI）是衡量一定时期居民个人所购买商品和劳务零售价格变化的指标。消费者物价指数反映消费环节的价格水平，与人们的生活水平关系最为密切，是国际通用的衡量一个国家或地区通货膨胀或通货紧缩程度的指标。世界各国在编制消费者物

价指数时，尽管由于国情不同而列入编制范围的商品和劳务的具体项目有所不同，但都倾向于根据本国居民的消费习惯，选定一些有代表性的生活必需品和服务项目，并通过以这种方法编制出来的物价指数来判断本国是否发生了通货膨胀。

从统计内容看，我国 CPI 包括食品烟酒、衣着、居住、生活用品及服务、交通通信、教育文化娱乐、医疗保健、其他用品及服务八大类、268 个基本分类。

一般认为，CPI 同比增长在 2% ～ 3% 属于可接受范围内，称为温和的通货膨胀。

2. 生产者物价指数（PPI）

生产者物价指数（PPI）又称为批发价格指数，是衡量一定时期生产资料与消费资料批发价格变化的指标。生产者物价指数反映生产环节的价格水平，整个价格水平的波动一般首先出现在生产领域，然后通过产业链向下游产业扩散，最后波及消费品，影响消费者物价指数。因此，生产者物价指数是整个价格水平变化的一个信号，被作为经济周期的指示性指标之一，受到各国政策制定者及企业经营决策者的密切关注。

我国 PPI 的调查目录包含了 41 个工业行业大类，207 个工业行业中类，666 个工业行业小类，1 638 个基本分类，2 万多种代表产品。

3. GDP平减指数

GDP 平减指数是名义 GDP 和实际 GDP 的比率。其计算公式为

$$\text{GDP 平减指数} = \frac{\text{某年名义 GDP}}{\text{某年实际 GDP}} \times 100\%$$

GDP 平减指数是重要的物价指数之一，能反映通货膨胀的程度。

二、通货膨胀的类型

（一）按通货膨胀的程度划分

按通货膨胀的严重程度，可将通货膨胀划分为温和的通货膨胀、奔腾的通货膨胀和恶性的通货膨胀三种类型。

1. 温和的通货膨胀

温和的通货膨胀亦称爬行的通货膨胀，是指年通货膨胀率在 10% 以内的通货膨胀。在温和的通货膨胀情况下，通货膨胀率低，可预测，物价水平较为稳定。凯恩斯主义理论认为，温和的通货膨胀虽然使物价水平有所上升，但能增加社会需求，促进资源的利用、就业的增加和收入的增长，对整个社会经济发展是有利的。

2. 奔腾的通货膨胀

奔腾的通货膨胀亦称急剧的或加速的通货膨胀，是指年通货膨胀率在 10% ～ 100% 的通货膨胀。在奔腾的通货膨胀情况下，通货膨胀率较高，物价上升速度快、涨幅大，货币的实际购买力急剧下降，人们对货币的信心产生动摇，更愿意大量囤积商品而不愿意持有货币，金融市场陷于瘫痪，经济运行秩序受损，经济和社会产生动荡。

3. 恶性的通货膨胀

恶性的通货膨胀亦称超速的或超级的通货膨胀，是指年通货膨胀率在 100% 以上的通

货膨胀。在恶性的通货膨胀情况下，通货膨胀率非常高而且完全失控，金融体系完全崩溃，经济体系陷入崩溃边缘，形成严重的经济危机，甚至出现政权更迭。恶性的通货膨胀在经济发展史上并不多见，通常发生于战争或社会大动乱之后。

（二）按通货膨胀的成因划分

从通货膨胀的成因上看，通货膨胀主要分为：需求拉动型通货膨胀、成本推动型通货膨胀、供求混合推动型通货膨胀和结构性通货膨胀。

1. 需求拉动型通货膨胀

需求拉动型通货膨胀是指当市场上商品和劳务的总需求增加时，市场所能供给的商品和劳务不能满足市场的过度需求而引起的物价上涨。需求拉动型通货膨胀是从总需求的角度来分析通货膨胀的原因，把通货膨胀归因于对社会资源的需求超过了按现行价格所能得到的供给。由于总需求的过度增长，总供给相对不足，总需求超过总供给的能力，供不应求引起价格上升，从而导致通货膨胀。

2. 成本推动型通货膨胀

成本推动型通货膨胀是指在资源尚未充分利用时因成本因素推进而引起的价格上涨。与需求拉动型通货膨胀从总需求的角度分析通货膨胀原因不同的是，成本推动型通货膨胀是从总供给的角度分析通货膨胀的原因。它认为引起通货膨胀的原因在于成本的增加，成本的增加意味着只有在高于从前的价格水平时，才能达到与以前相同的产量水平（也就是说，由于成本的增加，厂商只有在高于从前的价格水平时，才愿意提供同样数量的产品），从而引起通货膨胀。

3. 供求混合推动型通货膨胀

前面分别从总需求和总供给的角度分析通货膨胀产生的原因。但是在现实生活中，很难分清通货膨胀究竟是哪种原因引起的，因为这两种原因可以互为因果。例如：最初由于政府增加支出造成总需求增加，引起需求拉动型通货膨胀；而工人出于对通货膨胀延续的担忧，会通过工会向企业施加压力，迫使企业增加工资，从而提高了企业的成本，引起成本推动型通货膨胀。结果物价、工资轮番上涨……因此，很难简单地说通货膨胀是由需求拉动的还是成本推动的，必须把总需求和总供给结合起来分析通货膨胀的原因。供求混合推动型通货膨胀理论认为，总需求和总供给同时影响通货膨胀，即通货膨胀的成因不是单一的总需求或总供给，而是这两者共同作用的结果。如果通货膨胀是由需求拉动开始的，即过度需求的存在引起物价上升，这种物价上升又会使工资增加，而供给成本的增加又引起了成本推动型通货膨胀。如果通货膨胀是由成本推动开始的，即成本增加引起物价上升。这时如果没有总需求的相应增加，工资上升最终会减少生产，增加失业，从而使成本推动引起的通货膨胀停止。只有在成本推动的同时，又产生总需求的增加，这种通货膨胀才能持续下去。

4. 结构性通货膨胀

结构性通货膨胀是指由于经济结构方面的因素而引起的通货膨胀。它是从社会各生产部门之间劳动生产率的差异、劳动市场的结构特征和各生产部门之间收入水平的赶超速度等角度来分析由于经济结构的特点而引起通货膨胀的过程。从经济结构的角度看，即使整个社会经济的总需求和总供给处于均衡状态，但由于经济结构方面的因素发生变动，如社会经济部门发展的不平衡，也会引起一般物价水平的上涨，从而导致通货膨胀。

在社会经济中，各生产部门的劳动生产率存在差异：一些生产部门劳动生产率较高，生产扩张，需要更多的资源和劳动力（称这些部门为扩张部门）；而另一些生产部门劳动生产率较低，生产在收缩，资源与劳动力因需求减少而显得过剩（称这些部门为非扩张部门）。如果资源和劳动力能够自由而迅速地由劳动生产率低的部门转移到劳动生产率高的部门，结构性通货膨胀就不会发生。但事实上现代社会经济结构的特点限制了劳动生产率低的部门的资源与劳动力向劳动生产率高的部门转移。这样，劳动生产率高的部门由于资源与劳动力的短缺，导致资源价格上升，工资上升。而劳动生产率低的部门尽管资源与劳动力过剩，其资源价格和工资也不会下降，特别是工资不仅不会下降，还会由于追求所谓的“公平”而在向劳动生产率高的部门“看齐”的过程中上升。这样，由于两类部门的成本增加，尤其是工资成本的增加而产生了通货膨胀。

通过以上对通货膨胀成因的分析可以看出，通货膨胀往往不是单一原因造成的，而是由各种因素共同作用的结果。

三、通货膨胀对经济的影响

经济学家通常认为，温和的通货膨胀对经济增长是有益的，而对收入和财富的分配几乎没有什么影响。在通货膨胀不能完全预期的情况下，由于人们无法准确地根据通货膨胀率来调整各种名义变量及相应的经济行为，通货膨胀将影响收入分配、资源分配、产出、就业等方面。

1. 通货膨胀对收入的影响

一般来说，通货膨胀时期物价普遍上涨，货币购买力下降，这会使货币收入和财富从固定收入者手中转移到非固定收入者手中，从消费者手中转移到生产者手中，从债权人手中转移到债务人手中，从居民手中转移到政府手中。在通货膨胀时期，工资和薪金的增长慢于并小于物价水平的上升，实际工资下降，利润增加，工资收入者受损失，利润收入者得益处。通货膨胀对领取租金、利息、退休金等固定收入的人们来说，要降低他们的实际收入，使其收入和财富减少。通货膨胀使得债权人和债务人之间收入再分配，债权人因物价上涨而受到损失，而债务人却会获得收益。对政府来说，通货膨胀可以看成一种隐形税收，使得公众的实际收入减少。同时，通货膨胀对储蓄者不利，而对股票持有者比较有利。

2. 通货膨胀对社会财富分配的影响

通货膨胀会改变各种商品、劳务和生产要素的相对价格，引起相对价格体系的变动，最终会使原来的资源配置状况和方式发生变动，导致资源进行重新配置。一些在通货膨胀时期价格上升快于成本上升的行业将得到扩张，而价格上升慢于成本上升的行业会相应收缩。当价格上涨是对经济结构、生产率提高的反映时，价格变动和资源配置将趋于合理；反之，当通货膨胀使价格信号扭曲、无法正常反映社会供求状况、价格失去调节经济的作用、引起资源配置的失调时，会破坏正常的经济秩序，降低经济运行的效率。

3. 通货膨胀对经济增长的影响

需求拉动型通货膨胀在一定条件下会刺激厂商增加投资、扩大生产规模、增雇工人，增加国民收入。通货膨胀使得银行的实际利率下降，这又会刺激消费和投资需求，促进资源的充分利用和总供给的增加。但是，当通货膨胀率可预期时，就不会对国民收入水平和就业产生直接的影响。如果发生成本推动型通货膨胀，则原来总需求所能购买的实际产品的数量将会减少，也就是说，当成本推动的压力抬高物价水平时，总需求只能在市场上支持一个较小的实际产出。因此，实际产出下降，导致厂商缩小生产规模，减少雇工，失业率上升。

四、通货膨胀的政策选择

经济学家虽然对通货膨胀所产生的影响有不同的看法，但都一致认为恶性的通货膨胀对经济发展是有害的，因此，各国政府都把对通货膨胀的控制作为宏观经济政策目标之一。西方经济学家提出的反通货膨胀政策主要有以下两种。

1. 紧缩性的需求管理政策

紧缩性的财政政策和货币政策几乎是所有国家用来反通货膨胀的传统方法。紧缩性的财政政策包括减少政府支出和增加税收，其直接效果是降低总需求。紧缩性的货币政策包括减少货币供给量，提高贴现率或法定准备金率，其直接效果是利率的提高，进而抑制投资和消费，从而导致总需求的减少。在西方国家，有时也采用扩张性的财政政策与紧缩性的货币政策相结合来抑制通货膨胀。这样做是为了防止用来抑制通货膨胀的“双紧”政策可能会带来的经济衰退和失业。

2. 收入政策

经济学家认为，要应付需求拉动型通货膨胀，可以采取紧缩性的需求管理政策，或者简单的货币规则。但是，要抑制成本推动型通货膨胀，采取紧缩性的需求管理政策却难以奏效。为此，应该采取收入政策。收入政策是指限制各种生产要素的收入（主要是指工资收入，也包括利润、利息、租金收入）的增长率，从而限制物价上涨的政策，又称工资和物价管制政策。它是政府从控制总供给方面抑制通货膨胀的主要手段。收入政策主要包括三方面的内容：①规定工资和物价的增长率，即由政府根据长期劳动生产率来确定工资和物价的增长指标，要求把工资和物价的增长率限制在劳动生产率平均增长的幅度以内。②对工资和物价进行直接管制，即由政府颁布法令对工资和物价实行硬性管制，必要时冻结工资和物价，禁止工资、物价上涨。③实行以税收为基础的奖惩制度，即对超过政府规定的工资和物价增长率的单位，政府提高税率进行处罚；反之，政府以税收优惠给予奖励。

本章小结

凡是在一定的年龄范围内愿意工作而没有工作并且正在寻找工作的人，都是失业者。测度失业的指标是失业率，失业率的变化和经济状况有关。一般来说，经济衰退时失业率上升，经济回升时失业率下降。

失业按其形成的原因大体可分为摩擦性失业、结构性失业和周期性失业。

通货膨胀是指物价水平普遍而持续上升。一般用物价指数来衡量物价水平，如果物价指数持续不断上涨，则表明通货膨胀已经发生。

经济学家认为，通货膨胀对国民经济产生重大影响。一方面它对财富和收入起着再分配的作用；另一方面，通货膨胀对产量、就业和经济增长也产生影响。温和的通货膨胀可以刺激经济的增长，但温和的通货膨胀发展成较为强烈的通货膨胀，出现经济危机与通货膨胀同时并存的现象时，通货膨胀对经济就失去刺激作用而使资本主义经济陷入难以摆脱的困境之中。

练　习　题

一、名词解释

失业　周期性失业　通货膨胀　CPI　PPI

二、单项选择题

1. 已入职劳动者被雇主解聘而被迫寻找新工作，在未找到工作前属于（　　）。
   A. 摩擦性失业　　B. 结构性失业
   C. 季节性失业　　D. 周期性失业
2. 一个由于经济衰退而被解雇的工人属于（　　）。
   A. 摩擦性失业　　B. 结构性失业
   C. 季节性失业　　D. 周期性失业
3. 一个同时被中国工商银行和浦发银行录用、正在犹豫不决的大学毕业生属于（　　）。
   A. 摩擦性失业　　B. 结构性失业
   C. 季节性失业　　D. 周期性失业
4. 由于经济结构调整，光碟取代了录音磁带，一位在磁带制造业被解雇的工人属于（　　）。
   A. 摩擦性失业　　B. 结构性失业
   C. 季节性失业　　D. 周期性失业
5. 失业率是（　　）。
   A. 失业人数除以总人口　　B. 失业人数除以就业人数
   C. 失业人数除以劳动力总数　　D. 失业人数除以民用劳动力总量
6. 某人因为纺织行业不景气而失业，属于（　　）。
   A. 摩擦性失业　　B. 结构性失业
   C. 周期性失业　　D. 永久性失业
7. 垄断企业和寡头企业利用市场势力谋取过高利润所导致的通货膨胀，属于（　　）。
   A. 成本推动型通货膨胀　　B. 结构性通货膨胀
   C. 需求拉动型通货膨胀　　D. 需求结构性通货膨胀
8. 应付需求拉动型通货膨胀的方法是（　　）。
   A. 紧缩性的货币政策　　B. 收入政策
   C. 紧缩性的财政政策　　D. 三种政策都可以

9. 收入政策主要用来对付（　　）。

A. 需求拉动型通货膨胀　　B. 成本推动型通货膨胀

C. 需求结构性通货膨胀　　D. 成本结构性通货膨胀

10. 某人由于不愿接受现行的工资水平而造成的失业，称为（　　）。

A. 摩擦性失业　　B. 结构性失业

C. 自愿性失业　　D. 非自愿失业

三、多项选择题

1. 以下可能从通货膨胀中得益的有（　　）。

A. 债务人　　B. 货币持有者

C. 雇主　　D. 固定工资合同下的工人

E. 纳税人

2. 以下可能从通货膨胀中受损的有（　　）。

A. 纳税人　　B. 债权人　　C. 债务人　　D. 雇员

3. 按通货膨胀的严重程度，可将通货膨胀划分为（　　）。

A. 温和的通货膨胀　　B. 奔腾的通货膨胀

C. 恶性的通货膨胀　　D. 严重的通货膨胀

4. 通货膨胀是（　　）。

A. 货币发行量过多而引起一般物价水平普遍持续上涨

B. 货币贷款量超过货币存款量

C. 货币发行量超过流通中商品的价值量

D. 以上都不是

5. 导致通货紧缩的原因不包括（　　）。

A. 总需求不足　　B. 生产成本下降

C. 货币供给量增长过快　　D. 总供给过剩

四、简答题

1. 什么是失业？失业可以分为哪几种类型？
2. 什么是通货膨胀？衡量通货膨胀的指数有哪些？
3. 如何认识通货膨胀对经济的影响？

五、案例分析题

2024 年一季度就业形势总体稳定

2024 年一季度，随着国民经济持续回升向好，以及稳就业相关政策持续显效，就业形势总体保持稳定。

一、就业形势稳中向好

一季度，全国城镇调查失业率均值为 5.2%，同比下降 0.3 个百分点。分月看，1 月份全国城镇调查失业率为 5.2%，受冬季农业、建筑业等行业用工季节性减少影响，失业率环比上升 0.1 个百分点。2 月份，叠加春节假期因素，企业用工需求减少，加之部分劳动者有转换工作的计划，失业率升至5.3%。3月份，随着节后各行业用工逐步恢复，求职者陆续找到工作，失业率降至5.2%，环比、同比均下降0.1个百分点。

二、31个大城市失业率低于全国

一季度，31个大城市城镇调查失业率均值为5.0%，同比下降0.7个百分点，低于全国均值0.2个百分点。分月看，1、2、3月份失业率分别为4.9%、5.1%和5.1%，同比分别下降0.9个、0.6个和0.4个百分点。随着我国经济持续回升向好，大城市经济活力不断增强，失业率自2023年12月以来持续低于全国整体水平，为全国劳动力市场改善发挥了积极作用。

三、农民工就业总体稳定

稳就业政策红利持续释放，减负稳岗扩就业政策调整优化，吸纳农民工就业较多的服务业较快增长。此外，各地区各部门加大对农民工的就业帮扶，深化劳务协作，鼓励外出就业、就近就业和返乡创业相结合，农民工就业总体保持稳定。一季度，外来农业户籍劳动力（主要是进城农民工）失业率均值为4.7%，同比下降0.9个百分点，低于全国均值0.5个百分点。3月份，受春节后大量外来人员集中求职等因素影响，外来农业户籍劳动力失业率达到5.0%，环比有所上升，但仍低于上年同月0.3个百分点。

一季度，我国经济运行回升向好，特别是3月份以来，企业加快复工复产，劳动力市场活跃度提升，就业人员增加，为就业形势改善提供了有力支撑。下阶段，随着就业优先战略进一步实施，各项稳就业政策接续落地，劳动力市场将继续回暖，相关人群就业也将逐步改善，全国就业形势将保持稳中向好态势。

（资料来源：国家统计局，2024-04-17。）

根据上述资料，请分析失业的成因及主要分类。

第十一章 经济增长与经济周期理论

[学习目标]

◎知识目标

- 掌握经济增长及其原因
- 了解经济增长的各种主流理论
- 掌握经济周期及其波动原因

◎能力目标

- 能用经济增长理论，初步分析一国经济增长的原因
- 能用经济周期理论，初步分析一国经济的周期变化情况

◎素质目标

- 树立科学的发展观，认识到经济增长可持续性的重要性
- 掌握经济增长和经济周期理论，具备独立分析和解决经济问题的能力

◆ 引导案例 ◆

我国在改革开放中富起来

改革开放40多年来，我国的社会经济发生了翻天覆地的变化。改革开放初期，我国GDP只有3000多亿元，位居全世界最不发达的低收入国家行列。如今，我国的经济总量增加了300多倍，稳居世界第二，每年增量相当于一个中等发达国家的经济规模，每年经济增长对全世界的经济增长贡献率达到30%。初步核算，2023年全年国内生产总值1260582亿元，按不变价格计算，比2022年增长5.2%。一批重大科技成果达到世界先进水平，社会生产力进入世界前列。广大人民的生活水平大大提高，不仅缺吃少穿的日子一去不返了，而且精神文化生活越发丰富多彩。我国人民的寿命也大大延长。

引入问题

1. 你怎么看待我国这短短40多年的巨大发展变化？
2. 是什么力量使我国的经济能够保持如此快速的增长？

第一节 经济增长理论

一、经济增长的含义及特征

（一）经济增长的含义

经济增长

经济增长是指一个国家或地区，在一定时期内所生产的产品和服务总量不断增多的过程，它是反映一个国家或地区的经济实力和生活水平最重要的指标。

经济增长通常用以固定价格计算的某种表示人均国民收入的指标的变化率来衡量，目前，应用最广泛的是以不变价格计算的GDP，即实际GDP来进行衡量的。

在理解经济增长时，要区分经济增长和经济发展两个概念。这是两个既联系又不完全相同的概念。经济发展主要是指国家或地区人民生活水平的持续提高，并且伴随着物质资本和人力资本的增加以及技术的进步。具体来说，经济发展不仅包括经济增长，还包括经济结构和社会结构的变化。经济增长是一个“量”的概念，经济发展是一个比较复杂的“质”的概念，是一个反映经济社会发展水平的综合性概念。

实例

基于国家统计局的数据，中国国内生产总值（GDP）增长率（2014—2023年）见表11-1。

表11-1 中国国内生产总值增长率（2014—2023年） （%）

年份	同比增长速度	年份	同比增长速度
2014	7.4	2019	6.0
2015	7.0	2020	2.2
2016	6.8	2021	8.4
2017	6.9	2022	3.0
2018	6.7	2023	5.2

（二）经济增长的特征

美国统计学家库兹涅茨在《各国的经济增长》一书中，提出了经济增长的六个基本特征：①按人口计算的产量高增长，人口高增长；②劳动的各生产要素生产率增长迅速；③经济结构的变革速度很快；④社会结构与意识形态迅速改变；⑤经济增长在全世界范围内迅速扩大；⑥世界各国的增长情况是不平衡的。

这六个经济增长的特征密切相关，它们标志着一个特定的经济时代。

二、经济增长的原因

从世界范围内可以看出，各国经济增长的速度很不一样，不同国家的人均收入存在着较大的差异，其背后的原因十分复杂。总体而言，经济学家普遍认为借助总量生产函数可以分析经济增长的原因。来看下面的式子：

$$Y=Af(L,K)$$

式中，Y表示生产总量；A表示技术水平；L表示劳动；K表示资本。

经济增长主要是由于生产技术水平的提高、劳动力素质的提升以及劳动数量的增加，最后还有资本的积累，包括机器设备的投入、厂房的建设、自然资源的开发等。

1. 劳动

劳动的增加包括劳动力素质的提升与劳动数量的增加。劳动力素质的提升表现为劳动者的品德素养、职业技能、文化素养等的提高。劳动力素质是一国经济增长最重要的因素。劳动数量的增加，包括人口数量的增加、人口就业率的增加、劳动时间的增加。发达国家由于人口数量较少，一般通过提高劳动力素质来弥补劳动数量的不足；而一般发展中国家，则通常是通过劳动数量的增加来推动经济的增长。

2. 资本

资本包括物质资本和货币资本。在经济增长的分析中，主要是指物质资本，即用于生产物品和劳务的厂房、设备、建筑物等存量资本。资本的积累是经济增长的重要条件，亚当·斯密认为，资本的增加是国民财富增加的源泉。

3. 自然资源

自然资源主要包括土地、河流、森林、矿藏等。丰富的自然资源有利于一个国家经济的持续发展，尤其是在经济发展的初期更显重要。对于发展中国家来说，在经济发展初期需要经历缓慢而艰辛的资本积累过程，而优越的自然条件则有利于缩短资本积累的过程，为经济起飞打下基础。例如挪威、加拿大以及中东地区的沙特阿拉伯、阿联酋等，正是依靠其丰富的自然资源而获得了高速的发展。当然，自然资源并非经济增长的先决条件，例如日本、荷兰、卢森堡等自然资源贫乏的国家，却因大力发展资本密集型产业，依靠技术研发，借助国际贸易，发挥自身的比较优势而获得经济的增长。

知识链接 “一带一路”倡议

“一带一路”是“丝绸之路经济带”和“21世纪海上丝绸之路”的简称。2013年9月和10月，我国国家主席习近平分别提出建设“新丝绸之路经济带”和“21世纪海上丝绸之路”的合作倡议。依靠我国与有关国家既有的双多边机制，借助既有的、行之有效的区域合作平台，“一带一路”倡议旨在借用古代丝绸之路的历史符号，高举和平发展的旗帜，积极发展与合作伙伴的经济合作关系，共同打造政治互信、经济融合、文化包容的利益共同体、命运共同体和责任共同体。2013—2022年，我国与共建国家进出口总额累计达到19.1万亿美元，年均增长6.4%；与共建国家双向投资累计超过3 800亿美元，其中我国对外直接投资超过2 400亿美元。

4. 技术

技术进步在经济增长中的作用，不仅意味着生产要素在更广范围、更大程度上的优化组合及合理使用，更体现在生产率的提高上。科学技术在生产力各个要素中的比重加速递增。美国经济学家丹尼森曾根据美国1929—1969年的统计资料，估算决定美国经济增长的因素，所得出的结论是，生产要素数量增长对经济增长的贡献为53.4%，技术进步对经济增长的贡献为46.6%，而技术进步引起的生产率提高有58%要归功于知识进步。

除此之外，经济体制对经济增长也有着重要的影响。一些劳动、资本、自然资源及技术状况差不多的国家，经济状况却大相径庭，其重要原因就在于制度的差异。20世纪70年代以来，以美国经济学家科斯、诺斯等为代表的新制度经济学家深入研究了制度和经济增长的关系，认为制度和资本、技术等一样，是经济增长的内生变量。诺斯从历史角度阐述，即使技术条件基本不变，只要经济制度发生变化，如市场制度变化、组织形式革新、产权制度变革等，生产率也能提高，经济也能增长。历史证明，最适于经济增长的是市场经济制度。我国自改革开放以来经济持续快速增长的事实表明，经济体制是影响经济增长的重要因素。

实例 我国教育发展现状相关数据

教育部发布《2022年全国教育事业发展统计公报》（以下简称《公报》）。《公报》显示，2022年，全国共有各级各类学校51.85万所，各级各类学历教育在校生2.93亿人，专任教师1880.36万人。

《公报》显示，在学前教育方面，全国共有幼儿园28.92万所，比上年减少5 610所，下降1.90%。其中，普惠性幼儿园24.57万所，比上年增加1 033所，增长0.42%。学前教育毛入园率89.7%，比上年提高1.6个百分点。学前教育专任教师324.42万人，专任教师中专科以上学历比例90.30%。

《公报》显示，全国共有义务教育阶段学校20.16万所。义务教育阶段招生3 432.77万人，在校生1.59亿人，专任教师1 065.46万人，九年义务教育巩固率95.5%。全国共有普通小学14.91万所，比上年减少5 162所，下降3.35%。另有小学教学点7.69万个，比上年减少6 690个。小学阶段教育专任教师662.94万人；生师比16.19:1；专任教师学历合格率99.99%；专任教师中本科以上学历比例74.53%。

《公报》显示，全国共有初中 5.25 万所（含职业初中 8 所），比上年减少 391 所，下降 0.74%。初中阶段招生 1 731.38 万人，比上年增加 25.94 万人，增长 1.52%；在校生 5 120.60 万人，比上年增加 102.16 万人，增长 2.04%；毕业生 1 623.92 万人，比上年增加 36.78 万人，增长 2.32%。初中阶段教育专任教师 402.52 万人；生师比 12.72:1；专任教师学历合格率 99.94%；专任教师中本科以上学历比例 91.71%。

《公报》显示，高中阶段毛入学率 91.6%，比上年提高 0.2 个百分点。全国共有普通高中 1.50 万所，比上年增加 441 所，增长 3.02%。普通高中招生 947.54 万人，比上年增加 42.59 万人，增长 4.71%。普通高中教育专任教师 213.32 万人；生师比 12.72:1；专任教师学历合格率 99.03%。全国共有中等职业学校 7201 所，同口径比上年减少 93 所。

《公报》显示，在高等教育方面，全国共有高等学校 3 013 所。其中，普通本科学校 1 239 所（含独立学院 164 所），比上年增加 1 所；本科层次职业学校 32 所；高职（专科）学校 1 489 所，比上年增加 3 所；成人高等学校 253 所，比上年减少 3 所。另有培养研究生的科研机构 234 所。各种形式的高等教育在学总规模 4 655 万人，比上年增加 225 万人。高等教育毛入学率 59.6%，比上年提高 1.8 个百分点。普通本科学校校均规模 16 793 人，本科层次职业学校校均规模 19 487 人，高职（专科）学校校均规模 10 168 人。研究生招生 124.25 万人，比上年增加 6.60 万人，增长 5.61%，高等教育专任教师 197.78 万人。

（资料来源：教育部）

三、经济增长相关理论

（一）古典经济学中的经济增长理论

古典经济学又称古典政治经济学，是指从 1750 年至 1875 年这一段政治经济学创立时期内的除马克思主义政治经济学之外的所有政治经济学，其起源以大卫·休谟的有关著作出版为标志，以亚当·斯密的代表作《国富论》出版为奠基。

亚当·斯密将“分工”作为“国民财富的性质和原因”，根据历史事实论证了“富裕起因于分工”的观点。他指出，一国国民所需要的一切必需品的供给情况的好坏，应当视社会每年消费一切必需品对消费人数的比例大小而定，可见，在亚当·斯密那里，人均国民收入的大小已经成为衡量一国社会经济状况的指标。他还提出了增加人均国民收入的两个主要途径：①提高劳动者的生产率；②提高生产性劳动者占总人口的比重。在此基础上，他强调分工对提高劳动生产率的作用，以及资本积累对增加生产性劳动者人数的意义。

英国经济学家李嘉图继承和发展了斯密的理论，他把利润看作促进经济增长和社会进步的动力。李嘉图主张发展资本主义生产力，他认为增加积累是扩大生产的必然选择，而刺激资本家增加积累就要靠利润的增长。他认为促进利润或经济增长的主要手段是提高劳动生产率，缩短必要的劳动时间，降低工资。李嘉图理论中把积累和扩大生产看作高于一切的观点，充分代表和反映了资本主义上升时期的资产阶级利益。

德国经济学家李斯特认为财富的原因与财富本身是完全不同的，财富是交换价值，而财富的原因是生产力，财富的生产力比财富本身要重要许多倍。因此，必须动态地考虑一个国家的财富问题，从长期来看，既要考虑现在的财富量，也要考虑将来能够获得的财富量。他认为国家之间的贸易，必须考虑与国家现在和将来的生存、发展等有重要关系的因素，要考虑到一个国家的生产力。落后国家应该牺牲一些眼前的贸易利益，依靠贸易保护政策，使国内重要的幼稚产业的生产力达到发达国家的水平，然后再到国际市场上参与竞争。当本国幼稚产业发展起来之后，人们的损失会得到补偿，从长远来看可以增加本国财富。李斯特的保护幼稚产业理论已经成为发展中国家寻求经济增长的理论依据。

总而言之，古典经济学的理论核心是，经济增长产生于资本积累和劳动分工相互作用的思想，即资本积累进一步推动了生产专业化和劳动分工的发展，而劳动分工反过来通过提高总产出，使得社会可生产更多的资本积累，让资本流向最有效率的生产领域，形成发展的良性循环。

（二）凯恩斯主义

1929—1933年，人类历史上出现了最为深远的一次全球性经济大衰退，被称为大萧条。这次衰退具有波及范围广、持续时间长和破坏性大三个特征。大萧条的出现彻底粉碎了古典经济学理论，即自由放任、国家不干预经济。基于古典经济学理论在现实中的失败，英国经济学家凯恩斯于1936年出版了《就业、利息和货币通论》一书，该书的出版成为宏观经济学出现的标志，也宣告了凯恩斯主义的诞生。

凯恩斯主义的理论体系是以解决就业问题为中心，而就业理论的起点是有效需求原理。其基本观点是：社会的就业量取决于有效需求，所谓有效需求，是指商品的总供给价格和总需求价格达到均衡时的总需求。当总需求价格大于总供给价格时，社会对商品的需求超过商品的供给，资本家就会雇用更多的工人，扩大生产；反之，当总需求价格小于总供给价格时，就会出现供过于求的状况，资本家或者被迫降价出售商品，或者让一部分商品滞销，裁减雇员，收缩生产。因此，就业量取决于总供给和总需求的均衡点，由于在短期内，总供给基本是稳定的，这样，就业量实际上取决于总需求，这个与总供给相均衡的总需求就是有效需求。

凯恩斯进一步认为，有效需求的大小主要取决于消费倾向、资本边际效率、流动性偏好三大基本心理因素及货币数量。消费倾向是指消费在收入中所占的比例，它决定消费需求。一般来说，消费的增加往往赶不上收入的增加，呈现出“边际消费倾向递减”的规律，于是引起消费需求不足。投资需求是由资本边际效率和利率这两个因素的对比关系决定的。资本边际效率是指增加一笔投资所预期可得到的利润率，它会随着投资的增加而降低，从长期看，呈现“资本边际效率递减”规律，从而减少投资的诱惑力。由于人们投资的前提条件是资本边际效率大于利率（此时才有利可图），当资本边际效率递减时，若利率能同比下降，才能保证投资不减，因此，利率就成为决定投资需求的关键因素。凯恩斯认为，利率取决于流动性偏好和货币数量。流动性偏好是指人们愿意用货币形式保持自己的收入或财富的心理因素，它决定了货币需求。在一定的货币供给量下，人们对货币的流动性偏好越强，利率就越高，而高利率将阻碍投资。这样在资本边际效率递减和存在流动性偏好两个因素的作用下，投资需求不足。消费需求不足和投资需求不足将产生大量的失业，形成生产过剩的经济危机。因此，解决失业和复兴经济的最好办法就是政府干预经济，采取赤字财政政策和扩张性的货币政策来扩大政府开支，降低利率，从而刺激消费，增加投资，以提高有效需求，实现充分就业。

总而言之，凯恩斯认为，由于存在“三大基本心理规律”，既引起消费需求不足，又引起投资需求不足，使得总需求小于总供给，形成有效需求不足，导致了生产过剩的经济危机和失业，这是无法通过市场价格机制调节的。他进一步否定了通过利率的自动调节必然使储蓄全部转化为投资的理论，认为利率并不是取决于储蓄与投资，而是取决于流动性偏好（货币的需求）和货币数量（货币的供给），储蓄与投资只能通过总收入的变化来达到平衡。他承认，资本主义社会除了自愿失业外，还存在着非自愿失业，原因就是有效需求不足，因此资本主义经济经常出现小于充分就业状态下的均衡。这样，凯恩斯在批判传统经济理论的同时，开创了宏观经济学。

（三）新古典经济增长理论

第二次世界大战后初期，建立于凯恩斯理论之上的哈罗德－多马（H-D）增长模型，将人口、资本、技术等因素视为在长期内变化的量，分析它们在连续的时间内与其他变量一起，在经济增长中的作用和相互关系。H-D 增长模型反映了经济增长率和资本－产出率之间的关系。由于资本－产出率在相当长的时期中可以被视为常数，因此，该模型的结论是，若要获得一定的增长率，就必须维持一定的能为投资所吸引的储蓄率；反之，若一定的储蓄率形成的储蓄全部被投资所吸引，经济就必须保持一定的增长率。换句话说，在资本－产出率不变的条件下，储蓄率越高，经济的增长率就越高；反之，储蓄率越低，经济的增长率就越低。然而，运用该模型解释战后各发达国家在相同的资本积累水平下存在相当大的经济增长差异这一现实时，却难尽如人意。与此同时，各发达国家迅速发展的科学技术对经济增长所起的重要作用日益凸显，H-D 增长模型的不足和新的经济现象，被索洛等人强调技术进步的新古典增长模型所弥补。

1956 年，索洛提出了加速技术决定作用的增长模型。该模型将原先固定不变的资本－产出率及劳动－产出率以技术变动来表现。该模型表明，经济增长不仅取决于资本增长率和劳动增长率，以及资本和劳动对收入增长的相对作用的权数，还取决于技术进步。索洛模型的突出贡献就在于，区分了由要素数量增加而产生的“增长效应”和因要素技术进步而带来经济增长的“水平效应”。在这里，技术进步第一次被视为一个单独的因素，纳入经济增长理论中给予系统的研究，从而比较完整地描述和解释了经济增长的原因。此后，丹尼森等经济学家在经济增长的实证分析中，证实了索洛模型的结论，并进一步提出，在经济增长计量中，总的经济增长远远大于资本和劳动等要素投入的增长率，即出现了一个增长的“余值”。丹尼森明确地把这个无法用要素投入来解释的“余值”归结到技术进步上，并由此得出技术进步是经济增长的主要源泉。

四、推动经济增长的主要对策

一般来说，政府对决定经济增长的资本形成、劳动力投入和技术进步这三个因素都可以产生影响。特别是当存在市场失灵而经济增长又比较缓慢的时候，政府往往会提出许多刺激经济增长的政策。但是，总的来说，在长期中，财政政策对总产出具有影响，而货币政策却几乎没有什么影响。具体而言，财政政策会影响经济增长的三个因素。作为财政政策的重要组成部分的政府支出、税收和转移支付，都会对潜在 GDP 产生影响。当然，政府支出不会对资本、劳动力和技术立即产生重大影响，但是，其影响会随着时间的推移逐步增加。这里，从几个方面对政府刺激经济增长的经济政策加以说明。

1. 加速技术增长和提高生产率的政策

一般说来，政府推动和改善经济增长的最好政策就是推动和促进教育的发展，推动改善人力资本的培训工作。这是因为一支高度熟练的劳动大军显然是成功地提高生产率的一个关键性因素。技术增长的一个重要来源就是对技术研究和创新开发的投资。此外，教育和技术的研究与开发都具有溢出效应，它们都可以带来超过其研发者私人收益之外的社会效益。如果通过自发的机制，个人和厂商在教育和研究上选择的支出水平，将低于社会最优水平，政府就可以考虑通过拨款或者提供补贴来刺激这些活动。以我国为例，国家激励企业加大研发投入的税收优惠政策越来越多。2023 年，国家将符合条件的企业研发费用加计扣除比例由 75% 提高至 100%，并明确作为一项制度性安排长期实施；在此基础上，进一步聚焦集成电路和工业母机行业高质量发展，对上述两个行业符合条件企业的研发费用加计扣除比例再提高至 120%；2024 年 3 月，《我国支持科技创新主要税费优惠政策指引》发布，这一政策的实行对科创型企业而言，减免了它们研究开发支出 30% 左右的税收额。如果研究和开发计划是技术增长的一个重要来源，这样的税收激励应该能够加速技术增长。

2. 刺激资本形成的政策

长期以来，刺激经济增长的政策几乎完全集中在资本形成上，因为资本存量的增加会促进经济增长。研究证明，在数量上，每一个额外百分点的资本增长将大约增加 0.3 个百分点的产出增长。而为了将产出每年提高一个百分点，资本存量每年就必须提高 3.3 个百分点。当然，新工厂和机器的增加也会带来促进生产率提高的额外的技术创新。

在经济条件的恰当组合下，投资的大量增长是有可能的。以我国为例，1999 年，国家税务总局发布了投资税抵免政策，以刺激社会的投资。这一刺激资本形成的政策，加上当时普遍的扩张条件，使我国的固定资产投资额从 1999 年的 29 876 亿元增加到 2005 年的 88 604 亿元，增长了大约 3 倍。但是这种增长率的趋势并不能就此保持下去，最近几年，资本增长率逐步降低。为达到与原来一样的资本增长率，投资税抵免政策不得不加强力度。

3. 增加劳动供给的政策

研究表明，就业增长对经济增长的影响是资本增长的两倍多。就业量每多增长一个百分点，将使产出增长提高 0.7 个百分点。也就是说，为使产出增长率每年增加 1%，就业量每年需要增加 1.4%。个人收入所得税的提高会减少工人的工作所得，从而降低工人的工作积极性。因此，个人收入所得税的减免能够激励工人，增加工作积极性。不过，所得税的减免政策也会产生反向的作用和效果。这是因为，当所得税的减免使人们的收入增加，从而使他们的经济状况得到改善时，他们也许会减少劳动供给。这样一来，减轻税收政策的净效应可能会很小。

因此，刺激经济增长的政策并不一定要采取减税的方式。当一国政府对收入需求增大时，通过减税政策来大力改善工作激励机制将变得不太可能。这时，可以考虑的另外一种政策就是税制改革。税制改革可以降低税率而保持税收收入不变。这可以通过减少税收扣除和降低工作收入的税率而做到。因为税率降低所导致的税收收入的减少被减少税收扣除带来的税收收入的增加抵消了。

第二节 经济周期理论

一、经济周期的含义和阶段

经济周期，有时也称经济波动、商业周期，是指经济运行中周期性出现的经济扩张与经济紧缩交替更迭、循环往复的一种现象。

经济周期以经济中的许多成分普遍而同期地扩张和收缩为特征，持续时间通常为 2～10 年。现代宏观经济学中，经济周期发生在实际 GDP 相对于潜在 GDP 上升（扩张）或下降（收缩或衰退）的时候。每一个经济周期都可以分为上升和下降两个阶段。上升阶段也称为繁荣，最高点称为顶峰。然而，顶峰也是经济由盛转衰的转折点，此后经济就进入下降阶段，即衰退。衰退严重则经济进入萧条，衰退的最低点称为谷底。当然，谷底也是经济由衰转盛的一个转折点，此后经济进入上升阶段。经济从一个顶峰到另一个顶峰，或者从一个谷底到另一个谷底，就是一次完整的经济周期。现代经济学关于经济周期的定义，建立在经济增长率变化的基础上，指的是增长率上升和下降的交替过程。

经济周期中的扩张阶段是宏观经济环境和市场环境日益活跃的时期。这时，市场需求旺盛，订货饱满，商品畅销，生产趋升，资金周转灵便。企业的供、产、销和人、财、物都比较好安排。企业处于较为宽松有利的外部环境中。

经济周期中的收缩阶段是宏观经济环境和市场环境日趋紧缩的时期。这时，市场需求疲软，订货不足，商品滞销，生产下降，资金周转不畅。企业在供、产、销和人、财、物方面都会遇到很多困难，企业处于较恶劣的外部环境中。经济的衰退既有破坏作用，又有“自动调节”作用。在经济衰退中，一些企业破产，退出商海；一些企业亏损，陷入困境，寻求新的出路；一些企业顶住恶劣的外部环境，在逆境中站稳了脚跟，并求得了新的生存和发展。这就是市场经济下“优胜劣汰”的企业生存法则。

经济周期的四个阶段——繁荣、衰退、萧条、复苏，如图 11-1 所示。

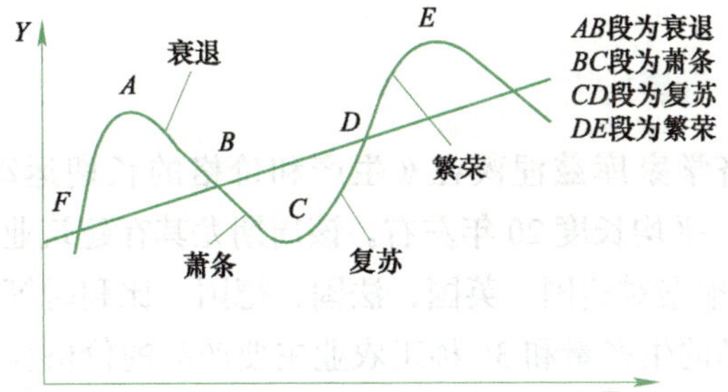

图11-1 经济周期的四个阶段

实例 数字经济将引领新一轮经济周期，成为经济发展新引擎

近年来，我国数字技术发展迅猛，向生产生活领域和公共治理领域广泛渗透，数字经济蓬勃发展。2019 年，我国数字经济的增加值达到 35.8 万亿元，占 GDP 比重超过 1/3，在国民经济中的地位进一步凸显。数字技术将构建新的产业生态，形成更强大的创新活力，引领新一轮经济周期，成为经济发展的新引擎。

数字经济将推动产业转型升级。新一代数字技术的突破性发展，使得数据日益成为产业发展核心生产要素，三次产业的边界日趋模糊，产业结构升级将更多表现为数据要素投入带来的边际效率改善。推动产业数字化转型，促进从研发设计、生产加工、经营管理到销售服务全流程数字化，促进产业融合发展和供需精准对接，将为转型升级开辟新路径。

发展数字经济，我国拥有很多独特优势。具有超大规模市场优势，网民规模全球第一，数量超过9亿人，大型消费互联网平台具有强大市场需求支撑。拥有全球最完整、规模最大的产业体系和1亿多市场主体，建设产业互联网能够发挥规模经济优势，分摊巨额初始投资成本和形成深度专业化分工。还拥有海量数据资源优势，数据挖掘和数据开发潜力巨大。当前，我国正在推进新型基础设施建设，进一步推动网络互联的移动化、泛在化和信息处理的高速化、智能化，构建“人—网—物”互联体系和泛在智能信息网络。新型基础设施建设，必将连接更多用户，集聚更多数据资源，提升产业数字化智能化水平，推动生产生活方式实现重大变革。

二、经济周期的类型

经济周期按其频率、幅度和持续时间不同，可以分为长周期、建筑周期、中周期、短周期、综合周期五个类型。

1. 长周期：康德拉季耶夫周期

经济学家康德拉季耶夫于1925年提出了一种为期50～60年的经济周期。康德拉季耶夫认为，从18世纪末期以来，经历了三个长周期：第一个长周期从1789年到1849年，上升部分为25年，下降部分为35年，共60年；第二个长周期从1849年到1896年，上升部分为24年，下降部分为23年；第三个长周期从1896年起，上升部分为24年，1920年开始下降。

2. 建筑周期：库兹涅茨周期

1930年，美国经济学家库兹涅茨在《生产和价格的长期运动》中提出了一个为期15～25年的经济周期，平均长度20年左右。该周期尤其在建筑业中表现明显，因此称之为建筑周期。库兹涅茨根据对美国、英国、法国、德国、比利时等国19世纪初到20世纪初60种工农业主要产品的生产量和35种工农业主要产品的价格变动的时间数列资料，剔除期间短周期和中周期的变动，着重分析了有关数列的长期消长过程，提出了在主要资本主义国家存在着长度从15年到20年不等、平均长度为20年的“长波”或“长期消长”的论点。这种周期与人口增长所引起的建筑增长和衰退有关，是由建筑业的周期性变化引起的。

3. 中周期：朱格拉周期

1862年，法国医生、经济学家朱格拉在《论法国、英国和美国的商业危机以及发生周期》一书中首次提出危机或恐慌并不是一种独立现象，而是经济波动三个阶段中的一个，这三个阶段是繁荣、危机和清算。这三个阶段反复出现形成周期现象。他认为经济周期与民众的行为、储蓄习惯以及他们可利用的资本与信用的运用方式直接相关。朱格拉认为经济中每个周期平均长度是 9 ～ 10 年，被称为中周期。

4. 短周期：基钦周期

1923 年，美国经济学家基钦在《经济因素中的周期与倾向》中研究了美国和英国 1890—1922 年的利率、物价和生产等指标，发现厂商生产过多时就会出现存货，从而减少生产。这种调整一般持续 2 ～ 4 年，被称为“存货”周期或者基钦周期。

5. 综合周期：熊彼特周期

1939 年，经济学家熊彼特在《经济周刊》中对朱格拉周期、基钦周期和康德拉季耶夫周期进行了综合分析，认为每个长周期包括六个中周期，每个中周期包括三个短周期，短周期约为 40 个月，中周期为 9 ～ 10 年，长周期为 48 ～ 60 年。

三、不同学派对经济周期的解释

1. 奥地利学派

奥地利学派的主要代表人物有门格尔、庞巴维克等，他们认为，经济周期的起源主要是政府过度印钞。当政府多印钞时，整个社会的货币流通量增加了，短期内人们借钱便会更容易了，而且需要支付的利息也下降了，人们预期未来利率会增加，因此会增加对未来的投资，社会便会呈现一片欣欣向荣的景象，人们会制订长远的计划，雇用大量的劳动力。

随着增发的货币渗透到社会的每一个角落，人们会感觉到物价在上涨，钱即便挣了也买不到原来的东西了，真切地感受到通货膨胀。这时候政府便面临抉择：要么继续印钞，要么停止印钞。事实上，最终政府都会减少或停止印钞，减少货币的供给，这时制订长远计划的人们便会失去资金支持，导致资金链断裂。

因此，奥地利学派认为，避免经济周期最好的办法就是政府抑制住印钞的冲动。

2. 凯恩斯主义学派

他们认为，当社会总需求下降、总消费降低，会产生对就业、产量和价格三者的不对等影响。每当出现需求不足的冲击时，价格的调整总是缓慢的，因此真正受到冲击的就是就业和产量，这就是经济周期产生的原因。

凯恩斯学派认为，市场没有办法自行进行调节，政府就应该承担一定的责任，在社会总需求不足时，代替人们形成需求，产生消费。他们主张政府应该逆经济周期而行，当需求不足时通过财政、货币政策增加需求，刺激消费。当社会一旦回到正常状态，政府就应该停止干预经济，让市场机制自由发挥作用。第二次世界大战后很多信奉凯恩斯主义的国家利用借债的办法来刺激需求，因此都债台高筑。

3. 货币主义学派

货币主义学派的代表人物是弗里德曼，该学派的主张主要包括：

（1）坚持货币数量论（$MV=PY$，M代表货币供给量，V代表货币流通速度，P代表物价水平，Y代表社会交易量），通货膨胀就是因为货币超发。弗里德曼和施瓦茨通过研究

1867年至1960年美国的货币史，发现这些年货币的流通速度和经济增长总量基本没变，因此根据公式，物价上涨的因素就是货币的供给量增长。

（2）货币在长期是中性的。这也就意味着在长期中政府增加货币的后果必然是物价上涨，政府通过货币政策来调节经济是无效的。在长期，菲利普斯曲线是垂直的，增加通货膨胀并不能减少失业，即印发钞票不能消除经济的停滞，还会额外地制造通货膨胀，即出现“滞涨”。

（3）永久收入假说。货币主义学派认为，人们的消费水平是根据他们的永久收入决定的，人们会在时间维度上平衡消费，从而提高生活的幸福感，因此政府的短期刺激政策并不会有效。例如，当你月薪是2 000时，突然得到1万元，你会把1万元用来去国外旅游一趟吗？很可能不会。你会把钱存起来在未来一段时间里消费，改善自己的伙食，这样才会使你的效用最大化。

4. 理性预期学派

理性预期学派是在货币主义学派主张的基础上，进一步提出人们在解读政府经济政策时也存在预期，即所谓上有政策下有对策。例如，当政府增发货币刺激消费时，人们会逐渐发现，政府增发的货币迟早会通过税收上缴，因此现在即使货币收入增加也不会增加消费，导致政府的政策失效。由此形成对政府政策的预期行为，使政府制定经济政策的模型参数随着人们预期的改变而改变。一旦人们的预期形成，模型便不起作用了。

四、经济周期波动的原因

从19世纪中期开始，不少经济学家对经济周期的原因进行了研究和探讨，其中具有代表性的理论主要有以下几种。

1. 纯货币理论

这种理论认为，经济周期波动纯粹是由银行信用扩大、紧缩造成的。当银行降低利率、扩大信用时，商人贷款增加，生产扩大，收入增加从而需求上升，物价上涨，经济进入繁荣阶段。当通货膨胀发生后，银行被迫收缩银根，停止信用扩张，贷款下降，订货减少，生产过剩，供大于求，经济进入萧条阶段。

2. 投资过剩理论

该理论认为，无论什么原因（货币增加、发明创新）引起的投资增加都会引起经济繁荣。经济繁荣时期生产资料（资本品）的需求增加并且价格上升，而生产资料的投资过度又会导致消费品生产减少，形成结构性失衡，于是出现资本品过剩，经济进入萧条阶段。

3. 创新周期理论

这是一种用技术创新解释的经济周期理论。所谓创新，包括新的技术、新的企业组织形式、新产品的开发、新市场的开辟和新的管理方法等。创新者获得巨额利润，引发后继者竞相模仿，形成创新浪潮。创新浪潮使银行信用扩张，对资本品需求增加，引起经济繁荣。当创新转为普及，盈利消失，银行信用收缩，对资本品需求下降，经济走入衰退，直到新一次的创新出现。

4. 乘数-加速数原理

乘数 - 加速数原理是由汉森和萨缪尔森提出来的。该理论认为，经济周期是由投资（引致投资）和收入因素共同作用决定的，投资增加通过乘数作用，会带来倍数于投资增量的国民收入；反过来，国民收入的增长通过加速数促进投资以更快的速度增长；而投资的增长又使国民收入增加，如此循环往复，社会经济就处于经济周期的扩张期。

乘数 - 加速数原理是对凯恩斯投资理论的修正与发展。

本章小结

如何使本国经济保持高速、稳定增长是每个国家在发展道路上都要面对的问题。经济增长有其自身的规律和周期，研究并掌握和利用这些经济规律，有利于促进本国经济的健康发展。经济增长的原因是什么？有何规律与周期？这是西方经济学家长期研究和探讨的热点问题。几百年来，关于这几个问题，经济学家从各个角度、各个方面给出了自己的解释，并逐渐形成了一套被公众认可的理论学说。本章就是从经济增长的含义、经济增长的原因、经济增长的三种理论、经济增长对策等方面介绍了经济增长，并在此基础上介绍了经济周期的有关知识。

练习题

一、名词解释

经济增长　经济周期

二、单项选择题

1. 经济周期一般分为四个阶段：繁荣、衰退、萧条、（　　）。
   A. 新生　B. 复苏　C. 振兴　D. 萌芽
2. 影响经济增长的原因包括资本、劳动力和（　　）。
   A. 技术　B. 劳动者技能提高
   C. 国家干预　D. 企业创新
3. 中周期的时间为（　　）。
   A. 5～6 年　B. 9～10 年　C. 20 年左右　D. 3～4 年
4. 经济增长主要是指一国或一个地区在一定期限内（　　）的增长。
   A. GDP　B. GNP　C. NNP　D. DPI
5. 经济增长的原因有（　　）。
   A. 劳动　B. 资本　C. 技术　D. 以上都是
6. 古典经济学家认为，经济的增长是由于（　　）。
   A. 资本的积累　B. 技术的进步

C. 劳动的增长　　D. 土地的累积

7. 宏观经济学的开创者是（　　）。

A. 亚当·斯密　　B. 凯恩斯　　C. 马克思　　D. 李嘉图

8. 以下（　　）政策不会影响经济的增长。

A. 政府转移支付　　B. 税收

C. 政府支出　　D. 发行更多货币

9. 经济增长和经济发展这两个概念是一样的。这种说法（　　）。

A. 正确　　B. 错误

C. 不能确定正误　　D. 看情况

10. 劳动力的素质提升了，且劳动力的数量增加了，可推动一个国家的经济增长。这种说法（　　）。

A. 正确　　B. 错误

C. 不能确定正误　　D. 看情况

三、多项选择题

1. 经济周期繁荣阶段的主要特征有（　　）。

A. 投资增加　　B. 信用增加　　C. 物价上涨　　D. 就业增加

2. 经济增长的源泉包括（　　）。

A. 自然资源　　B. 资本　　C. 劳动　　D. 技术进步

3. 凯恩斯认为的“三大基本心理规律”是指（　　）。

A. 边际消费倾向递减　　B. 资本边际效率递减

C. 流动性偏好　　D. 自愿消费

4. 推动经济增长的对策有（　　）。

A. 加速技术增长和提高生产率的政策

B. 刺激资本形成的政策

C. 增加劳动供给的政策

D. 减税降负

5. 关于经济周期波动的原因的理论有（　　）。

A. 纯货币理论　　B. 投资过剩理论

C. 创新周期理论　　D. 乘数-加速数原理

四、简答题

1. 经济增长的含义和原因是什么?

2. 推动经济增长的对策有哪些?

3. 经济周期的含义和各阶段的特征是什么?

五、案例分析题

中国经济的稳健增长

中国作为世界上最大的经济体之一，其经济增长的历程备受全球关注。近年来，中国经济在应对各种挑战和不确定性中展现出了强大的韧性和增长潜力。

在 2023 年和 2024 年初，中国经济经历了一段时间的波动后，逐渐恢复了增长态势。特别是在 2024 年一季度，实际 GDP 同比增长达到了 5.3%，超出了市场的预期。这一增长主要得益于工业部门的复苏，特别是制造业的快速增长。制造业的投资增速显著加快，1 ～ 3 月制造业累计同比增长 9.9%，相比 2023 年全年的 6.5% 有了明显的提升。这种复苏与海外需求的超预期增长密切相关，表明中国制造业在全球市场上的竞争力不断增强。

然而，中国经济的增长并非一帆风顺。内需的主要拖累因素在于房地产市场的调整。自 2021 年起，中国房地产市场经历了一段时期的调整期，开工数据、投资额以及销售量均出现了较大幅度的下滑。尽管下降幅度与其他国家的类似危机相比已接近下限，但中国的房价从高点下跌了约 20%，与其他国家相比存在一定差异。为了应对这一挑战，中国政府正在积极采取措施，促进房地产市场的稳定发展。

与此同时，新兴产业的发展也在推动中国经济的增长过程中起到了重要作用。人工智能、新能源、电子商务、数字货币和共享经济等新兴产业的快速发展，为中国经济注入了新的活力。这些产业不仅带来了巨大的经济效益，还为人们提供了更加便捷、高效的生活方式。政府对这些新兴产业的扶持和引导，为中国经济的未来发展提供了强有力的支撑。

除了上述因素外，中国经济的稳健增长还得益于一系列政策措施的有效实施。中国政府通过加强宏观政策的跨周期和逆周期调节，提升了产业链的现代化水平，增强了产业链的韧性和竞争力。同时，政府还加大了对中小企业的支持力度，为企业发展创造了良好的环境。

此外，中国经济的稳健增长还离不开国际环境的支持。在全球经济不确定性增加的背景下，中国积极参与全球经济治理和合作，推动构建开放型世界经济。通过加强与其他国家的经贸合作和技术交流，中国经济得以在更广阔的舞台上实现持续增长。

请分析中国经济增长的主要因素是什么。

第十二章 宏观经济政策

[学习目标]

◎知识目标

- 掌握宏观经济政策的四大目标
- 掌握财政政策的含义、工具及财政政策的自动稳定器作用
- 掌握货币政策的含义、工具
- 掌握货币政策的运用
- 了解财政政策和货币政策的综合效应

◎能力目标

- 能用财政政策的基本理论，分析和判断现实运行的财政政策措施
- 能用货币政策理论，分析和解释现实运行的货币政策措施
- 能用宏观经济政策基本理论、基本方法对现实宏观经济运行形势及政策措施进行解读

◎素质目标

- 了解宏观经济政策，提高宏观经济政策分析能力
- 理解宏观经济政策对社会和个人的影响，提高社会责任感

◆ 引导案例 ◆

2023年中央经济工作会议精神

2023年中央经济工作会议于2023年12月11日至12日在北京举行。会议指出，我国经济回升向好，高质量发展扎实推进。现代化产业体系建设取得重要进展，科技创新实现新的突破，改革开放向纵深推进，安全发展基础巩固夯实，民生保障有力有效，全面建设社会主义现代化国家迈出坚实步伐。

习近平总书记在中央经济工作会议上的重要讲话，对2023年经济工作进行了全面总结，对2024年经济形势作了深刻分析。概括起来讲，2023年我国经济运行呈现“一高一低两平”的特点，即增速较高、就业平稳、物价较低、国际收支基本平衡，主要预期目标有望圆满实现。一是经济实力再上新台阶。有机构和专家学者预测，全年经济增长5.2%左右，国内生产总值超过126万亿元。2023年我国仍是全球增长的最大引擎，对全球经济增长的贡献约为1/3。二是就业物价总体稳定。城镇调查失业率平均值降到5.2%左右，比2022年低0.4个百分点，居民消费价格指数上涨约0.3%。三是国际收支基本平衡。进出口额同比基本持平，出口占国际市场份额有望维持在14%左右的水平。四是高质量发展扎实推进。现代化产业体系建设取得积极进展，科技创新实现新突破，安全发展基础巩固夯实，民生保障有力有效。

会议提出要加大宏观调控力度，实现2024年经济社会发展主要预期目标，工作指导上要把握好几点。

第一，坚持稳中求进、以进促稳、先立后破。稳是大局和基础，要多出有利于稳预期、稳增长、稳就业的政策。进是方向和动力，要有力进取，该立的要积极主动立起来，该破的要在立的基础上坚决破，不断积累更多积极因素，实现经济社会大局稳定。同时，调整政策和推动改革要稳扎稳打，把握好时度效，不能脱离实际、急于求成。

第二，积极的财政政策要适度加力、提质增效。要用好财政政策空间，提高资金效益和政策效果。优化财政支出结构，强化国家重大战略任务财力保障，严控一般性支出，真正把资金用在刀刃上。要优化地方政府专项债券投向和额度分配，合理扩大用作资本金范围。落实好结构性减税降费政策。要严格转移支付资金监管，严肃财经纪律。增强财政可持续性，兜牢基层“三保”底线。

第三，稳健的货币政策要灵活适度、精准有效。保持流动性合理充裕，社会融资规模、货币供应量同经济增长和价格水平预期目标相匹配。这个表述有两方面新意，一是把社会融资规模指标排在货币供应量前面，因为这一指标与经济增长的关系更紧密；二是把以往的“名义经济增速”改为“经济增长和价格水平预期目标”，这样可以更好统筹经济增长和价格水平的目标要求，并强调价格水平是货币政策的重要调控目标。要发挥好货币政策工具总量和结构双重功能，盘活存量、提升效能，引导金融机构加大对科技创新、绿色转型、普惠小微、数字经济等方面的支持力度。促进社会综合融资成本稳中有降。要保持人民币汇率在合理均衡水平上的基本稳定。

第四，要增强宏观政策取向一致性。加强财政、货币、就业、产业、区域、科技、环保等政策协调配合，确保同向发力、形成合力。比如，在化债进度、补充银行资本、政府债券发行等方面，财政政策和货币政策要加强配合。会议第一次提出把非经济性政策纳入宏观政策取向一致性评估，这对加强政策协同具有很强的针对性。要加强经济宣传和舆论引导，强化预期管理，与宏观调控政策同频共振，为经济持续回升向好提供有力支撑。

引入问题

1. 什么是宏观经济学？
2. 什么是财政政策和货币政策？

市场机制是不完善的。自从市场机制产生以来，各国的经济就在繁荣与萧条中交替发展。20世纪30年代，世界性经济危机大爆发，西方国家经济大萧条，以凯恩斯为首的经济学家主张政府必须干预经济。凯恩斯主义经济学家认为，单纯依赖市场机制的自发调节，无法克服经济危机、失业与通货膨胀等问题，难以实现经济的平稳增长，而政府有能力调节经济，纠正市场机制的缺陷。他们主张通过适当的货币政策和财政政策去调控经济周期，以稳定经济增长。宏观经济政策理论为政府干预经济提供了理论依据和决策指导。

第一节 宏观经济政策概述

宏观经济政策是指国家或政府为增进整个社会经济福利、改进国民经济的运行状况、实现一定的政策目标而有意识和有计划地运用一定的政策工具，制定的解决经济问题的指导原则和措施。宏观经济调控则是国家运用一定的宏观经济政策对各种宏观经济总量的变动进行调节和控制，使之达到总体经济目标要求。

一、宏观经济政策的目标

一般认为，宏观经济政策应该同时实现以下四个目标。

1. 充分就业

充分就业是宏观经济政策的首要目标。就业乃民生之本，是民众生存和改善生活的基本前提与基本途径。党的二十大报告指出："实施就业优先战略。就业是最基本的民生。强化就业优先政策，健全就业促进机制，促进高质量充分就业。"充分就业是指包括劳动在内的各种生产要素都有机会以自己愿意的报酬被用于生产的一种经济状态。充分就业并不是人人都有工作，并不是让失业率为零，而是维持着一定水平的失业率，这个失业率控制在大众所能接受的范围之内，大多数西方学者认为4%～6%的失业率是正常的。较高的失业率不仅造成社会资源的极大浪费，而且容易导致社会动乱和政治危机，因此，各国政府都把充分就业作为优先考虑的政策目标。

此外，充分就业不仅是指劳动这一生产要素的充分利用，还泛指资本、土地、企业家才能等各种生产要素被充分利用的状态。

2. 物价稳定

物价稳定是宏观经济政策的第二大目标。在现实经济生活中，物价水平因受货币供给量、总需求、总供给、成本、预期等多种因素的影响而呈上升趋势。物价稳定不是指每种商品的价格或价格总水平固定不变，而是指价格总水平相对稳定，维持一个低而稳定的通货膨胀率，这种通货膨胀率既能为社会所接受，也不会对经济产生不利影响。在市场经济中，价格的波动是价格调节经济的具体形式，但价格的大起大落对经济不利。例如：物价大幅上升，会刺激盲目投资，导致重复建设、片面追求数量扩张、产能过剩、经济效益下降；而物价大幅下降，则会抑制投资，导致生产下降、物质短缺、失业增加。因此，保持物价稳定是经济平稳运行的基本条件。

3. 经济增长

经济增长是一国实际 GDP 或人均 GDP 的持续增加，通常用实际 GDP 增长率来衡量。促进经济持续稳定增长是宏观调控的重要目标。经济增长速度并不是越快越好，这种增长速度要既能满足社会发展的需要，又是人口增长和技术进步所能达到的。过快的经济增速不仅会付出高昂的环境和社会代价，也因受资源及技术约束而不可持续。一般而言，经济处于较低发展阶段的国家，经济增速较快；经济处于较高发展阶段的国家，经济增速较慢。因此，经济增长目标应该是实现与本国国情相符的适度增长率。

4. 国际收支平衡

国际收支平衡是指既无国际收支盈余也无国际收支赤字的状态。从长期看，无论是国际收支赤字，还是收支盈余都对一国经济有不利影响，将限制和影响前面三个经济政策目标的实现。长期的国际收支盈余是以减少国内消费和投资为代价的，将不利于充分就业和经济增长。长期的国际收支赤字是要用外汇储备或借款来偿还的，难以为继，且长期的国际收支赤字会导致本国货币贬值，影响经济稳定。因此维持国际收支平衡是政策的一个重要目标。

知识链接 四个政策目标之间的矛盾

由于在现实经济中，一国政府常常不是将一个而是将几个目标同时作为经济政策实施的目标，而这些政策目标之间常常存在着矛盾，因而政府就必须根据具体情况和具体要求不断地协调政策。这四个政策目标之间的矛盾表现在以下方面。

（1）充分就业与物价稳定的矛盾。为实现充分就业，就需要运用扩张性财政政策和货币政策，而这些政策又会由于财政赤字的增加和货币供给量的增加而引起通货膨胀。

（2）经济增长与充分就业的矛盾。经济增长与充分就业虽有一致的方面，即经济增长会提供更多的就业机会，但也有矛盾的一面，即经济增长中的技术进步，会引起资本对劳动的替代，相对地缩小对劳动的需求，使部分工人特别是文化水平低的工人失业。

（3）国际收支平衡与充分就业的矛盾。充分就业的实现会引起国民收入的增加，此时会引起进口的增加，从而使国际收支状况恶化。

（4）物价稳定与经济增长的矛盾。在经济增长的过程中常会伴随通货膨胀，而恶性的通货膨胀又会阻碍经济的进一步增长。

宏观经济政策目标之间的矛盾表明，政策制定者应根据本国不同时期的具体经济情况，对政策目标进行价值判断，权衡轻重缓急和利弊得失，确定一个或两个重点政策目标，并兼顾其他政策目标。

二、宏观经济政策的工具

宏观经济政策工具是用来实现政策目标的手段。政策工具有多种，不同的政策工具各具特色，但往往能实现相同的政策目标，需要有选择地运用。常用的宏观经济政策工具有需求管理、供给管理和对外经济管理。

1. 需求管理

需求管理是通过调节总需求来实现一定政策目标的宏观经济政策工具。这也是凯恩斯主义所重视的政策工具。凯恩斯主义者认为政府应对经济发展的形势加以分析权衡，做出正确决策，斟酌使用政策工具。需求管理是要通过对总需求的调节，实现总需求等于总供给，实现既无失业又无通货膨胀的目标。在总需求小于总供给时，经济中会由于需求不足而产生失业，这时就要运用扩张性的政策工具来刺激总需求。在总需求大于总供给时，经济中会由于需求过度而引起通货膨胀，这时就要运用紧缩性的政策工具来压抑总需求。总之，要“逆经济风向行事”。

需求管理的主要武器是财政政策和货币政策。

2. 供给管理

供给管理是要通过对总供给的调节，来实现一定的政策目标。当经济运行中同时出现通货膨胀和衰退时，单纯调节总需求往往难以摆脱滞胀。而滞胀的出现大多是由总供给的变化造成的。因此，随着经济的发展，供给管理在宏观经济政策中的地位日益上升，大有与需求管理分庭抗礼之势。供给即生产，在短期内影响供给的主要因素是生产成本，特别是生产成本中的工资成本；在长期内影响供给的主要因素是生产能力，即经济潜力的增长。因此，供给管理包括控制工资与物价的收入政策、改善劳动力市场的人力政策、指数化政策以及促进技术和效率改进的经济增长政策。

3. 对外经济管理

在现实的开放经济中，每一个国家都是开放的，各国经济间存在着密切的联系和影响。一国经济政策目标的实现，不仅有赖于国内经济政策，而且有赖于对外经济政策，如对外贸易政策、汇率政策等，以平衡国际收支和协调国际经济关系。因此，在宏观经济政策中，应该包括国际经济政策，或者说政府对经济的宏观调控中也包括了对国际经济关系的调节。

第二节　财 政 政 策

财政政策是政府为实现一定的经济目标，运用财政收入和财政支出来调节经济的政策。财政政策是国家干预经济的主要政策之一，是需求管理的重要工具。

财政政策

一、财政政策工具

财政政策工具也称财政政策手段，是指国家为实现一定的政策目标而采取的各种财政手段和措施。财政政策的主要内容是财政收入政策和财政支出政策。

（一）财政收入政策

财政收入是指政府为履行其职能、实施公共政策和提供公共物品与服务而需要筹集的一切资金的总和。财政收入表现为政府部门在一定时期（一般为一个财政年度）所取得的货币收入，是衡量一国政府财力的重要指标。财政收入主要来源于税收和公债。

1. 税收

税收是国家为实现其职能的需要，凭借其政治权力并按照法定标准，强制地、无偿地取得财政收入的一种手段。税收是政府组织财政收入的基本手段，是政府财政收入中最主要的组成部分，是调节经济的重要杠杆。凯恩斯主义理论认为，减税刺激消费与投资，从而刺激总需求，而增税则会抑制总需求；供给学派认为，减税刺激储蓄与个人工作积极性，从而刺激总供给，而增税则会抑制总供给。

一般来说，降低税率和减税都会引起社会总需求的增加和国民产出的增长，提高税率则会引起社会总需求和国民产出的降低。因此税率的大小及其变动的方向对经济生活，如个人消费和收入会直接产生很大影响。税收既是国家经济收入的来源，也是国家实施财政政策的重要手段。因此，在需求不足时，可采取减税措施来抑制经济衰退，在需求过旺时可采取增税来抑制通货膨胀。

案例分析 税收调节收入分配，促进共同富裕

我国政府高度重视税收在调节收入分配和促进共同富裕中的作用。近年来，我国政府通过一系列税收政策改革和实施，逐步优化税制结构，增强税收的公平性和有效性，有效地缩小了收入差距，推动了共同富裕的实现。例如，2018年，我国将个人所得税的起征点从3500元/月提高至5000元/月，同时增加了子女教育、继续教育、大病医疗、住房贷款利息和住房租金等专项附加扣除。这一措施直接减少了中低收入群体的税负，增加了他们的可支配收入，有效缓解了生活成本压力，增强了消费能力。

税收作为国家调节收入分配的重要工具，在推动共同富裕方面发挥了重要作用。通过科学合理的税收政策设计和实施，我国不断优化收入分配格局，增强社会公平，为实现共同富裕目标奠定了坚实基础。

知识链接 我国现行税种

我国现行的税种共18种（2016年5月1日起，全面推行“营改增”；2018年1月1日起施行环境保护税），分别是增值税、消费税、企业所得税、个人所得税、资源税、城市维护建设税、房产税、印花税、城镇土地使用税、土地增值税、车船税、船舶吨税、车辆购置税、关税、耕地占用税、契税、烟叶税、环境保护税，见表12-1。

表12-1 18个税种

税种功能和性质	包含税种
流转税类	增值税、消费税、关税
所得税类	企业所得税、个人所得税
资源税类	资源税、城镇土地使用税
特定目的税类	城市维护建设税、耕地占用税、土地增值税、烟叶税、环境保护税
财产和行为税类	房产税、车船税、印花税、契税、车辆购置税、船舶吨税

2. 公债

公债是指政府凭借信用，通过发行债券或借款的方式而取得的收入，是政府财政收入的另一来源。公债是政府弥补财政赤字的普遍做法，比增税、增发货币等弥补赤字方式更具优越性。公债是政府调控经济的重要政策工具，政府发行公债能扩大财政资金的来源，筹集重点建设资金，调节积累与消费比例，调节投资结构与产业结构，优化经济结构，增加财政收入和支出，刺激总需求；另外，公债是连接财政政策与货币政策最重要的中介，是央行公开市场业务的基础，央行通过买卖公债能调节货币市场与资本市场的供求关系，影响货币供给量及市场利率水平，从而对经济产生扩张或紧缩效应。

政府借债一般有短期债、中期债和长期债三种形式。短期债一般通过出售国库券取得，主要进入短期资金市场，利率较低，期限一般为三个月、六个月和一年三种。中长期债一般通过发行中长期债券取得，期限一年以上五年以下为中期债券，五年以上为长期债券。美国长期债券最长的为四十年。

公债不是越多越好，2008 年 10 月开始于冰岛，其后蔓延至希腊、意大利、西班牙、匈牙利、葡萄牙、爱尔兰等国并在欧洲越演越烈的欧洲主权债务危机就是最好的证明。一般认为，政府未清偿债务总额占同年 GDP 的比重，即公债负担率低于 60%，国民经济是可以承受的；当年公债还本付息额占当年财政收入的比重，即偿债率不超过 10% 为正常；当年公债发行额占当年财政支出的比重，即公债依存度的国际警戒线为 15% ～ 20%。

（二）财政支出政策

财政支出是指整个国家各级政府支出的总和。它是由许多具体的支出项目组成的，主要可以分为政府购买和政府转移支付两大类。

1. 政府购买

政府购买是指政府对商品和劳务的购买。政府购买性支出主要包括行政管理支出，国防支出，科技、教育、文化、卫生等事业支出和公共投资支出。

政府购买有商品和劳务的实际交易，是一种实质性的支出，直接形成社会需求和购买力，是国民收入的一个组成部分。

2. 政府转移支付

政府转移支付是指政府单方面的、无偿的资金支付，包括社会保障和社会福利支出、政府对农业或部分企业的补贴、公债利息、捐赠支出等。它不同于政府购买，是一种货币性支出，不能算作国民收入的组成部分。因为，它是通过政府将收入在不同社会成员之间进行转移的支付。降低转移支付水平，可以降低人民的可支配福利费用；提高转移支付水平，可以提高人民的可支配收入和消费支出水平，社会有效需求因而增加。

二、财政政策的运用

财政政策可分为扩张性财政政策、紧缩性财政政策和中性财政政策。财政政策运用的一般原则是“逆经济风向行事”：在经济萧条时期，采用扩张性财政政策；在经济繁荣时期，采用紧缩性财政政策。

1. 扩张性财政政策

扩张性财政政策也称为积极的财政政策，是通过减税、扩大政府财政支出来增加总需求的政策。其具体措施为减税和扩大政府财政支出。

（1）减税。减税可增加个人可支配收入，从而促进消费增加；减税可增加企业利润，从而促进投资增加。因此减税能刺激总需求增加。

（2）扩大政府财政支出。扩大政府财政支出的途径有增加政府购买、增加政府转移支付、发行公债等。政府购买是总需求的构成部分，增加政府购买就是增加总需求，同时能刺激企业投资；增加政府转移支付既能促进个人消费增加，也可促进企业投资，因此，扩大政府财政支出能刺激总需求增加。

在经济萧条时期，总需求小于总供给，经济中存在大量失业，政府就要采取扩张性财政政策来刺激总需求，实现充分就业、经济增长的目标。

2. 紧缩性财政政策

紧缩性财政政策是通过增税、减少政府财政支出来压缩总需求的政策。其具体措施为增税和减少政府财政支出。

（1）增税。增税降低个人收入水平，从而减少消费；增税降低企业利润，从而减少投资。因此增税会抑制总需求。

（2）减少政府财政支出。减少政府财政支出的途径有减少政府购买、减少政府转移支付等。减少政府财政支出可抑制总需求。

在经济繁荣时期，总需求大于总供给，经济中存在通货膨胀，政府需采用紧缩性财政政策来抑制总需求，实现稳定物价的目标。

3. 中性财政政策

中性财政政策是指财政收支保持平衡，不对社会总需求产生扩张或紧缩影响的财政政策。中性财政政策并不意味着保守或停滞，我国所称的“稳健的财政政策”即属中性财政政策类型。

三、财政政策的自动稳定器和斟酌使用

1. 自动稳定器

自动稳定器也称内在稳定器，是指经济系统自身具有的自动调节经济并使经济稳定的机制。这种机制能够在经济繁荣时期自动抑制总需求扩张，在经济萧条时期自动减缓总需求下降，无须政府采取任何干预措施。具有自动稳定器作用的因素主要包括个人和企业所得税、失业救济金和其他社会福利支出、农产品价格维持制度等。

（1）税收的自动化。个人所得税和企业所得税的征收都有一定的起征点和相应的税率。当经济衰退时，国民生产总值下降，个人或企业收入减少，在征收累进税的情况下，经济衰退使纳税人的收入自动进入较低纳税档次，这样政府税收自动减少了，且政府税收下降的幅度将超过收入下降的幅度，有助于维持总需求，抑制衰退进一步加剧；相反，在经济过于繁荣时期，经济高涨导致个人和企业的收入增加，在累进税情况下，个人和企业由于收入上涨而自动进入了较高的纳税档次，政府税收的增加幅度大于收入增加的幅度，

这样税收自动增加有助于抑制过度需求，降低通货膨胀，减轻经济波动。

（2）政府支出的自动稳定作用和政府转移支付的自动变化。这主要是指政府的失业救济和其他的社会福利支出的政府转移支付。当经济萧条时，工人失业增加，个人收入水平下降，需要社会救济的人数增加，社会失业救济和其他社会福利支出也就会相应增加，这样就可以缓和个人可支配收入的下降，也会缓和消费需求的下降，从而增加社会总需求；当繁荣时，失业人数减少，个人收入水平提高，失业救济和其他社会福利费也会自然减少，从而有利于抑制消费的增加。

（3）农产品价格维持制度。在经济繁荣时期，对农产品的需求增加，农产品价格上升，政府根据农产品价格维持制度，减少收购并抛售库存的农产品，平抑农产品价格，从而减少农民的可支配收入；在经济萧条时期，对农产品的需求减少，农产品价格下降，政府根据农产品价格维持制度，以支持价格增加收购农产品，增加农民的可支配收入，使农民的收入和消费维持在一定水平。

总之，经济学家认为以上三项制度对宏观经济活动都能起到自动稳定的作用，它们都是财政制度的内在稳定器，是应对经济波动的第一道防线。不过它们的作用是非常有限的，只能减轻萧条或通货膨胀的程度，并不能改变萧条或通货膨胀的总趋势，只能对财政政策起到自动配合的作用，并不能代替财政政策。因此要减少经济变动，政府仍需要有意识地运用财政政策，这是应对经济波动的第二道防线。

知识链接 2023年个人所得税税率

2023 年个人所得税税率见表 12-2。

表12-2 2023年个人所得税税率

级数	全月应纳税所得额（含税级距）	税率（%）	速算扣除数 / 元
1	不超过 3 000 元	3	0
2	超过 3 000 元至 12 000 元的部分	10	210
3	超过 12 000 元至 25 000 元的部分	20	1410
4	超过 25 000 元至 35 000 元的部分	25	2 660
5	超过 35 000 元至 55 000 元的部分	30	4410
6	超过 55 000 元至 80 000 元的部分	35	7 160
7	超过 80 000 元的部分	45	15 160

2. 斟酌使用的财政政策

斟酌使用的财政政策又叫权衡性的财政政策。虽然财政政策工具中各种自动稳定器一直在发挥作用，但毕竟作用有限，特别是对于剧烈的经济波动，自动稳定器就更难以扭转。因此，为确保经济稳定，经济学者认为可以采用斟酌使用的财政政策。斟酌使用的财政政策是指政府要审时度势，主动采取一些财政措施，变动支出或税收以稳定总需求水平，使之接近物价稳定的充分就业水平。

政府要密切注视经济的变动趋势，预测未来的经济发展，对可能出现的经济衰退或者经济膨胀进行相应的分析权衡，斟酌采用扩张性财政政策或紧缩性财政政策。

在经济萧条时期，有效需求不足，国民收入处于小于充分就业的均衡，这时，政府应采取扩张性财政政策，应用增加财政支出与减少税收的方法，直接刺激总需求的扩大，间接扩大私人消费和增加公司的投资。在经济繁荣时期，需求过度，货币供给过多，这时政府可以采取紧缩性财政政策，以减少政府购买和政府转移支付支出，或者通过扩大税收、发行公债等办法来直接减少社会总需求，间接控制私人消费，减少企业投资，从而抑制通货膨胀。

第三节 货币政策

货币政策也称为金融政策，是政府通过中央银行控制货币供给量来调节利率，进而影响投资和整个经济，以实现宏观经济目标的行为措施。货币政策是政府用来稳定经济的最重要的工具。中央银行通过控制货币的供给量来刺激经济或者是给过热的经济降温。近年来，世界上许多宏观经济管理，都可以看到货币和货币政策所起到的越来越大的作用。

一、货币政策基础知识

（一）货币

货币是人们普遍接受的充当交换媒介的特殊商品。马克思认为，货币是充当一般等价物的特殊商品，是商品交换发展和价值形态发展的必然产物。在发达的商品经济中，货币执行着价值尺度、流通手段、支付手段、贮藏手段和世界货币五种职能。现代货币按类型不同有以下几种形式。

（1）现金。现金亦称通货，包括纸币与铸币。纸币是由中央银行发行的由法律规定了其单位的法偿货币；铸币称为硬币，是币值微小的辅币，一般用金属铸造。

（2）存款货币。存款货币是指可以随时提取现金的商业银行的活期存款。活期存款可以随时转换为现金，也可以通过支票在市场上流通，流动性强，和现金一样。

（3）准货币。准货币又称亚货币或近似货币，是指能够执行价值贮藏职能，并且易于转换成货币，但本身还不是货币的资产，包括商业银行的定期存款和其他储蓄机构的储蓄存款、股票、债券等金融资产。

（4）货币替代物。货币替代物是指能够暂时执行交换媒介职能，但不能执行价值贮藏职能的金融工具，如信用卡。

（二）银行体系

要了解货币是如何影响经济的，必须首先了解金融体系，特别是银行体系。银行是经营管理货币的企业，货币政策是由中央银行代表国家或政府通过银行体系来实施的。

1. 银行制度

现代银行体系一般由中央银行、商业银行和其他金融机构组成。其中，发挥主要作用的是中央银行和商业银行。

中央银行是一个国家的最高金融管理机构，它统筹管理全国的金融活动，实施货币政策以影响经济。我国的中央银行是中国人民银行，英国是英格兰银行，日本是日本银行，美国是美联储。中央银行有三种业务职能：①作为发行的银行，代表国家发行货币，独占货币发行权。②作为银行的银行，既为商业银行提供贷款，又为商业银行集中保管存款准备金，还为各金融机构办理相应的票据交换和结算业务，以及提供金融信息咨询，充当最终贷款者。③作为国家的银行，代理国库，管理国家的外汇，提供政府所需资金，执行货币政策，代表政府与外国发生金融业务关系，监督、管理全国金融市场活动。

商业银行是以获取利润为经营目标、以多种金融资产和金融负债为经营对象、具有综合性服务功能的金融企业。在各类金融机构中，其历史最悠久、业务范围最广泛、对社会经济生活产生的影响最深刻。商业银行的业务种类主要有负债业务、资产业务和中间业务。负债业务主要是吸收存款，包括活期存款、定期存款等。资产业务主要包括放款和投资两类业务。放款业务是为企业提供短期贷款，包括票据、贴现、抵押贷款等。投资业务是购买有价证券以取得利息收入。中间业务是指为顾客办理支付事项和其他委托事项，从中收取手续费的业务。

其他金融机构主要是指一些非银行金融机构，如保险公司、信托投资公司、金融资产管理公司、财务公司、金融租赁公司等，这些机构承担商业银行的部分职能。

2. 银行的货币创造机制

在市场经济中，政府的货币政策要通过银行来起作用。中央银行发行的货币称为基础货币，基础货币通过商业银行系统的货币创造实现货币供给的扩张与收缩。在学习货币政策之前，还需要了解货币创造的机制。

在市场经济中，商业银行的资金主要来源于存款，存款中有一部分是活期存款（活期存款是指不用事先通知银行，存款者就可以随时提取的银行存款）。虽然活期存款可以随时提取，但很少出现所有的储户在同一时间里取走全部存款的状况。因此，银行可以用绝大部分存款来从事购买短期债券或发行贷款等营利活动，只需要留下一部分存款作为提款所需的准备金就可以了。这样就产生了经常保留的供支付存款提取用的一定金额。在西方现代银行制度中，这种由中央银行用法律的形式规定的商业银行对于所吸收的存款必须保持的准备金的比例叫法定存款准备金率。这种按法定存款准备金率提取的法定金就叫作法定准备金。法定准备金一部分是商业银行库存现金，另一部分存在中央银行的账户上。由于商业银行都想赚取尽可能多的利润，就会在吸收存款后按照法定比例保留规定数额的准备金，其余的部分贷款出去或者用于短期债券投资。

例 12–1 法定存款准备金率为 20%，假定银行客户会将其一切货币收入以活期存款形式存入银行。在这种情况下，A 客户将 1 000 万元人民币存入甲银行中自己的账户，银行系统就因此增加了 1 000 万元的存款。甲银行按法定存款准备金率保留 200 万元作为准备金存入中央银行，其余 800 万元全部贷出，假定这时借给一家公司用来购买设备，设备制造厂 B 得到这笔从甲银行开来的支票又全部存入与自己有往来的乙银行，乙银行得到了 800 万元存款后，留下 160 万元作为准备金存入中央银行，然后再贷出 640 万元，得到这笔贷款的 C 厂商又会把它存入与自己有业务来往的丙银行，丙银行留其中 128 万元作为准备金存入自己在中央银行的账户上，然后再贷出 512 万元。依此不断地贷下去，各银行的存款总和是

$$1\,000\text{ 万元}+800\text{ 万元}+640\text{ 万元}+512\text{ 万元}+\cdots=5\,000\text{ 万元}$$

银行贷款总和为

$$800\text{万元}+640\text{万元}+512\text{万元}+\cdots=4000\text{万元}$$

这就是商业银行通过存款和放款“创造”货币的功能。由1000万元的原生存款通过银行机制可以“创造”出5000万元的存款总额，也产生了4000万元的贷款总额。银行存款创造过程见表12-3。

表12-3 银行存款创造过程 （单位：万元）

银 行	新存款	新贷款	新准备金
最初的银行（甲）	1000	800	200
第二级银行（乙）	800	640	160
第三级银行（丙）	640	512	128
第四级银行（丁）	512	409.6	102.4
前四级银行小计	2952	2361.6	590.4
⋮	⋮	⋮	⋮
整个银行体系合计	5000	4000	1000

存款总额与原始存款和法定存款准备金率之间存在一定的关系。设D表示活期存款总额，R表示原始存款，r代表法定存款准备金率，则它们间的相互关系是

$$D=R\times 1/r$$

在上述例题中，有

$$1000\text{万元}\times 1/20\%=5000\text{万元}$$

在现实经济生活中，银行创造货币的乘数并不会有理论上那么大，因为上述分析隐含有两个假定：①商业银行没有超额准备；②银行客户将一切货币存入银行，支付完全以支票进行。显然这种假定很难符合现实经济运行的情况。在现实经济活动中，每一位银行客户都会考虑到日常生活中的零星支付而保留一部分现金，每一个商业银行考虑到要应付客户经常性的提取现金而保留有一部分超额准备。这样的结果必然使货币乘数下降。

二、货币政策工具

货币政策工具是中央银行为实现政策目标而采取的手段。货币政策工具包括法定存款准备金率、再贴现率和公开市场业务。

1. 法定存款准备金率

为了保证存款客户随时取款的需要，商业银行会保留一定额度的存款即存款准备金以备日常所需。在现代银行制度中，这种储备金在存款中应当占的比率由政府规定，这一比率为法定存款准备金率。银行创造货币的多少与法定存款准备金率成反比。即法定存款准备金率越高，银行创造的货币就越少；反之，法定存款准备金率越低，银行创造的货币就越多。法定存款准备金率制度就是指中央银行通过集中存款准备金和调整法定存款准备金率来影响银行信用规模的制度。

在经济萧条时，中央银行降低法定存款准备金率，使银行能够创造出更多的货币，即商业银行扩张信贷，增加货币供给量，降低利率，刺激投资需求扩大，消除经济衰退。相反在经济高涨时，中央银行则提高法定存款准备金率，减少商业银行超额准备金，缩小货

币乘数效应，货币供给量减少，利率随之提高，促使投资消费和国民收入下降。

2. 再贴现率

贴现是指客户因急需资金，将未到期票据出售给商业银行，兑现现款以获得短期融资的行为，是商业银行向客户提供资金的一种方式。再贴现是中央银行向商业银行及其他金融机构提供资金的一种方式。再贴现率是指商业银行向中央银行借款时的利率。中央银行通过变动给商业银行的贷款利率，限制或鼓励银行借款，从而影响银行系统的存款准备金和利率，调节货币供给量。

中央银行作为最终贷款者，主要是协助商业银行对存款备有足够的准备金。当商业银行的存款准备金临时不足时，就可用其持有的政府债券或商业票据向中央银行申请再贴现或贷款以获得资金。中央银行通过调整再贴现率可影响商业银行的借款行为，从而调节货币供给量。再贴现率提高，商业银行向中央银行借款就会减少，商业银行存款准备金减少，从而货币供给量就会减少；再贴现率降低，商业银行向中央银行借款就会增加，商业银行存款准备金增加，从而货币供给量就会增加。

再贴现率政策的具体运用是：当经济萧条时，为了刺激经济发展，减少失业，中央银行放宽再贴现条件，降低再贴现率，这会增加商业银行向中央银行的借款，从而引起货币供给量多倍增加，利率也随之下降，引导社会投资与消费扩大，从而促进经济复苏。在经济高涨时期，中央银行提高再贴现率，提高商业银行融资成本和难度，收缩再贴现数量，减少商业银行存款准备金，最终减少货币供给量，提高利率，从而抑制投资需求，减少总需求，抑制通货膨胀。

3. 公开市场业务

公开市场业务是指中央银行在金融市场上公开买卖政府债券以控制货币供给和利率的政策手段。公开市场业务是中央银行实施货币政策的主要工具，是中央银行稳定经济最常用、最重要、最灵活的政策手段。

当中央银行在公开市场上购买政府债券时，将货币投入市场，引起货币供给量增加。商业银行将持有的政府债券卖给中央银行获得货币而使存款准备金增加，个人或企业等非银行机构将持有的政府债券卖给中央银行获得货币存入商业银行，引起商业银行存款准备金增加。由于货币创造的乘数效应，货币供给量成倍增加，利率下降。同时，中央银行购买政府债券的行为使债券的市场需求增加，债券价格上升，而利率下降。利率下降会促使人们增加消费和投资，从而刺激总需求。

当中央银行在公开市场上卖出政府债券时，货币回笼，引起货币供给量减少。商业银行若买进政府债券，则因支付货币而减少存款准备金，个人或企业等非银行机构若买进政府债券则因支付货币而减少在商业银行的活期存款，从而减少商业银行的存款准备金。由于货币创造的乘数效应，货币供给量成倍减少，利率上升。同时，中央银行卖出政府债券的行为使债券市场需求减少，债券价格下跌，而利率上升。利率上升会促进人们减少消费和投资，从而抑制总需求扩张。

与法定存款准备金率和再贴现率相比，公开市场业务具有明显的优势。其优势主要表现为：①中央银行在公开市场业务操作中占主动地位，可根据经济形势灵活运用，及时改变货币供给的方向和数量；②借助货币乘数，可以较准确地预测公开市场业务对货币供给的影响；③公开市场业务调控作用缓和，是一种微调，不会引起社会的强烈反应，可以相对频繁地使用。

三、货币政策的运用

与财政政策一样，根据对总需求的调节方向不同，货币政策可分为扩张性货币政策、紧缩性货币政策。货币政策运用的一般原则也是“逆经济风向行事”：在经济萧条时期，采用扩张性货币政策；在经济繁荣时期，采用紧缩性货币政策。

1. 扩张性货币政策

扩张性货币政策亦称为积极或宽松的货币政策，是通过增加货币供给量、降低利率来刺激总需求的货币政策。

在经济萧条时期，总需求小于总供给，存在大量失业，政府就要采取扩张性货币政策来刺激总需求，其中包括降低法定存款准备金率、降低再贴现率并放松再贴现条件、在公开市场上买进有价证券等，通过增加货币供给量、降低利率刺激总需求，促进充分就业和经济增长。

2. 紧缩性货币政策

紧缩性货币政策是通过减少货币供给量、提高利率来抑制总需求的货币政策。在经济繁荣时期，总需求大于总供给，存在通货膨胀，政府则需采取紧缩性货币政策来抑制总需求，其中包括提高法定存款准备金率、提高再贴现率和再贴现条件、在公开市场上卖出有价证券等，通过减少货币供给量，实现稳定物价的目标。

四、财政政策和货币政策的综合运用

在实践中，由于宏观经济问题十分复杂，单一的财政政策或货币政策往往很难起到良好的作用，因此通常将两者结合起来组合运用，以得到理想的调控效果。

常用的政策组合主要有如下几种情形。

（1）“双松”模式，即扩张性财政政策和扩张性货币政策组合。该模式适用于经济萧条阶段。当经济萧条时，社会总需求严重小于总供给，政府采用扩张性财政政策使总需求增加的同时会使利率上升，而同时配合采用扩张性货币政策，则会抑制利率上升，以消除或减小扩张性财政政策的挤出效应，使总需求增加。“双松”配合的目的是刺激经济增长和扩大就业，但由此容易引起通货膨胀。

（2）“双紧”模式，即紧缩性财政政策和紧缩性货币政策组合。该模式适用于经济过热阶段。当经济过热时，社会总需求严重大于总供给，政府采用紧缩性财政政策在使总需求减小的同时会使利率下降，而同时配合采用紧缩性货币政策，则会抑制利率下降，从而抑制总需求增加，抑制通货膨胀。

（3）“一松一紧”模式，即扩张性财政政策与紧缩性货币政策组合。该模式适用于经济衰退阶段。在经济衰退阶段，政府采用扩张性财政政策刺激需求，采用紧缩性货币政策控制通货膨胀。使用这种政策组合会导致利率上升，产生“挤出效应”。

（4）“一紧一松”模式，即紧缩性财政政策与扩张性货币政策组合。当经济出现通货膨胀但又不太严重时，可采用这种组合，一方面用紧缩性财政政策抑制总需求，另一方面用扩张性货币政策降低利率、刺激投资，以防止财政政策过紧而引起经济衰退。

总之，通过这些配合，可以更有效地刺激总需求或者更有效地抑制通货膨胀以便既能达到刺激总需求又不会引起严重的通货膨胀，或者说既控制了通货膨胀又不会导致严重的失业的目的。经济学家认为，国家运用经济政策来干预经济，并不是在任何情况下都是必不可少的，而是经济波动超出一定限度时，才需要政府出面来调控。

本章小结

宏观经济政策是一国政府为实现一定的总体经济目标而制定的相关指导原则和措施。宏观经济政策的目标是充分就业、物价稳定、经济增长和国际收支平衡。凯恩斯主义理论的宏观经济政策主要是财政政策和货币政策。

财政政策是政府为实现一定的经济目标，运用财政收入和财政支出来调节经济的政策。财政政策主要有税收、公债、政府购买、政府转移支付等。根据对总需求的调节方向不同，财政政策可分为扩张性财政政策、紧缩性财政政策和中性财政政策。

货币政策是政府通过中央银行控制货币供给量来调节利率，进而影响投资和整个经济，以实现宏观经济目标的行为措施。货币政策工具主要包括法定存款准备金率、再贴现率和公开市场业务。根据对总需求的调节方向不同，货币政策可分为扩张性货币政策和紧缩性货币政策。

财政政策和货币政策运用的一般原则是“逆经济风向行事”，即在经济萧条时期，采用扩张性财政与货币政策；在经济过热时期，采用紧缩性财政与货币政策。政府在运用宏观经济政策调节经济时，应根据具体经济形势及各项政策措施的特点，灵活地选择适当的政策工具，以实现宏观经济政策目标。

练　习　题

一、名词解释

财政政策　自动稳定器　货币政策　法定存款准备金率　公开市场业务

二、单项选择题

1. 可以直接刺激消费和投资，具有手段多、力度大和见效快特点的经济政策是（　　）。

A. 消费政策　B. 货币政策　C. 投资政策　D. 财政政策

2. 由于存在（　　），财政政策在实施过程中可能出现与制定初衷相反的效果。

A. 预期　B. 乘数　C. 时滞　D. 滞涨

3. 国债的基本职能是（　　）。

A. 弥补财政赤字　B. 推进技术进步

C. 发展对外贸易　D. 筹集消费资金

4. 中央银行稳定经济最常用、最重要、最灵活的政策工具是（ ）。
   A. 法定存款准备金率　B. 再贴现率
   C. 公开市场业务　D. 垫头规定
5. 中央银行在公开的证券市场上买入政府债券会使货币供给量（ ）。
   A. 增加　B. 减少　C. 不变　D. 难以确定
6. 金融市场的交易对象是（ ）。
   A. 货币资金　B. 有价证券　C. 货币头寸　D. 利率
7. 财政补贴属于（ ）。
   A. 积累性支出　B. 购买性支出　C. 转移性支出　D. 补偿性支出
8. 扩张性财政政策和紧缩性货币政策组合使用导致利率（ ）。
   A. 上升　B. 不变　C. 下降　D. 不能确定
9. 经济萧条时，中央银行应该采取（ ）的货币政策。
   A. 降低再贴现率　B. 减少财政支出
   C. 增加税收　D. 提高存款准备金率
10. 以下不属于货币政策工具的是（ ）。
   A. 税收政策　B. 公开市场业务
   C. 再贴现率　D. 法定存款准备金率

三、多项选择题

1. 宏观经济政策的目标有（ ）。
   A. 充分就业　B. 物价稳定　C. 经济增长　D. 国际收支平衡
2. 财政收入主要来源于（ ）。
   A. 税收　B. 公债　C. 规费　D. 捐赠
3. 财政政策工具包括（ ）。
   A. 货币供给量　B. 财政预算　C. 财政收入政策　D. 财政支出政策
4. 具有自动稳定经济功能的有（ ）。
   A. 政府购买　B. 所得税
   C. 政府转移支付　D. 农产品价格维持制度
5. 经济过热时，政府应该采取（ ）的财政政策。
   A. 减少财政支出　B. 增加财政支出
   C. 减少税收　D. 增加税收

四、简答题

1. 公开市场业务这一货币政策工具有哪些优点?
2. 财政政策与货币政策有何区别?

五、案例分析题

2023年中央经济工作会议提出，稳健的货币政策要灵活适度、精准有效。中国人民银行货币政策司司长邹澜表示，中国人民银行将强化逆周期和跨周期调节，从总量、结构、价格三方面发力，为经济高质量发展营造良好的货币金融环境。

在总量方面，中国人民银行将综合运用公开市场操作、中期借贷便利、再贷款再贴现、准备金等基础货币投放工具，为社会融资规模和货币信贷合理增长提供有力支撑。同时，防止资金淤积，引导金融机构加强流动性风险管理，维护货币市场平稳运行。

邹澜表示，要合理把握债券与信贷两个最大融资市场的关系。一方面加强与财政政策的协调配合，保障政府债券顺利发行，继续推动公司信用类债券和金融债券市场发展；另一方面支持金融机构围绕九大重点任务积极挖掘信贷需求和项目储备，多措并举促进贷款合理增长。

在结构方面，中国人民银行将发挥好货币政策工具总量和结构双重功能，盘活存量、提升效能。

“优化资金供给结构，要做到有增有减。”邹澜表示，增的方面，要进一步提升货币信贷政策引导效能，紧扣重大战略、重点领域和薄弱环节，重点做好科技金融、绿色金融、普惠金融、养老金融、数字金融五篇大文章，服务好高质量发展。减的方面，要通过债务重组、市场出清等多种方式，盘活被低效占用的金融资源。

在价格方面，邹澜表示，中国人民银行将继续深化利率市场化改革，促进社会综合融资成本稳中有降。同时，指导金融机构加快发展柜台债券市场，既为居民家庭提供更多投资选择，也进一步疏通储蓄向投资转化的多元化渠道。

请分析我国货币政策的主要工具有哪些。

参考文献

[1] 高鸿业．西方经济学 [M]．8 版．北京：中国人民大学出版社，2021.

[2] 平狄克，鲁宾费尔德．微观经济学：第 9 版 [M]．李彬，译．北京：中国人民大学出版社，2020.

[3] 曼昆．宏观经济学：第 11 版 [M]．卢远瞩，译．北京：中国人民大学出版社，2023.

[4] 赵璐，杨利勤．经济学原理 [M]．北京：中国传媒大学出版社，2016.

[5] 姜法芹，胡建明．经济学基础 [M]．2 版．北京：机械工业出版社，2019.

[6] 吴志清．经济学基础 [M]．3 版．北京：机械工业出版社，2018.

[7] 王平．经济学基础 [M]．北京：北京大学出版社，2013.

[8] 弗兰克．牛奶可乐经济学 [M]．闾佳，译．北京：中国人民大学出版社，2010.

[9] 英国 DK 出版社．经济学百科：典藏版 [M]．谭英，何小敏，译．北京：电子工业出版社，2020.

[10] 薛兆丰．经济学通识 [M]．北京：北京大学出版社，2015.

[11] 薛兆丰．薛兆丰经济学讲义 [M]．2 版．北京：中信出版社，2023.

[12] 李云飞，罗建华．经济学基础 [M]．北京：机械工业出版社，2012.

[13] 孙涛．经济学基础 [M]．上海：上海交通大学出版社，2014.

[14] 曹龙骐．金融学 [M]．7 版．北京：高等教育出版社，2023.

[15] 泰勒．宏观经济学原理：第 6 版 [M]．杨振凯，王学生，译．北京：清华大学出版社，2010.

[16] 萨缪尔森，诺德豪斯．经济学：第 19 版 [M]．萧琛，等译．北京：商务印书馆，2017.

[17] 陈雨露．国际金融 [M]．7 版．北京：中国人民大学出版社，2023.

[18] 胡庆龙．罗纳德·哈里·科斯：新制度经济学创始人 [M]．北京：人民邮电出版社，2009.

[19] 斯宾塞，麦克弗森．23 位诺贝尔经济学奖得主的瑰丽人生 [M]．颜超凡，邹方斌，译．北京：中信出版社，2016.

[20] 李志强，陈小刚．经济学基础 [M]．北京：北京出版社，2014.

[21] 张建华．流通经济学 [M]．3 版．北京：机械工业出版社，2016.

[22] 张满银．宏观经济学：原理、案例与应用 [M]．2 版．北京：机械工业出版社，2017.

[23] 冯瑞．经济学基础 [M]．3 版．北京：高等教育出版社，2022.

[24] 曼昆．经济学基础：第 8 版 [M]．梁小民，梁砾，译．北京：北京大学出版社，2022.